2ª edição - Outubro de 2024

Coordenação editorial
Ronaldo A. Sperdutti

Preparação de originais
Maria Glória Nolla Pires

Capa
Juliana Mollinari

Imagem Capa
Shutterstock | Kiselev Andrey Valerevich

Projeto gráfico e diagramação
Juliana Mollinari

Assistente editorial
Ana Maria Rael Gambarini

Impressão
Lis gráfica

Av. Porto Ferreira, 1031 | Parque Iracema
CEP 15809-020 | Catanduva-SP
17 3531.4444

www.**lumeneditorial**.com.br
www.**boanova**.net

atendimento@lumeneditorial.com.br
boanova@boanova.net

Dados Internacionais de Catalogação na Publicação (CIP)
(Câmara Brasileira do Livro, SP, Brasil)

Leonel (Espírito)
A princesa celta : o despertar de uma guerreira / ditado pelo Espírito Leonel, [psicografado por] Mônica de Castro. -- Catanduva, SP : Lúmen Editorial, 2021.

ISBN 978-65-5792-029-9

1. Espiritismo 2. Literatura espírita I. Castro, Mônica de. II. Título.

21-81161 CDD-133.9

Índices para catálogo sistemático:

1. Romance espírita : Espiritismo 133.9

Aline Graziele Benitez - Bibliotecária - CRB-1/3129

Impresso no Brasil – Printed in Brazil
02-10-24-3.000-13.000

Mônica de Castro
Romance pelo espírito Leonel

A PRINCESA CELTA

O DESPERTAR DE UMA GUERREIRA

LÚMEN
EDITORIAL

Prefácio

Oyá não era uma divindade própria dos africanos no século I a.C., quando se passa esta história. Naquela época, talvez os deuses nem tivessem nome e fossem conhecidos apenas por suas características. Mas as forças da natureza sempre existiram, e certos aspectos da vida comunitária ganharam relevância à medida que o homem se desenvolveu e passou a conviver em sociedade.

Assim, à falta de denominação conhecida, chamamos de Oyá a deusa narrada nesta história, **apenas porque foi preciso dar-lhe um nome**. Trata-se de uma divindade africana, que conserva sua natureza e suas características ainda quando a história, no século seguinte, se transporta para a região da Britânia, ocupada pelos romanos.

Agora, o que Oyá tem a ver com a princesa celta, só mesmo lendo o livro para poder descobrir...

Mônica de Castro – autora

Prólogo

Uma nuvem de poeira espessa e cinza se espalhava pela floresta, como se o dia, de repente, houvesse desistido de acolher o sol e tivesse se rendido à névoa da manhã. O vento também se tornou estranho, rodopiando em círculos. Parecia que corria atrás da própria sombra. Os pássaros levantaram voo, assustados com uma presença intrusa que, na surdina, invadia as proximidades, acercando-se, cada vez mais, da aldeia indefesa.

Nnenia percebeu a movimentação incomum e ergueu a mão que acariciava as águas cristalinas do rio. A floresta costumava ganhar vida quando incomodada pelo desconhecido, o que era sempre sinal de alerta. De onde estava, ela não podia ver a aldeia, mas intuía uma corrente maligna se esgueirando pelas sombras.

Em meio às brumas, ela ouviu os gritos. A mata se agitou freneticamente, açoitada por braços desesperados em busca de uma rota de fuga. Seus ouvidos captavam a balbúrdia, seus olhos divisavam a proximidade do mal e todos os seus sentidos percebiam a angústia de seu povo. Paralisada pela surpresa, Nnenia esperou. Não sabia o que estava acontecendo nem o que deveria fazer. Só sentia medo. A única coisa identificável e real era o medo.

Inesperadamente, pessoas irromperam do meio da vegetação, correndo feito loucas, muitas feridas, algumas carregadas, outras, empurradas. Nnenia sentiu o terror apoderar-se de seu corpo, fazendo arrepiar os pelos e gelar o sangue. Um inimigo selvagem e brutal invadira a aldeia, dizimando a tribo com suas lanças afiadas e seus gritos de guerra, capturando as mulheres, matando os anciãos, escravizando as crianças.

Os guerreiros de sua tribo eram também caçadores e, àquela hora, costumavam sair em busca da caça, deixando a aldeia aos cuidados dos mais velhos. Pela correria desenfreada, Nnenia percebeu que eles não haviam ainda retornado, e os que ficaram deviam estar mortos. O ataque se dera de surpresa, justamente no momento em que a aldeia estava mais desprotegida e poderia ser facilmente conquistada.

Aturdida com a confusão, Nnenia permaneceu estática, assistindo à devastação da única terra que conhecera como lar. Homens altos e fortes, de olhar feroz, surgiram diante dela, estocando as vítimas a esmo, movidos pelo simples prazer de matar. A seu lado, pessoas tombavam, mortas ou mortalmente feridas, atingidas sem qualquer chance de se defender.

A consciência retornou de uma vez. Subitamente, Nnenia se deu conta do perigo, exposta na beira do rio, bem na mira dos agressores. Recuperada do susto, deixou o pânico de lado e correu para a selva, buscando o abrigo dos arbustos e das árvores. Conseguiu ocultar-se no oco de um tronco, cobrindo a abertura com galhos e folhas. Ali permaneceu em silêncio, imóvel, quase sem respirar, esperando que a manhã se fosse, a tarde morresse e a noite viesse tingir o céu de um azul escuro, pontilhado de estrelinhas brilhantes.

Na terra, a escuridão, finalmente, tomou conta da floresta, transformando a vegetação num bloco maciço de trevas. Nnenia apurou os ouvidos e farejou o ar, tentando identificar a presença de algum agressor. A selva, porém, jazia quieta. Os pássaros haviam retornado e adormecido, o vento se cansara de rodopiar e se transformara em brisa. Nenhum som desconhecido, nenhum movimento diferente, nenhuma sombra estranha. A calma havia voltado a reinar na aldeia e nas cercanias.

Tomando coragem, Nnenia empurrou os galhos e colocou a cabeça para fora, tentando enxergar na escuridão. Nada além da normalidade parecia rondar por ali. Aos poucos, ela se arriscou a sair, expondo uma parte do corpo de cada vez. Como nada acontecia, engatinhou para o lado de fora, sentindo uma náusea súbita. Levado pela brisa, o cheiro de sangue atestava a morte. Ela conteve o enjoo e pôs-se de pé. Com cuidado, pisando o mais levemente que seus pés conseguiam, tomou o rumo da aldeia. À medida que se aproximava, os odores da chacina misturavam-se ao cheiro forte de queimado. À sua frente, um fiozinho de fumaça ainda se desprendia das cabanas em chamas.

A aldeia havia sido saqueada. De vida, não havia nenhum sinal. Nem de invasores, nem os de sua gente, nenhum vivo restara, ou, ao menos, era o que lhe parecia. Nnenia circulou entre os cadáveres, procurando sobreviventes, ao mesmo tempo que sentia o ódio dominar seu coração. Não encontrou nenhum. Os guerreiros e caçadores haviam sido dizimados, na certa emboscados no retorno da caça. Junto com eles, haviam sucumbido os mais velhos e os mais fracos. Mulheres e crianças, na certa escravizadas, a essa altura, já deviam estar longe.

Espalhados pelo terreiro, fragmentos de esculturas anunciavam a extinção de seu povo, sua arte, seus costumes. Com lágrimas nos olhos, Nnenia olhava a esmo, em busca de algo que fizesse diminuir sua dor. Perto de um forno, algumas peças de terracota haviam resistido, semienterradas na terra macia. Ela se abaixou e apanhou uma das estatuetas, que ainda se mantinha intacta, representando a deusa Oyá, sua protetora. O que seria dela agora?

Nnenia enxugou os olhos e aprumou o corpo, apertando a pequenina peça contra o peito. De nada adiantava chorar. Não podia, simplesmente, desistir de si mesma e se abandonar à morte, junto com os que haviam perecido. Era triste, cruel, injusto, mas era a realidade. Sua aldeia havia sido destruída, e a vida, dali em diante, seria um completo enigma. O que ela precisava era reunir forças e partir em busca de um lugar onde fosse possível sobreviver.

Quando se virou, estacou assustada. Parado diante dela, um grupo de pessoas a observava. Com o susto, Nnenia pensou em fugir, temendo que os guerreiros inimigos houvessem retornado. As pessoas, contudo, não se moveram, mas ela ouviu chamar seu nome assim que se virou para correr:

– Nnenia!

Reconheceu a voz instantaneamente. Era seu irmão mais velho, que estava caçando na hora do ataque.

– Mazi! – gritou ela, correndo para ele e atirando-se em seus braços. – Oh, Mazi, foi horrível! Mataram todo mundo...

– Nem todo mundo. Alguns conseguiram fugir e se esconder.

Mazi apontou para o pequeno grupo que o acompanhava, na maioria, mulheres, idosos e crianças, além de uns poucos homens adultos.

– E nossos pais? – ele meneou a cabeça, indicando que haviam morrido. – E nossos irmãos?

– Não sobrou ninguém da nossa família.

– E agora, irmão? O que será de nós?

– Temos que partir. Não podemos mais ficar aqui, ou nos tornaremos alvos fáceis. Se descobrirem que restaram sobreviventes, os invasores irão voltar.

– Tem razão, Mazi. Vamos juntar nossas coisas.– E, dirigindo-se aos demais, falou em tom amoroso, porém, firme:– Peguem o que puderem, mas só o necessário. Não podemos carregar muito peso.

Mazi surpreendeu-se com a determinação na voz de Nnenia, mas não disse nada. A irmã havia encontrado sua coragem e logo assumiu a liderança, juntamente com ele. Os demais os seguiram confiantes, satisfeitos por terem quem os conduzisse. Nnenia reuniu seus poucos pertences numa trouxa, onde enfiou a pequena imagem da deusa Oyá, única remanescente da cultura de seu povo.

Acostumados à vida nômade, não foi difícil para Nnenia e sua gente atravessarem o território africano, em busca de um lugar para se estabelecer. Enfrentaram muitos perigos, esquivando-se de animais ferozes e tribos selvagens, até que, finalmente, chegaram a Cartago, no norte da África, atraídos pela fama de prosperidade marítima de que a cidade gozava. Lá, Mazi encontrou trabalho no porto e construiu uma pequena cabana na periferia da cidade, onde Nnenia plantava legumes, que vendia no mercado.

Nos primeiros anos, encontraram a paz. A vida era dura, o trabalho, árduo, porém, a sensação de segurança e liberdade que usufruíam recompensava esforços e sacrifícios. Tudo ia bem, até que se iniciaram os ataques empreendidos pela Numídia, reino vizinho de Cartago.

– Estou com medo, Mazi– Nnenia confessou ao irmão.– Já sabemos como terminam as invasões.

– Cartago é uma cidade grande, não é como nossa aldeia.

– Mas não vejo ninguém lutando em sua defesa! Por que, Mazi? Por que os cartagineses não reagem a esses ataques?

– Ouvi comentários no porto. Dizem que Cartago está proibida, por Roma, de se envolver em conflitos bélicos.

– Por quê?– surpreendeu-se ela.

– Algo relativo a guerras passadas, que Roma venceu e no fim das quais impôs um tratado de paz, proibindo os cartagineses de pegar em armas.

– Mas isso é um absurdo!

– Pode ser. Dizem que o senado cartaginês enviou diversas petições ao senado romano, pedindo ajuda, mas todas foram ignoradas.

– Por quê?

– Porque, apesar dos embargos impostos pelos romanos, a cidade prosperou, e isso incomodou o senado.

– É tudo muito confuso, Mazi. Não entendo dessas coisas.

– É política, Nnenia, onde cada um visa apenas a seus interesses.

– O que faremos? Vamos permanecer inertes, aguardando que o pior aconteça?

– Não sei.

– Vou pedir a Oyá que nos proteja.

– Sim, faça isso.

Apesar das orações de Nnenia, o pior aconteceu. Após três anos de ataques númidas, e diante do silêncio do senado romano, os cartagineses resolveram revidar, o que foi considerado um rompimento dos termos do tratado de paz. Era o pretexto que o senado romano esperava para atacar a rival, e legiões foram enviadas com esse objetivo. Cartago foi sitiada, e mais três anos se passaram até que as tropas romanas conseguissem transpor os muros e invadir a cidade.

Foi uma luta feroz, pois o heroico povo de Cartago não estava disposto a ceder e entregar seus domínios com facilidade.

Pouco a pouco, porém, os romanos se infiltravam pela cidade e tomavam as casas, até que conseguiram vencer o último reduto de resistência. Violentas investidas foram desferidas contra a cidade, pois os soldados atacavam sem piedade, matando homens, mulheres e crianças com a mesma selvageria.

Como era inevitável, uma hora, os romanos chegaram às proximidades do local onde Nnenia vivia. Dominados por uma fúria incontida, sedentos de violência e ávidos de sangue, os soldados destruíam tudo o que viam pela frente. Foi com esse furor que irromperam por sua casa, matando Mazi quase que instantaneamente, sem lhe dar tempo, sequer, de perceber a origem do ataque.

O soldado que matou Mazi encontrou Nnenia acuada a um canto, apontando para ele um facão de cortar carne. O homem a estudou com cautela e sorriu maliciosamente. Disse algumas palavras que ela não compreendeu, apontando para a arma em suas mãos. Com cuidado, se aproximou. Parecia dizer algo confortador, como se estivesse tentando tranquilizá-la, garantindo-lhe que não lhe faria mal. Ela não confiou nele. Bastava olhar ao redor para perceber que suas boas intenções eram falsas. Por um segundo, porém, Nnenia hesitou. O instinto de defesa era grande, contudo, não era de sua natureza matar. Abaixou o facão por um instante, o suficiente para que o experiente soldado investisse contra ela.

Com muita rapidez e perícia, ele a desarmou. Ela ainda tentou enfiar-lhe a faca, contudo, não conseguiu. O soldado atirou a arma para longe e deu-lhe um soco, que a fez rodopiar e cair ao chão, o maxilar deslocado ante a violência do golpe. Alheio à dor que ela sentia, o homem se atirou sobre ela, pronto para possuí-la. Estuprou-a com tanta selvageria, que ela nem sequer conseguiu esboçar algum tipo de reação. A dor a paralisou, minando-lhe todas as forças. Impotente, submeteu-se à lascívia irascível, debilitada pela força bruta.

A cada movimento do soldado, seu coração se movia com ele, bombeando um ódio que parecia em ebulição, fazendo ferver seu sangue e adormecer seus sentidos. A dor que antes sentira se fundiu a todo aquele ódio, tornando-o muito mais poderoso do que os músculos que a dominavam. Quando o homem terminou, tinha sob si o corpo inerte de uma mulher cuja beleza de ébano o encantara. Ele quase a tomou nos braços, ansioso por beijá-la. Contudo, ao puxá-la para si, os olhos de Nnenia ganharam vida, e ela o encarou ainda com mais ódio. Reunindo as forças perdidas, sem dizer uma palavra, cravou as unhas no rosto dele, sem se importar com o destino.

O soldado ficou transtornado. Levado pela raiva, juntou as mãos ao redor do pescoço de Nnenia e apertou. Ela se debateu, ele apertou mais. Os olhos dela, fixos nos dele, pareciam implorar não por misericórdia, mas por justiça. Inutilmente, Nnenia tentou se soltar. Aos poucos, os sentidos foram falhando, até que veio a inconsciência bendita, precedendo a morte.

Estava certa de que ia morrer quando, subitamente, o ar jorrou através de seus pulmões. Ela tossiu várias vezes e apertou o pescoço, que doía imensamente. Tentou engolir a saliva, contudo, nada lhe passou pela garganta, fechada pela inflamação causada pelas mãos do soldado. Em sua confusão, Nnenia ouviu palavras naquela língua esquisita dos romanos e ainda conseguiu erguer os olhos, bem a tempo de ver o homem que a atacara ser duramente repreendido por outro soldado, e ela parecia ser o motivo da repreensão.

Deduziu que o recém-chegado era um oficial superior e recriminava o soldado pelo que lhe havia feito, embora este não aceitasse a recriminação. O primeiro puxou o segundo pelo braço, tentando afastá-lo dali, e uma pequena discussão se seguiu. O superior estava realmente zangado, ameaçando o outro, que apontou para ela e disse algo que ela não entendeu, mas onde pôde deduzir o desdém. O superior insistiu, porém o soldado não parecia disposto a obedecer. Enraivecido, e talvez para demonstrar que Nnenia não valia a reprimenda, o homem empurrou o outro com força e partiu para cima dela, cravando a espada diretamente em seu coração.

Com um golpe rápido e certeiro, o soldado atingiu Nnenia, que tombou no chão como uma pluma. Seus olhos buscaram o corpo do irmão, que jazia inerte, afogado em seu próprio sangue. Mais além, a estatueta da deusa Oyá repousava quieta, destroçada, toda salpicada do sangue de Mazi. Foi a última visão que Nnenia teve. Enquanto a vista embaçava, fixada em sua protetora, ela captava os sons indistintos, e cada vez mais distantes, da cidade. Vozes masculinas altercadas, gritos, estalos de chamas, estrondos... o som da destruição. Em pouco tempo, a vida se esvaiu de seu corpo, juntamente com a cidade que, a partir daquele dia, deixaria de existir.

Capítulo 1

Enquanto Alana subia a montanha, ia pensando no que diria ou faria quando encontrasse Marlon. Há muito sonhava com ele, com seus olhos azuis límpidos e doces, sua voz suave e, ao mesmo tempo, segura. Marlon costumava soprar-lhe coisas lindas ao ouvido, palavras de amor que ele entrelaçava com suas ideias revolucionárias sobre luta e liberdade.

Alana compreendia bem o significado da rebelião, embora a mãe tentasse desvirtuar sua finalidade. Dizia-lhe que era uma concepção divergente, fruto de pessoas insatisfeitas com o poder estabelecido e que queriam modificar as tradições seculares, a fim de alimentar o próprio ego através da guerra e do domínio impostos pela inveja e a ganância. Ela, porém, não acreditava em uma palavra. Percebia a enorme diferença entre ela e o povo, que vivia oprimido, escravizado, vendo esvaírem-se as colheitas para pagamento dos altos tributos a Roma. Nada daquilo era certo.

Com a conquista dos romanos veio também o que eles denominaram de progresso. A mãe dizia que, não fosse por eles, o povo ainda estaria vivendo em choupanas. Só que a maioria dos aldeões ainda vivia em choupanas, maiores ou menores, de acordo com as riquezas de quem as possuía.

O palácio em que elas viviam não era exatamente igual às edificações romanas, porém, se destacava entre as cabanas simples e de um só cômodo do povoado. Alana agora residia em um edifício amplo, de dois andares, feito de pedra e madeira, com vários aposentos, permeado de janelas e portas. Comparado ao restante das construções da vila era, realmente, algo grandioso, que se sobressaía e fazia realçar a desigualdade entre as pessoas do povo.

Finalmente, ela chegou ao seu destino. Lá estava Marlon, sentado em uma pedra, fitando o horizonte com o olhar perdido de sempre. Ela o viu pela lateral e tinha certeza de que ele também havia percebido sua presença. Tentou aproximar-se devagar, contudo, ele deu um salto e a agarrou, tombando com ela sobre a relva macia.

– Peguei você – disse, rindo, ao mesmo tempo que tentava beijá-la.

– Você trapaceou – queixou-se ela, aparentando aborrecimento.– Viu quando me aproximei e fingiu que não viu.

– Na verdade, foi você quem trapaceou. Tenho certeza de que sabia que eu a vi, mas se aproximou mesmo assim, talvez com a esperança de que eu fizesse exatamente o que fiz.

– E daí, se foi isso? – retrucou ela, em tom de desafio.– Não posso desejar estar sob o seu corpo?

Ele não respondeu. Fitou o rosto dela com paixão e beijou-a ardorosamente. Ela correspondeu sem relutar, entregando-se a ele por completo. No calor do desejo, ele começou a acariciar-lhe o corpo, incentivado pelo assentimento tácito, proveniente dos gemidos e do contorcer do corpo dela.

– Como eu a quero, Alana!– sussurrou, demonstrando uma paixão desesperada e obsessiva.– Gostaria que pudéssemos nos casar.

A menção a casamento trouxe Alana de volta à realidade. Gentilmente, empurrou Marlon para o lado, ajeitando as pontas do vestido, de forma a cobrir-lhe as pernas.

– Você sabe que não podemos... – contrapôs ela, acabrunhadamente. Ia acrescentar "por enquanto", mas ele não lhe deu chance.

– Só porque sua mãe não quer. E por que você tem que obedecer a tudo que ela diz?

– Se eu, realmente, obedecesse, me casaria com um romano qualquer.

– É o que ela quer, não é? Casar a filha com alguém importante de Roma para assegurar-lhe o reinado de Brigância. E você vai se sujeitar a isso?

– Será que você não ouviu o que eu disse? Não vou me casar com ninguém, mas não posso me esquecer de que minha mãe é a rainha...

– Uma rainha que traiu o próprio povo– cortou ele, a voz trêmula de raiva.– Vendeu-se aos romanos, entregou meu tio para ser julgado e condenado pelo inimigo.

– Minha mãe foi obrigada a isso, ou então, o exército romano nos massacraria.

– Isso é o que ela diz, não é mesmo?

– Seu tio Caracatus não foi executado– objetou ela, sentindo uma pontinha de irritação.– Ouvi dizer que impressionou tanto os senadores romanos que foi perdoado e agora vive muito bem em Roma. Pensando bem, não seria isso, também, uma forma de traição?

– Você não está sendo justa. Meu tio foi impedido de retornar à Britânia e precisou usar de inteligência para não ser executado. Ele fez o que foi preciso para sobreviver.

– Assim como minha mãe.

– Isso não é desculpa – rebateu ele, com frieza.– Sua mãe leva uma vida de pompa e, em troca, condenou o povo à escravidão. Até mesmo seu pai acabou voltando-se contra ela.

– Meu pai simplesmente nos abandonou.

– E você nunca se perguntou por quê?

– Minha mãe diz que ele se acovardou diante dos romanos. Preferiu fugir a se render, temendo represálias.

– Seu pai se transformou em um grande líder da resistência contra os romanos.

– Se é assim, por que fugiu, então? Não seria aconselhável ficar e lutar?

– Sua mãe o traiu e se casou com Velocatus.

– Minha mãe fez o que fez para que Brigância não fosse destruída. Ela não teve escolha.

– É nisso que você acredita?– indignou-se.– Acha mesmo que Cartimandua entregou Brigância a Roma para nos proteger?

– Acredito que ela fez o que achava certo, o que não significa que eu concorde com ela.

– Certo– repetiu ele, com desprezo.– Como pode achar certo escravizar as pessoas?

– Eu disse que **ela** acha que é certo, não eu. Assim como você, odeio os romanos, mas não posso fugir do fato de que a rainha é minha mãe!

– O que faz de você uma princesa e, como princesa, deveria estar ao lado dela.

– Não entendo por que, às vezes, você é tão sarcástico e me culpa por ser quem sou. Quero que nosso povo seja livre e quero me casar com você, mas não posso fingir que não sou filha da rainha.

– Quer mesmo se casar comigo?– retrucou ele, abrandando o tom de voz.

– Você sabe que sim.

– Mas como? Você mesma disse que é impossível.

– Eu não disse que é impossível, mas sim, que não podemos. E se você não tivesse me interrompido de forma tão precipitada, eu teria dito *por enquanto*.

– Por enquanto... até quando seria esse *por enquanto?*

– Amanhã teremos um importante banquete em casa, e minha mãe quer que eu esteja presente.

– Para arranjar-lhe um marido romano.

– Exatamente. Comparecerei a esse jantar e mostrarei a ela que nenhum romano me interessa. Depois, contarei sobre nós e lhe direi que vou me casar com você, quer ela queira, quer não.

– E você acha que ela, calmamente, vai permitir que sua filha preciosa se case com o sobrinho do rei Caracatus?

– Não vou pedir sua permissão, apenas participar-lhe minha decisão. Ou ela aceita, ou perde a filha. Vou juntar minhas coisas e abandonar o palácio.

– Não acredito! Está falando sério?

– Mais sério do que nunca.

– Para se casar comigo?– ela assentiu.– Cartimandua jamais consentirá que você troque o palácio pela choupana de um revolucionário.

– Se ela não aceitar, vamos fugir.

– Fugir? Para onde? E a nossa luta?

– Gostaria de procurar meu pai primeiro, mas não faço a mínima ideia de onde ele esteja.

– Depois que ele atacou Brigância e foi derrotado pelos romanos, após a prisão de meu tio, não foi mais visto. Há rumores de que buscou refúgio entre os trinovantes, mas talvez isso seja apenas um boato, não sei. De qualquer forma, jamais chegaríamos lá.

– Ele pode estar com os icenos. Meu pai e o rei Prasutagus costumavam ser amigos.

– Isso foi antes de Prasutagus se vender aos romanos. Não se iluda, minha querida, não temos para onde ir.

– Então, fugiremos para o norte, onde os romanos não conseguiram penetrar.

– Você não está entendendo, Alana. Não posso fugir. Tenho um dever para com os brigantes.

– Não será para sempre. Apenas o tempo suficiente para minha mãe se acalmar e nos deixar em paz. Quem sabe, assim, ela não se convença de que estamos certos e se alie a nós?

– Agora você está sendo ingênua. Isso nunca vai acontecer.

– Se não acontecer, retornarei a seu lado, como guerreira, para retomarmos Brigância e devolvê-la ao nosso povo.

– Você é uma princesa, Alana, não uma guerreira. Não sabe nem pegar em armas.

– Você pode me ensinar.

Ele olhou para ela com admiração e retrucou, ainda resistente:

– Não vai ser fácil.

– Não estou dizendo que vai ser fácil, mas não será impossível. Quero muito aprender a usar a espada e a lança, para lutar a seu lado.

– Tem certeza?

– Absoluta. Posso ser uma princesa, mas sinto que nasci para guerrear. O que mais quero é aprender, e você pode me ensinar.

Ele a beijou apaixonadamente, ciente de que ela se transformaria em excelente guerreira. Entusiasmado com a perspectiva de ensinar-lhe tudo o que sabia sobre a luta e a guerra, puxou-a para si e deitou-a sobre a relva macia. Alana correspondeu aos beijos, aceitou suas carícias e, em breve, estavam se amando. Marlon a amava, contudo, tinha um jeito agressivo de demonstrar o que sentia e, de vez em quando, a machucava sem querer. Era estranho e, algumas vezes, chegava a assustá-la, com seu olhar insano e sua raiva incontida. Ao mesmo tempo que a amava, parecia sentir prazer em magoá-la.

– Já é tarde, preciso ir – anunciou ela, pondo-se de pé rapidamente.– Aguarde Shayla com notícias minhas.

Depois de se beijarem, Alana tomou o caminho de volta, pisando a grama incandescente, fulgurante à luz do sol poente. Marlon desceu pelo outro lado, a fim de evitar serem vistos juntos. Pelo coração de Alana, um turbilhão de dúvidas se atropelava, confundindo seus pensamentos e anuviando-lhe a razão. Precisava falar com a mãe o mais depressa possível. Sabia que ela reagiria com irritação, exigindo-lhe obediência e comportamento adequado a uma princesa, o que significava casar-se com um romano sem questionar.

Alana inspirou o ar puro da montanha, absorvendo a força do sol. Precisaria de muita energia e coragem para enfrentar a mãe, mas estava disposta a isso. Por Marlon e por seu povo, tinha que lutar.

Com os pensamentos voltados para Marlon, absorveu o vento que circulava por entre as árvores. Aos poucos, as sombras da noite se alongavam sobre a montanha, trazendo a cobertura da escuridão e transformando a vegetação em espectros indistintos e sem forma. Nenhum vulto para ser visto, nada que abalasse a quietude do lugar. Ao menos, não que ela percebesse.

Capítulo 2

Ao entrar no palácio, Alana quase esbarrou em sua criada, Shayla, que vinha descendo as escadas com pressa. Ela estacou abruptamente, como se ver Alana ali fosse motivo de surpresa e espanto.

– O que foi que houve, Shayla? – indagou Alana, preocupada com a lividez estampada no rosto da outra. – Está se sentindo mal?

– Não, princesa – respondeu ela, olhos baixos, fugindo ao olhar perscrutador de Alana.

– Então, o que foi? Você está estranha.

Shayla não teve tempo de responder, pois, para sua sorte, Cartimandua surgiu no alto da escada, fazendo soar sua voz tonitruante por toda a residência.

– Alana! Venha até aqui imediatamente!

Esquecendo-se da serva, Alana saltou os degraus de dois em dois, chegando rapidamente até onde estava a mãe.

Cartimandua a fuzilava com o olhar, mas o motivo de sua fúria, Alana não compreendeu.

– Deseja alguma coisa, mãe?– perguntou ela, tentando parecer mais dócil do que realmente era.

– Onde você esteve? – foi a pergunta direta e imediata. – Mandei que a procurassem por toda a cidade, mas ninguém a encontrou. Tem ideia de como é perigoso andar sozinha por aí?

– Por quê? Os romanos não são nossos aliados? Na certa, não me fariam mal.

– Talvez não, se soubessem que você é minha filha. Do contrário, poderiam ter ideias de se divertir com você. Mas não é aos romanos que me refiro. – Cartimandua a encarou com dureza, e Alana, apesar de retribuir o olhar, manteve-se em silêncio.– Existem rebeldes aí fora que dariam tudo para colocar as mãos em uma presa feito você.

– Você está exagerando. Nosso povo é obediente e leal a você.

– Há rebeldes entre ele. Pessoas cuja lealdade pertence a Caracatus.

Ao pronunciar o nome do tio de Marlon, Cartimandua encarou Alana, que sustentou o olhar da mãe sem titubear, até que abaixou os olhos e tornou com firmeza:

– Não sei de quem você está falando.

– Quero lhe avisar uma coisa, Alana– rosnou ela, em tom ameaçador.– Que essa seja a última vez que você se encontrou com o sobrinho de Caracatus. Do contrário...

– O que é que tem?– desafiou ela, sem esperar que a mãe concluísse a frase.– Vai me entregar aos romanos também?

– Insolente!– rugiu, batendo no rosto da filha.– Não me provoque, Alana. Você não sabe do que sou capaz.

– Sei muito bem do que você é capaz– rebateu Alana, encarando a mãe com ar de desafio, como se não tivesse acabado de levar uma bofetada.

– Juro que acabo com ele – ameaçou Cartimandua, o olhar injetado de fúria.

– Marlon e eu somos apenas amigos – mentiu, agora temendo pela vida dele.

– Essa não é uma amizade que me interesse.

– Na verdade, minhas amizades têm que interessar apenas a mim.

– Não seja estúpida! Esse rapaz não serve para você.

– E Velocatus? – tornou, desafiadoramente. – Por acaso serve para você?

– Como ousa? – enfureceu-se ela, ameaçando dar novo tapa na face de Alana, que não se moveu nem esboçou qualquer defesa. Ao contrário, encarou a mãe tão friamente que ela retrocedeu e acrescentou, ainda com raiva:

– Não lhe dou o direito de questionar minhas decisões.

– Não sou mais criança, mãe. Você também não tem o direito de mandar na minha vida.

– Aí é que você se engana. Além de criança, é tola e inexperiente. E Marlon...

– Considerando que você quer que eu me case com alguém importante, então, se fosse o caso, Marlon deveria merecer sua aprovação – interrompeu Alana, de forma atrevida. – Ele tem sangue nobre, ao contrário de Velocatus, um simples escudeiro de meu pai, que você elevou a rei.

– Basta! – rugiu Cartimandua, agora sem conseguir refrear novo tapa no rosto da filha. – Velocatus não está em julgamento aqui. Ele é um homem de valor, corajoso e muito leal a mim. Marlon, por sua vez, não passa de um rebelde despeitado, que nunca vai me perdoar por ter entregue o traidor do tio dele aos romanos!

Se os bofetões desferidos por Cartimandua tinham por finalidade intimidar Alana, não surtiram nenhum efeito, pois ela parecia ignorar a dor e a vermelhidão que se alastrava por suas faces. A moça não se moveu, não ergueu a mão para esfregar a face nem verteu qualquer lágrima. Mantendo uma postura altiva, continuava a contestar as palavras da mãe com arrogância, irritando-a cada vez mais.

– E meu pai? – questionou Alana friamente. – Por que ele nos abandonou? Por que você nunca me contou o que realmente aconteceu?

– Você é uma tola, Alana. Não sabe nada da vida nem compreende as implicações de uma invasão. Seu pai, o grande rei Venúcio, declarou guerra a mim apenas por vingança, porque eu o troquei por Velocatus.

– Não acredito nisso.

– Pensa que me importa em que você acredita? Desde que me obedeça, você pode pensar o que quiser. E antes que você volte a tentar me enfrentar, quero terminar esta conversa dizendo que não vou admitir seu envolvimento com Marlon. E agora chega. Você está me cansando com essa sua rebeldia infantil. Deixe-me sozinha.

O sangue de Alana borbulhava de ódio. Tinha planos para enfrentar a oposição da mãe, contudo, ela se antecipara e a intimidara, deixando implícita a ameaça a Marlon. De costas para ela, Cartimandua deixava claro que a discussão estava encerrada. Sem dizer nada, Alana rodou nos calcanhares e disparou porta afora, surpreendendo-se ao dar de cara com Shayla, parada em frente à porta do quarto da mãe.

– O que está fazendo aqui? – interrogou, irritada. – Agora deu para espreitar atrás das portas?

– Não, princesa. Vim apenas saber se você precisa de alguma coisa.

Subitamente, uma desconfiança anuviou o coração de Alana. Como é que a mãe sabia que ela havia se encontrando com Marlon? Ela nunca revelara esse segredo a ninguém além de Shayla, que era sua criada pessoal.

– O que você contou a ela, Shayla? – interrogou Alana, sentindo a dúvida se transformar em certeza.

– Eu? Como assim? Nada...

– Minha mãe sabe que fui me encontrar com Marlon.

– Não fui eu que contei, princesa, eu juro – negou, com leve tremor na voz.

– Tem certeza?

– Eu jamais trairia sua confiança.

Até então, Alana nunca questionara a lealdade de Shayla, mas agora o instinto dizia que a serva estava mentindo. Sem querer despertar-lhe a atenção, Alana dispensou-a de seus serviços pelo resto da noite. Queria ficar sozinha e refletir no que havia acontecido. Obedientemente, Shayla desceu as escadas e aguardou o tempo suficiente para que a princesa chegasse a seu quarto. Pouco depois, adentrava os aposentos da rainha.

– O que você quer? – indagou Cartimandua, com rispidez.

– Acho que ela desconfia de mim – foi a resposta seca e amedrontada.

– Para o seu bem, é melhor que não.

– Por quê? Não tenho culpa...

– Tem culpa de ser estúpida e incompetente. Trate de dar um jeito de reconquistar a confiança dela.

– Como?

Durante alguns minutos, Cartimandua encarou Shayla, deixando a mente vagar pelos domínios da trama. Aos poucos, a ideia foi-se delineando, até que se formou por completo. Quando falou, já sabia exatamente o que devia fazer.

Após ouvir o plano da rainha, Shayla tentou protestar:

– Não é justo. Tenho medo...

– Não pedi a sua opinião. Você vai fazer como eu mandar ou será muito pior para você. E agora, vá chamar Velocatus. Preciso dele. – Shayla, porém, não se mexia, de tão apavorada que estava. – Está surda, menina? Mandei chamar Velocatus. O que está esperando?

– A senhora não pode – choramingou. – Eu só fiz o que me mandou.

– Vá chamar Velocatus – repetiu pausadamente, embora com furor e irritação. – Ou pagará o preço da sua insubordinação.

Sem mais dizer, Shayla rodou nos calcanhares e correu para fora, saindo à procura do rei. Antevia os momentos de agonia que passaria no dia seguinte, sem saber como evitá-los. Podia pedir ajuda a Alana, mas então, a punição seria pior, pois estragaria todo o plano da rainha. E se isso acontecesse, não queria nem pensar na extensão de seu castigo.

Capítulo 3

Logo aos primeiros raios de sol, Alana despertou. Sentia a alma cansada, o coração amargurado, a mente torturada pelos acontecimentos do dia anterior. Olhou para a porta, à procura de Shayla, mas ela não estava ali para servi-la, como de costume. Chamou-a várias vezes, porém, ela não respondeu. Por fim, vendo que seria inútil gritar seu nome, levantou-se e aprontou-se sozinha. Não precisava mesmo dela, afinal.

Quando chegou ao andar de baixo, pronta para a refeição matinal, surpreendeu-se com a cena inusitada, cuidadosamente preparada para impressioná-la. A mãe conversava com Velocatus, enquanto, a seu lado, um soldado segurava, em uma das mãos, uma chibata pontuda e, na outra, o braço de Shayla.

– Será feito como ordena, minha rainha – disse Velocatus, como se não estivesse esperando a entrada de Alana para recitar sua fala ensaiada.

– Ótimo – acrescentou Cartimandua. – E agora, leve-a daqui.

Apenas Shayla não fingia. Chorava de verdade, aterrorizada diante da visão do chicote. Lançou a Alana um olhar de angustiada súplica, silenciosamente implorando pela sua intervenção.

– O que é que está acontecendo aqui? – questionou Alana, recusando-se a acreditar no que via. – O que vão fazer com ela?

– Não se meta nisso – ordenou a rainha. – Não é da sua conta.

– Você mandou chicotear Shayla? – indignou-se. – Por quê?

– Não interessa. Pode ir, Velocatus.

Após beijar Cartimandua, Velocatus saiu, fazendo sinal para que o soldado o seguisse, levando consigo a indefesa moça. Alana ia questionar a mãe mais uma vez, contudo, a rainha já havia lhe virado as costas e desaparecido. Não havia tempo de ir atrás dela, por isso, resolveu seguir o padrasto.

– Para onde a está levando? – exigiu saber. – O que ela fez?

– Não ouviu sua mãe, menina? – foi a resposta arrogante do novo rei. – Não se meta nisso. Não é problema seu.

– Aí é que você se engana. É problema meu, sim. Shayla é minha criada e deve responder apenas a mim. Minha mãe não tem o direito de mandar castigá-la.

– Sua mãe é a rainha, tem direito de fazer o que quiser.

– Shayla – falou ela, dirigindo-se à serva. – O que foi que você fez? Por que minha mãe a está punindo?

Um aperto no braço foi o sinal para que ela se calasse. Mesmo morrendo de medo como estava, Shayla não se atreveu a desobedecer a rainha e o rei. Continuaram andando, até chegarem ao pátio nos fundos do palácio.

– Espere aqui com a menina, Tristan – ele ordenou ao soldado e saiu puxando Alana. – Eu não devia, mas vou lhe contar por que Shayla está sendo punida.

– Por quê?

– Antes, prometa que não contará nada a sua mãe. Ela não quer que lhe diga.

– Está bem, prometo.

Ele olhou discretamente para Shayla e comentou baixinho, como se estivesse participando de alguma conspiração:

– Sua mãe queria que Shayla lhe contasse seus segredos, mas ela se recusou. Insistiu que não conhecia segredo algum, mas Cartimandua a pressionou e ameaçou, e foi então que Shayla disse que preferia a morte a trair sua confiança.

Foi uma tremenda surpresa. Imediatamente, Alana se arrependeu de ter desconfiado de Shayla e de não a ter protegido enquanto ainda havia tempo.

– Não faça isso, Velocatus, eu imploro! Shayla não tem culpa de nada. Ela me serve, deve sua lealdade a mim. Não é justo puni-la apenas por ser-me fiel.

– Sua mãe está aborrecida por causa de seus encontros com Marlon.

– Mas como é que ela soube disso? Se não foi Shayla quem contou, quem foi, então?

– Eu mandei um homem segui-la, e ele a viu com Marlon. Viu, inclusive, quando vocês se beijaram e se deitaram na relva.

– Não aconteceu nada...– ela tentou se esquivar, entre amedrontada e confusa.

– Não importa. Sua mãe está furiosa e culpa Shayla pelo ocorrido.

– Isso não é justo. Shayla não pode ser castigada por algo que eu fiz.

– Sua mãe não pensa assim. E agora, se me der licença, tenho que supervisionar o castigo. Apesar de tudo, não queremos matar a moça.

– Não faça isso!– Alana gritou, em desespero.– Pelos deuses, deixe-a em paz.

– Sinto muito– desculpou-se e acenou para o homem que fazia o papel de carrasco.

Quando Tristan levantou a chibata, sentiu que alguém segurava seu punho. Antes mesmo de se virar, viu a princesa tomar a dianteira, postando-se entre ele e a criada, ainda segurando a mão do chicote. O soldado, surpreso, lançou um olhar indagador a Velocatus e baixou a chibata. Obviamente, não podia correr o risco de ferir a princesa.

– O que pensa que está fazendo, Alana? – censurou Velocatus.

– Ninguém vai tocar em Shayla. Se quiser açoitá-la, vai ter que me açoitar primeiro.

– Isso é ridículo.

– Ridículo ou não, é assim que vai ser.

Com gestos decididos, Alana se virou e levantou Shayla, que fora atirada ao chão, de costas, com o vestido rasgado. Cobriu-a o melhor que pôde e saiu amparando-a.

– Sua mãe não vai gostar de saber disso – avisou Velocatus.

– Pois vá correndo contar a ela.

Shayla estava tão aliviada que nem conseguia falar. Fora terrível a ideia da rainha, de mandar açoitá-la para convencer Alana de sua fidelidade. Mas não é que dera certo? A princesa não apenas a livrara do castigo, como parecia não questionar mais sua lealdade.

– Para onde está me levando, princesa?

– Para o seu quarto. Quero que você se lave, troque de roupa e vá me ver. Ou não quer mais ser minha criada?

– É o que mais quero. Mas o que dirá sua mãe?

– Deixe que me entendo com ela. Não tenha medo.

– Eu não contei nada, princesa. Tive muito medo das ameaças da rainha, mas preferia morrer a traí-la.

– Sei disso agora. Desculpe-me por ter desconfiado de você.

– Não tem importância. Mas e agora, princesa, como é que vai ser? Sua mãe já sabe de tudo. Ela sabe que você e Marlon são namorados.

– Pretendia contar-lhe a verdade hoje, após o banquete, mas agora, não sei... Minha mãe ameaçou matar Marlon.

– Ela quer que você se case com um romano. Não seria melhor...?

– Não diga isso nem brincando – censurou, sentindo uma pontada de horror. – Fugirei com Marlon, antes que isso aconteça.

– Como? Todo mundo a conhece, vocês não chegariam longe. E mesmo que consigam sair da cidade, para onde é que iriam?

– Marlon tem parentes entre os catuvelaunos. Podemos nos esconder lá e depois fugir para o norte, onde o poderio romano não conseguiu penetrar.

– E eu, princesa? O que será de mim?

– Você vem comigo. Será muito perigoso viver aqui, sem a minha proteção.

– Obrigada! – sussurrou Shayla, beijando as mãos de Alana. – Sua alma é generosa e seu espírito, destemido. A seu lado, não terei o que temer.

Alana deixou Shayla com o coração apertado. Arrependia-se de haver desconfiado de sua fiel serva e sentia-se culpada por ter despertado a fúria da mãe contra ela. Mas não podia pensar nisso naquele momento. Precisava agir com cautela, a fim de preparar sua fuga com Marlon o mais rapidamente possível.

Ao entrar em seus aposentos, não se surpreendeu com a presença da mãe ali. Por quanto tempo a esperara, não saberia dizer, mas a rainha não era de perder tempo com inutilidades.

– Como ousa me desautorizar diante do rei e de um subordinado? – questionou Cartimandua, os olhos chispando de fúria.– Tem ideia do que você fez?

– Você não devia ter mandado castigar Shayla – afirmou a princesa, esforçando-se para não revelar o que Velocatus lhe havia contado. – Ela não fez nada.

– Isso, quem resolve sou eu.

– Ela é minha serva. Você não tinha o direito.

– E que direito tem você de interferir em minhas determinações?

– Talvez nenhum. Mas agora está feito, e você não vai mais colocar as mãos nela.

– Você sabe que posso mandar açoitá-la a qualquer momento, não sabe?

– Sei, mas você não vai fazer isso.

– O que lhe garante?

– É o preço que exijo para comparecer ao seu banquete idiota.

– Quem foi que disse que faço questão da sua presença? – tentou enganar. – É um jantar para pessoas importantes, e você é só uma garotinha.

– Uma garotinha que você pretende casar com algum romano encarquilhado e importante. Pois muito bem. Não lhe prometo um casamento, mas, ao menos comparecerei a esse banquete e me permitirei cortejar pelos velhotes. Mas em troca, você deixará Shayla em paz.

Era um acordo vantajoso. Cartimandua sabia que não conseguiria dobrar Alana facilmente, mas se algum romano se interessasse por ela, ficaria muito mais fácil forçá-la ao casamento, nem que, para isso, tivesse que mandá-la para Roma.

– Concordo – falou a rainha prontamente. – Cumpra bem o seu papel de princesa obediente, e ninguém mais tocará em Shayla.

Firmado o pacto, tanto Alana quanto Cartimandua saíram satisfeitas, cada qual enredando, em pensamento, um plano diferente para alcançar seus objetivos.

Capítulo 4

Ao pisar o salão onde a mãe reunira os convivas, todas as atenções se voltaram para Alana. Os cabelos ruivos reluziam à luz das velas feito fios incandescentes, enquanto seus olhos azul-escuros cintilavam como o mar tocado pela noite. Trajava um vestido de seda igualmente azul, presente de um romano qualquer, e tinha a cintura cingida por um cinto de prata trançada, que lhe realçava as formas e acentuava a leveza de seu caminhar. No pescoço, um colar em forma de serpente se destacava sobre o tecido colorido e, na cabeça, uma pequena coroa de estanho justificava a elegância e a nobreza de seus gestos.

Seria impossível não perceber a admiração das pessoas. Os homens a fitavam com desejo, ao passo que as poucas mulheres remoíam o despeito em silêncio. Cartimandua sentiu uma onda de orgulho invadi-la. A filha cumprira a promessa com esmero. Estava magnífica.

Consciente do efeito que produzia nos presentes, Alana atravessou o salão com passos confiantes e uma altivez inata. Era, em todos os sentidos, uma verdadeira princesa.

– Alana, minha querida – chamou Cartimandua, toda orgulhosa. – Você está deslumbrante!

– Obrigada, mãe.

– Venha comigo. Quero apresentá-la a algumas pessoas.

Alana seguiu com ela, obrigando-se a tolerar, em silêncio, os elogios lúbricos dos romanos, revirando os olhos, de vez em quando, em sinal de impaciência. Dentre todos os homens que conheceu, apenas um lhe despertou o interesse. Não que estivesse atraída por ele, mas o general Marcus Tito era engraçado, espirituoso e muito perspicaz. Era um legado, um oficial da mais alta patente, superior a todos os tribunos militares e subordinado, apenas, ao governador da província. Sua presença em Brigância era provisória, devendo durar apenas o tempo suficiente para assegurar a paz com os romanos, já que Cartimandua temia que uma minoria rebelde desse início a uma pequena revolta.

Marcus demonstrou o quanto Alana o impressionara, sem, contudo, extravasar sua lascívia em comentários indecorosos e impertinentes, como se ela fosse uma peça de luxúria sem vontade nem inteligência. Aos quarenta e quatro anos, guardava ainda resquícios de uma beleza aristocrática e viril. Era viúvo, sem filhos, rico e uma figura muito importante para o exército romano.

Quando o jantar foi servido, Alana pediu que ele se sentasse ao lado dela, causando um certo alvoroço entre os solteiros presentes. Marcus não hesitou em aceitar o convite, para felicidade de Cartimandua.

– Muito me honra com esse privilégio, princesa – comentou ele, próximo ao ouvido dela. – Embora eu não tenha certeza dos motivos que a movem.

– Não entendi, general. Teria eu que ter algum motivo especial para desejar a companhia de um homem tão agradável?

– Não sei. Diga-me você.

– Não tenho nada a dizer. Gostei de você, apenas isso.

Ele soltou uma gargalhada e apoiou a mão levemente sobre a dela.

– Eu não nasci ontem, menina. Sua mãe parece enfeitiçada pelas suas atitudes, mas eu claramente percebo o quanto elas são estudadas e forçadas.

– Continuo sem entender, general. Uma princesa deve ser gentil com os convidados da rainha. Ou estou enganada?

– Sabe o que eu acho, princesa? Que você está tramando alguma coisa. Todos sabem o que sua mãe pretende com esse banquete.

– Se sabem, então, não vejo motivo para suas perguntas.

– Ela quer lhe arrumar um marido romano, a fim de fortalecer nossa aliança. Para Roma, é um acordo interessante e vantajoso. Para Brigância, a garantia de recompensas e, sobretudo, proteção. Mas, e para você?

– A vontade da minha mãe é também a minha.

– Ela parece satisfeita com a sua escolha, o que muito me honra.

Uma olhadela rápida na direção de Cartimandua confirmou a afirmação de Marcus Tito. Era visível o contentamento da rainha, que ria abertamente, embalada pelo efeito do álcool.

– Muito embora eu ache que, assim que passar o efeito do vinho, ela perceberá o quanto está enganada – prosseguiu ele, olhando para Alana e sorrindo ao mesmo tempo. – Não é verdade?

– Não sei do que está falando – Alana procurou desconversar. – Mais vinho? Minha mãe substituiu nossa usual cerveja por vinho apenas para homenageá-los.

Ele deu uma gargalhada e estendeu a taça para ela:

– É verdade. Havia me esquecido de que vocês não costumam beber vinho por aqui, não é? Preciso me lembrar de trazer algumas garrafas de presente para a rainha, da próxima vez. Mas diga-me, princesa, o que espera de seu pretendente? – ela não respondeu, confusa com a pergunta dele. – Serei eu o escolhido? Será que sou velho o bastante para ser ludibriado pela sua astúcia ingênua e juvenil?

– Está me ofendendo, general – exasperou-se ela, encarando-o com arrogância. – E se não tem interesse em ser meu pretendente, sabendo do motivo deste jantar, por que se deu ao trabalho de vir até aqui?

– Justa a sua pergunta. Confesso que tenho uma certa curiosidade a respeito das mulheres bretãs, que são muito mais liberais do que as romanas. Mesmo assim, fiquei surpreso por encontrar alguém como você.

– Como assim?

– Você é uma mulher estonteante, Alana. Linda, astuta, elegante... e ardilosa. Eu acompanhei seus passos por toda a noite, observei suas feições, vi a mudança em seu semblante a cada apresentação insossa a que sua mãe a submetia. Pensa que não percebi seus olhares de aborrecimento? Pode ser que sua mãe e os demais, envolvidos pela sua beleza, não tenham notado seu descontentamento com tudo isso, mas eu? Não se engane, minha querida, já conheci mulheres suficientes para saber quando elas estão insatisfeitas e, por isso, estão tramando alguma coisa.

– Não estou tramando nada – afirmou ela, as faces em fogo.

– Na verdade, isso não é da minha conta. Não estou interessado em seus assuntos, nem você serviria para minha esposa, caso eu estivesse à procura de uma.

– Posso saber por quê? – rebateu ela, em tom melindrado. – Por acaso não sou boa o bastante para você?

– Não se ofenda, por favor. Como disse, você é linda, inteligente, perfeita. Só que sua astúcia não me convém. As mulheres bretãs são muito independentes para os padrões romanos. Veja sua mãe, por exemplo. Duvido que, em Roma, pudesse existir uma mulher com as suas características, tão ousada e independente. Assim como você, que me parece atrevida, arrogante e ardilosa. Não, minha querida. Decididamente, não busco uma esposa, mas se isso tiver que acontecer, que seja ela dócil e submissa, alguém que não me cause problemas.

– Acha mesmo que sou arrogante, general? Será que consegue ouvir-se falando? De onde tirou tanta presunção, a ponto de acreditar que eu o escolhi para consorte?

– Eu não acredito nisso, justamente. Creio que sua intenção é enganar sua mãe. Por que motivos, eu não sei. Ou talvez desconfie.

– Não me interessam suas desconfianças. E se, em algum momento, considerei-o à altura de desposar uma princesa, saiba que já mudei de ideia. Você é que é arrogante, atrevido e prepotente. Não é o tipo de homem que me interessa. Sem contar que é velho demais para mim.

– Minha idade não pareceu importar há poucos minutos, quando você me convidou para sentar-me a seu lado.

– Eu estava apenas sendo educada.

– Pobre Cartimandua – prosseguiu ele, fitando a rainha com ar de fingida compaixão. – Imagine o que ela dirá quando souber que sua única filha, que ela pretende ver casada com um nobre romano, está apaixonada por um pobretão qualquer do vilarejo. Ou será que ela já sabe e, por isso, quer apressar o casamento?

– Quanto atrevimento!– exclamou Alana, fremindo de ódio. – Não sei de onde tirou essa ideia absurda!

– Será mesmo absurda? Noto, pelo rubor em suas faces, que talvez não haja nenhum absurdo no que digo. Estou errado? Quem é o felizardo? Algum criado das estrebarias? Um soldado? Um agricultor? Certamente, alguém de posição inferior, ou você não se daria ao trabalho de armar toda essa farsa para tentar convencer sua mãe de que está conformada a casar-se com alguém escolhido por ela. O que pretende? Ganhar tempo?

– Isso é uma afronta! Você está totalmente equivocado. Não há ninguém, nenhum pretendente fora das paredes desta sala.

– Se é o que diz, minha cara, não me interessa contrariá-la. Para mim, não faz a menor diferença. Só não sei se sua mãe pensará da mesma forma.

– Ouça aqui, general – rugiu ela, encarando-o com fúria. – Não se intrometa na minha vida. Fui paciente com você, tratei-o com a consideração e o respeito que a sua posição exige. Mas não se meta comigo. Você não me conhece, não sabe do que sou capaz.

– A gatinha resolveu colocar as garras de fora – escarneceu ele, rindo abertamente. – Pensa mesmo que suas ameaças me assustam?

Nesse momento, Alana sentiu uma pesada mão sobre seu ombro, e um hálito de bebida invadiu suas narinas, deixando-a enjoada e ainda mais aborrecida.

– Sua mãe me mandou perguntar se está tudo bem – era a voz pastosa de Velocatus, revelando o quanto estava bêbado. – Vocês parecem um tanto... exaltados.

Do outro lado da mesa, Cartimandua os observava com atenção e curiosidade, dando mostras de preocupação.

– Meu caro Velocatus – Marcus apressou-se a responder –, diga à rainha que está tudo ótimo. A princesa é encantadora, espirituosa e tem muita personalidade. Estamos tendo uma conversa agradável e divertida. Cartimandua não tem com o que se preocupar.

– Tem certeza? Alana, é isso mesmo?

– Por que não seria? O general é encantador, espirituoso e tem muita personalidade. Estamos tendo uma conversa agradável e divertida.

Não fosse o estado de avançada embriaguez de Velocatus, teria ele percebido a ironia no tom de voz de Alana, que repetira exatamente as palavras que o general usara para elogiá-la. Um tanto confuso, o padrasto balançou a cabeça e afastou-se, satisfeito por ter uma resposta aceitável para dar à rainha.

– Eu não disse que você é espirituosa?– tornou Marcus, em tom sarcástico.

– Por que não falou a verdade?– retrucou ela, surpresa com a atitude dele.

– Para quê? O que eu ganharia com isso? Como eu disse, você não serve para minha esposa, mas isso não significa que eu queira destruir a sua vida. Ao contrário, desejo-lhe sorte, se é que isso é possível, com uma mãe feito a sua.

– Ela vai pensar que eu o escolhi.

– Esse é um problema que você terá que resolver sozinha. E, por favor, não me proponha fingir que estamos comprometidos. Não vou ajudar você a enganar a rainha.

Era exatamente o que ela ia fazer, mas ele não lhe deu chance. Sem que fosse sua intenção, Alana pegou-se admirando a personalidade do general. Ele era sagaz e estava sempre um passo à frente dela. Lia seu semblante e adivinhava suas intenções. Um homem interessante, que ela poderia escolher para aliado ou amigo, nunca para noivo ou amante.

Até o final do jantar, Alana se deliciou com a conversa descontraída do general. Ele lhe falou sobre coisas que ela desconhecia, como as terras de além-mar, os costumes romanos, Jesus e a ameaça dos cristãos. Alana ouvia a tudo com interesse, imaginando o quanto poderia aprender com aquele soldado culto e sincero.

De onde estava, Cartimandua continuava a observá-los. Notou que a filha, de um momento para outro, substituíra o rosto endurecido por feições mais amenas, dando mostras de que se divertia com as histórias do general. Sabia que Alana estava ali apenas cumprindo uma promessa, desempenhando o papel de princesa e filha perfeita, mas que seu coração se encontrava longe, muito além dos poderes de qualquer rainha. Não tinha importância. Fosse como fosse, Cartimandua venceria mais aquela batalha. Afinal, não estava acostumada a perder.

Capítulo 5

Alana preparava-se para sair antes do nascer do sol. Esperava que Shayla houvesse saído na noite anterior, enquanto todos se distraíam no banquete, e tivesse conseguido avisar Marlon de que ela precisava falar com ele. Todo o palácio estava em silêncio, mergulhado na escuridão e no torpor provocado pelo excesso de vinho e de comida.

Vigilância não era algo necessário naqueles dias, e ela pôde sair despercebida. Do lado de fora, soprava um vento vigoroso, que fazia tremeluzirem as folhas e se deformarem as sombras projetadas no chão. Embalada pelo lamento da ventania, Alana se encolheu sob a capa de lã e tomou a direção da montanha. Faltavam ainda algumas horas para o dia raiar, tempo suficiente para ela concluir a caminhada, antes que o crepúsculo matutino derramasse sua luminosidade sobre a relva verdejante. Como um espectro invisível dentro da escuridão da noite mortiça, apertou o passo e seguiu avante, pisando as pedrinhas da trilha, que crepitavam sob suas sandálias de couro.

Em dado momento, sentiu, mais do que viu, que alguém a observava. Um pouco assustada, sacou a pequenina adaga que trazia presa à cintura. Olhou de um lado a outro, mas não havia ninguém. Durante alguns minutos, permaneceu parada no mesmo lugar, fustigada pelo vento que, a cada momento, se tornava ainda mais intenso e embaraçava seus cabelos. Como não viu nada, fixou os olhos na estradinha e seguiu adiante.

Foi quando, inesperadamente, um vulto imenso surgiu à sua frente. A princípio, ela não conseguiu identificar se se tratava de uma pessoa ou um animal, porém, à medida que olhava, o vulto foi tomando forma, uma silhueta foi-se delineando aos poucos, até se materializar em uma figura gigantesca, uma espécie de homem descomunal, alto, forte, musculoso, a pele tão preta que ela quase não conseguia divisar-lhe as feições, apenas o branco dos olhos destacando-se no negrume de um rosto austero e extraordinário.

– Pelos deuses! – exclamou ela, caindo para trás, de tão espantada.

Alana nunca havia visto um negro em toda a sua vida. Nem ao menos possuía parâmetros para fazer uma comparação se o que via era um homem da civilização africana, dos quais apenas ouvira falar, ou uma ilusão provocada pelo excesso de vinho. Ela apertou os olhos com força, na esperança de que a imagem desaparecesse, mas qual não foi a sua decepção ao abri-los e notar que a figura colossal permanecia parada no mesmo lugar, olhando fixamente para ela.

Convencendo-se de que aquele ser não se moveria, Alana se sentiu mais corajosa para confrontá-lo. Erguendo-se do chão, limpou as vestes, guardou a faca e se aproximou devagar. De onde estava, o homem continuava a olhá-la, sem demonstrar sinais de ameaça ou hostilidade. Enchendo-se de coragem, ela chegou ainda mais perto, sem desviar os olhos dos olhos dele, até que se postou imediatamente à sua frente. Daquela distância, observou-o melhor. Era um homem, ela pensou, de uma beleza viril e exótica, negro como carvão sem fogo. Vestia uma túnica simples, tingida de uma cor próxima ao castanho, tendo ao pescoço um colar feito de pequeninos ossos. Olhando-o bem, Alana achou que nunca havia visto tamanha beleza em um ser humano, se é que se tratava de um, e não de um deus desconhecido que assumira a forma de homem apenas para fazer-se visível.

– Quem é você?– ela indagou, interessada.– Entende a minha língua? Você é homem ou um deus?

Ele não respondeu, ela se aproximou mais. Estava tão próxima, que não resistiu. Estendeu a mão para tocá-lo, mas, inexplicavelmente, não o alcançou, pois ele parecia ter chegado para trás sem nem se mover. Alana não se deu por vencida e acercou-se ainda mais. Ia tentar tocá-lo novamente quando ele estendeu o braço e apontou para o alto, atrás dela. Alana virou-se e, dessa vez, todos os pelos de seu corpo se arrepiaram. Pairando sobre sua cabeça, outra figura magnífica quase a fez perder o fôlego e desmaiar.

Tratava-se, daquela vez, de uma mulher exuberante. Negra como seu companheiro, ostentava uma espécie de espada flamejante, com a qual iluminava seu corpo esbelto e seu semblante de rainha. Trajava uma vestimenta singular, composta de tiras avermelhadas que lhe envolviam a cintura e lhe desciam pelas pernas, deixando à mostra os seios firmes e rijos. No pescoço e nos pulsos, adornos de cobre reluziam como raios do sol poente, deixando-a toda envolta em um halo de luz e fogo.

Alana prendeu a respiração, fascinada pelo ser ígneo que adejava acima dela, as franjas de suas vestes desfraldando-se em todas as direções. Se ela questionara a natureza do homem que vira poucos minutos antes, com relação àquela figura feminina, não tinha dúvidas. Estava diante de uma deusa, e das mais poderosas.

– Morrigan...– Alana balbuciou, pensando tratar-se de uma aparição da *Rainha Fantasma*, divindade da morte e da guerra.

A deusa olhou para ela, transmitindo-lhe uma sensação nunca antes experimentada. Por um momento, Alana ficou paralisada, absorvendo o poder e a força que dela emanavam. Sentiu-se envolver por raios fortificantes, até que, incapaz de suportar tamanha energia, atirou-se de joelhos, os olhos transbordando lágrimas de emoção.

Depois de um tempo, a deusa descerrou os lábios e sorriu para ela. Ergueu bem alto o punho com a espada, virou a ponta da lâmina para Alana e desferiu um golpe certeiro, levando a princesa a se encolher, pronta para receber o choque do metal. Mas nada veio, além do uivo do vento e uma única palavra soprada ao seu ouvido.

– Alana – chamou alguém, simultaneamente, atrás dela. – Alana.

Era Marlon, que, preocupado com a demora, resolvera procurá-la.

– Marlon...– ela balbuciou.– Você viu?

– Viu o quê?

– Os deuses... A deusa... A Grande Rainha...

– Deusa? Do que está falando? Está com febre, Alana? – questionou ele, experimentando sua testa.– Está delirando.

– Não, Marlon, eu vi. Eram dois... Um homem e uma mulher, fabulosos, majestosos, indescritíveis... Diferentes de tudo o que eu já havia visto. Ele era um ser imenso, austero, mas de ar nobre. E ela... Não tenho palavras para descrever seu esplendor. Uma deusa, envolta em fogo e cobre, usava uma espada, e tinha um olhar terrível e, ao mesmo tempo, generoso. Não sei explicar, Marlon, mas eu os vi. E ela apontou sua espada para mim e desferiu um golpe sobre a minha cabeça, mas não senti nada. Nada...

– Você está delirando – repetiu, preocupado.

– Era Morrigan, Marlon. Não sei como nem por que, mas ela esteve aqui, junto com outro deus, cujo nome não me vem agora à mente. E eram negros... Negros como carvão...

– Negros? Alana, minha querida, não há negros nas nossas terras. Eles vivem no Egito, na África e sei lá mais onde.

– Eu vi, Marlon, juro que vi. Era Morrigan e, ao mesmo tempo, não era – notando o ceticismo no olhar dele, ela acrescentou, desanimada: – Você não acredita em mim, não é?

– Não é isso. Acredito que você viu alguma coisa, embora não saiba bem o que seja. Você está doente, delirante, e os sonhos confundem a nossa cabeça quando a febre arde em nossa pele.

– Quer dizer agora que eu sonhei?

– Não sei, Alana, não posso dizer. Melhor esquecer isso. Shayla me transmitiu o seu recado, dizendo que você tinha urgência em me encontrar aqui. Por quê? O que aconteceu? Contou a sua mãe sobre nós?

Trazida de volta à realidade física, Alana deixou de lado a figura deificada e, recobrando o equilíbrio sobre si mesma, revelou com firmeza:

– Nem foi preciso. Ela já sabia de tudo.

– Como?

– Velocatus colocou alguém para me seguir. Foi por isso que mandei Shayla avisá-lo para me encontrar na gruta leste. É mais escondida, e ninguém a conhece. Nosso local de encontro usual já não é mais seguro.

– Maldito Velocatus! – rugiu Marlon, entre os dentes. – E agora? O que vamos fazer?

– Não sei, mas temo por sua vida. Minha mãe ameaçou matá-lo.

– A mim? – ela assentiu. – Pois que venha. Não tenho medo.

– Mas eu tenho. Agora mesmo é que precisamos fugir. Quanto antes, melhor.

– Se ela já sabe de tudo, vai redobrar a guarda sobre você. Não vejo onde poderíamos nos ocultar.

– Será que seus parentes catuvelaunos não poderiam nos esconder? Sei que seus pais morreram, mas não há mais ninguém?

– A família de meu tio Caracatus foi deportada com ele, para Roma. E os outros tios, os que restaram, renderam-se aos romanos. Não podemos contar com eles.

– Nem sair em busca de meu pai. Ninguém sabe onde ele está, e quem sabe não diz. Só nos resta seguir diretamente para o norte, para a região que os romanos chamam de pictos. Lá, eles não conseguem penetrar.

– Não quero ir para o norte, Alana. Significaria abandonar a luta.

– Não há luta, Marlon. As rebeliões contra os romanos foram todas reprimidas. E ontem conheci o general responsável por sufocar nossos pequenos focos de revolta. Chama-se Marcus Tito, um soldado arrogante e prepotente, mas muito ciente de seu poder. Nesse momento, não temos como enfrentá-los. Talvez, se nos fortalecermos um pouco mais, tenhamos condições de iniciar uma nova revolta, dessa vez, com mais chances de sucesso.

À menção do nome do general, Marlon sentiu um calafrio, e uma onda de ódio tomou conta de seu coração.

– Esse general pode ser poderoso, mas não é invencível, e outras revoltas surgirão. Nosso povo precisa ser livre. Não podemos mais aceitar a escravidão dos romanos. Ou você ainda não se convenceu de que somos escravos? Trabalhamos para sobreviver e temos que pagar tributo a Roma, além de vê-los espoliar nossa terra, nossas riquezas, violar nossas mulheres, desrespeitar nossas crenças... Não é justo.

– Não precisa me dizer essas coisas, pois conheço bem a situação de nosso povo e sei que não é justa.

– Não podemos fugir para o norte, Alana. Venha comigo agora e vamos nos esconder aqui mesmo, na floresta. Assim, poderemos reunir seguidores e iniciar uma nova luta em breve.

– Na floresta é perigoso. Minha mãe pode nos encontrar.

– Duvido. Ninguém conhece esses bosques como eu.

O olhar dele era de desespero. Mais do que isso, havia neles uma certa insanidade, que se revelava no seu jeito de falar. No fundo, porém, ele tinha razão. Insistir para que ele abandonasse a causa pela qual vinha lutando havia tanto tempo era pedir demais. Talvez ele estivesse certo, e o melhor mesmo fosse se esconder nas matas e aguardar. Pesando todas as coisas, Alana acabou se convencendo e afirmou, após alguns minutos de reflexão:

– Está bem, Marlon, farei como você me pede. Mas tem uma coisa.

– O quê?

– Não posso deixar Shayla para trás. Depois do que ela fez, minha mãe vai mandar matá-la.

– O que ela fez?

Rapidamente, Alana contou a Marlon o que havia acontecido a Shayla. Ele lamentou o ocorrido, contudo, não se comoveu.

– Shayla não é problema nosso – objetou. – É apenas uma criada, sem importância para a nossa causa.

– Não fale assim! – repreendeu Alana, um pouco decepcionada com a reação dele.– Se não temos gratidão pelos que nos ajudam, como esperar que a vida seja grata conosco?

– Não diga tolices, Alana. Não sei de onde tirou essa ideia.

– Eu insisto! Tenho que buscar Shayla. Não vou a lugar algum sem ela.

Se pudesse, Marlon arrancaria Alana dali e desapareceria com ela floresta adentro, onde ninguém jamais os encontraria. Como não podia fazer isso, o jeito foi aceitar sua decisão.

– Está bem, faça como quiser – concordou, com muita contrariedade. – Mas não se demore. Volte hoje à noite, com ou sem ela.

– É o que pretendo. Vamos nos encontrar aqui mesmo, depois que todos já estiverem dormindo.

Beijaram-se longamente e se despediram. O sol despontava no horizonte, e Alana apertou o passo. Queria estar de volta antes que se iniciasse a movimentação matutina. Não estava com a menor disposição para inventar desculpas sobre seu desaparecimento, e o medo de prejudicar Shayla talvez a impedisse de contar uma mentira convincente.

Enquanto descia a montanha, Alana ia revivendo as visões que tivera momentos antes. Não acreditava que fossem alucinações. Marlon podia pensar que sim, mas ela estava certa de que não eram. Tampouco eram sonhos ou delírios de uma mente febril. Nada disso. Ela sabia o que havia visto e não tinha dúvidas de que fora real. Apenas não compreendia o que significava.

Subitamente, a palavra soprada pela deusa ao seu ouvido tomou conta de suas lembranças. Ela desconhecia seu significado, nunca ouvira nada semelhante. Nem tinha certeza de que escutara direito, contudo, a lembrança insistia em invadir seus pensamentos, repetindo, de forma incessante, a mesma palavra sonora: Oyá, Oyá, Oyá...

Capítulo 6

Apesar dos primeiros raios de sol, o palácio ainda se mantinha quieto, dando a Alana a chance de entrar sem ser vista. Apenas Shayla a esperava acordada, caminhando de um lado a outro em seu quarto.

– Princesa! – exclamou, tão logo a viu. – Graças aos deuses! Morria de preocupação.

– Fique quieta, Shayla, e me ouça. Apronte suas coisas, vamos fugir hoje à noite.

– Fugir para onde? Para o norte?

– Não. Vamos nos esconder na floresta.

– Ficou louca, princesa? Sua mãe vai colocar até o exército romano atrás de nós.

– O exército romano não conhece a floresta. Marlon, sim.

– E nossos soldados também. Eles nos encontrarão, tenho certeza. E o que será de nós... de mim?

– Ninguém vai nos encontrar. Marlon diz que é seguro, e acredito nele. Agora vá e tome cuidado. Não deixe que ninguém perceba nada.

Mesmo com o pânico, Shayla não ousou contestar. O resto do dia praticamente se arrastou. A todo instante, Alana espiava pela janela, a fim de averiguar quanto tempo faltava para o pôr do sol. Nos minutos que precederam o crepúsculo, pegou-se admirando o tom rosa alaranjado que tingia as nuvens, lembrando-se da estranha visão que tivera no dia anterior. A cintilação de cobre do entardecer evocou a imagem da deusa negra, cujo olhar expressivo parecia espreitá-la por detrás das nuvens.

– Quem é você? – perguntou a si mesma e, imediatamente, a palavra misteriosa brotou em seus lábios: – Oyá. Quem é você, Oyá? Esse é o seu nome?

– Falando sozinha?

A voz da mãe expulsou de seus pensamentos a lembrança altiva da deusa. Alana se virou e respondeu sem emoção:

– Estava apenas admirando o entardecer.

– Não sabia que você era dada à contemplação.

– Deseja alguma coisa, mãe?– tornou ela, com impaciência.– Ou veio aqui apenas para me aborrecer?

– Não seja tão mal humorada, Alana. Quero saber como foi seu encontro com o general Marcus Tito.

– Que encontro? Só nos vimos uma vez!

– Mas foi o suficiente para perceber a admiração dele por você. É impressão minha, ou ele ficou, realmente, interessado?

– Se quer mesmo saber, o general não está à procura de uma esposa. Coincidência, não? Porque eu também não estou procurando um marido.

– Alana, você prometeu...

– Prometi o quê? Prometi apenas comparecer ao jantar e permitir-me cortejar por alguns romanos idiotas. Foi o que fiz, não foi?

Cartimandua controlou a irritação. Não era hora de entrar em confronto com a filha. Tinha coisas mais importantes em que pensar.

– Você não está sendo sincera – rebateu. – Era visível a simpatia entre ambos. Vocês conversaram a noite inteira, e ainda quer me convencer de que não se interessou nem um pouquinho por ele?

– Não, mãe, não me interessei. Ele é um homem culto, inteligente e até bonito, mas não o escolheria por marido. Nem ele, nem qualquer outro romano.

– Pensei que esse assunto já estivesse resolvido. É seu dever de princesa seguir as ordens da rainha. Você vai se casar com um romano importante e está acabado.

– Vou me casar com quem escolher, como é costume em nosso povo, e não escolhi nenhum de seus pretendentes.

– Sua insolência não vai levá-la a lugar algum. No final, eu sempre consigo o que quero. Você vai acabar fazendo o que eu mandar.

Temendo se prolongar muito naquela discussão, o que poderia atrapalhar seus planos de fuga, Alana abrandou a voz e tornou, mais amena:

– Estou cansada, mãe, não quero discutir com você. Podemos deixar isso para uma outra hora? Não vamos resolver nada agora.

– Muitas tribos se revoltam contra os romanos e o resultado é um só: a derrota. O exército deles é mais bem preparado e mais bem armado do que o nosso. Nossos soldados parecem um bando de bárbaros, se comparados à disciplina metódica dos romanos.

– Veja só, você já está até falando como eles, chamando o próprio povo de bárbaro – ironizou Alana, sem conseguir se conter.

– Para eles, todos os povos são bárbaros. Podemos proceder de uma linhagem nobre, mas, a seus olhos, seremos sempre selvagens e inferiores.

– Posso saber por que resolveu me falar essas coisas agora?

– Eles estão no poder, Alana. Por isso, pense bem na hora de escolher de que lado você está.

– Estou do lado do nosso povo.

– Eu também.

– A quem pensa que engana, mãe? Você está do lado de quem lhe concede maiores vantagens.

– Não sou a única.

– Tem razão. Não é a única a vender nosso povo e torná-lo escravo de estrangeiros.

– Se eu não fizesse isso, o povo seria dizimado.

– Talvez isso sirva para aliviar a sua consciência, mas a mim, não me convence.

– Você sabe que é verdade. Eles simplesmente chegaram aqui e conquistaram tudo. Pilharam, saquearam, mataram, estupraram. O que eu devia fazer?

– Lutar.

– Como? Você não vê que não teríamos a menor chance? Quando os romanos resolvem conquistar, não há quem consiga se opor.

– Os povos do norte conseguiram. Nenhum romano conseguiu ainda penetrar no território deles.

– Chega! – irritou-se. – Aposto como é Marlon que anda colocando essas bobagens revolucionárias na sua cabeça. Mas ouça com atenção, Alana, pois este é o último aviso que lhe dou. Não vou permitir que você arruíne nossas vidas, casando-se com ele. A vida dele está em suas mãos. Se quer que ele viva, case-se com o general ou qualquer outro romano de sua escolha. Do contrário, você mesma o estará sentenciando à morte.

– Suas ameaças não me aterrorizam. E não pretendo me casar com romano algum.

– Você é quem sabe. Mas depois, não diga que não avisei.

Apesar do medo, Alana enfrentou o olhar da mãe. Faltavam poucas horas para que aquela agonia terminasse. Sem dizer mais nada, Cartimandua saiu do quarto da filha com um estranho sorriso nos lábios.

A noite avançou, e a madrugada mergulhou o palácio nas trevas e no silêncio. Pé ante pé, Alana e Shayla saíram, procurando a cobertura das sombras e o silêncio da relva. Sem dizer nada, avançaram por entre as árvores, chegaram ao sopé da montanha e iniciaram a subida. A todo instante, Alana olhava para trás e para os lados, atenta ao menor barulho ou movimento. Como companhia, apenas as criaturas da noite, com seus ruídos estranhos e sua movimentação peculiar. De pessoas, nem sinal.

Ao passar pelo local onde teve a visão enigmática, Alana estacou rapidamente. Olhou ao redor, procurando vestígios dos deuses negros, mas nada encontrou além da escuridão. Tudo permanecia quieto e silente. Não havia vento naquela noite, apenas uma névoa espessa e gelada, que dava à floresta uma aparência sinistra.

Mais adiante, virou à direita, antes de chegar ao topo, a caminho da gruta que haviam escolhido como lugar de encontro. Andaram ainda um pouco mais, embrenhando-se por entre as árvores, até que chegaram ao local estipulado. Tão logo se aproximou, Alana sentiu que havia algo errado. Marlon não a estava esperando nem viera correndo ao seu encontro, como costumava fazer. Ela olhou para Shayla, que parecia nervosa e assustada. Fez sinal para que ela permanecesse em silêncio, pousou a bolsa no chão e sacou a faca da cintura.

– Marlon – chamou baixinho, mas nenhuma resposta veio. – Marlon, onde você está?

Não era possível que ele ainda não houvesse chegado. Marlon morava sozinho em uma cabana no meio da floresta e se não estava ali, é porque algo ou alguém o impedira.

– Senhora, vamos voltar – Shayla pediu, trêmula de medo. – Ele não veio.

– Impossível – objetou Alana, com certeza do que dizia. – Marlon jamais faltaria comigo.

– Alguma coisa deve ter acontecido.

– Exatamente. E vamos descobrir o quê.

– Não está pensando em ir à casa dele, está?

– Você tem alguma outra ideia?

– Mas, princesa, é perigoso.

– Pode ficar aqui, se quiser.

– Acho que devíamos esperar um pouco mais.

– Não vou esperar. Marlon pode estar correndo perigo, ferido, precisando da minha ajuda.

– Será que ele não adormeceu na gruta? – aventou Shayla, cada vez mais apavorada.

– Duvido muito. De qualquer forma, vou lá ver.

Pisando o mais levemente que conseguiu, com a faca em punho, Alana se aproximou da gruta escura. Sem a projeção da luz da lua, era impossível distinguir qualquer coisa no interior da pequenina caverna que, para completar, fora invadida pela bruma densa, quase sólida.

– Marlon – ela sussurrou, embora soubesse que não obteria resposta.

Praticamente às cegas, Alana caminhou até o meio da gruta, os braços afastados para medir a distância das paredes. Era uma formação pequena, uma cavidade rochosa incrustada na montanha, protegida por árvores e arbustos. Convencida de que ele não estava ali, Alana se virou para sair, e a ponta de seu pé roçou em algo macio estirado no chão. Assustada, ela se abaixou, o horror substituindo o medo. A faca se soltou de sua mão, fazendo ressoar um tilintar de metal pelo solo de pedra. Ele estava tão próximo, que ela praticamente se ajoelhou em cima dele. Foi preciso chegar para trás e simplesmente abaixar as mãos para tocar o corpo inerte de Marlon. Ela soltou um grito e atirou-se sobre ele, procurando sinais de vida onde já não havia vida alguma. Encontrou apenas o sangue, ainda quente, escorrendo da ferida aberta em sua garganta.

– Marlon! – gritou, angustiada, mas não houve resposta. – Marlon! Marlon!

Ela repetia o nome dele incessantemente, agora em desespero, agarrando-se a seu corpo e sacudindo-o, como se quisesse despertá-lo de um sono profundo. Uma sombra se aproximou, destacando-se entre o nevoeiro. Era Shayla, que viera atraída pelos gritos. Logo percebeu o que havia acontecido e levou a mão aos lábios, sufocando a surpresa.

– Foi ela! – bradou Alana, coberta de ira. – Foi ela! Minha mãe mandou matá-lo. Maldita rainha! Que todos os deuses a amaldiçoem com a fúria da vingança!

– Princesa – Shayla murmurou a seu lado. – É melhor irmos embora. Não podemos fazer nada por ele.

– Como se atreve? – rosnou Alana, fitando o rosto parcialmente discernível de Shayla. – Pensa que vou deixá-lo aqui, para os lobos comerem?

– Não temos ferramentas para enterrá-lo. Vamos embora.

– Por que minha mãe fez isso, por quê?

– Talvez tenha sido melhor assim. Marlon sempre foi egoísta, só pensava nos ideais dele. Ainda ia acabar colocando-a em apuros.

– O que está dizendo? – retrucou Alana, cheia de horror, aos poucos percorrendo a linha dos acontecimentos. – Shayla...

Pelos deuses! Agora compreendo, tudo faz sentido! Foi você, não foi?

– Eu o quê? – assustou-se, levando a mão ao coração e olhando ao redor, em busca de um lugar por onde fugir.

– Você! Você nos delatou!

– Eu, princesa? – protestou, toda trêmula. – Não seja injusta. Por que eu, que me sacrifiquei para guardar o seu segredo, iria agora traí-la?

– Só você sabia da nossa fuga.

– Sua mãe estava desconfiada...

– Mas ninguém conhece este lugar. Além de Marlon e de mim, você era a única pessoa que sabia onde nos encontraríamos.

– Sua mãe deve ter mandado segui-la... Na certa, ela fez isso.

– Impossível! Tomei as devidas precauções e posso afirmar, com toda certeza, que ninguém me seguiu ontem. E hoje... Não teria dado tempo, teria? Se alguém tivesse me seguido, teria chegado aqui junto comigo ou depois de mim. Mas o assassino de Marlon me precedeu, e se assim o fez, é porque sabia onde o encontraria. Tratou de se adiantar a mim, chegou aqui primeiro, encontrou-o sozinho e o matou. Agora me diga, Shayla, quem mais além de você poderia ter revelado este lugar?

Shayla não sabia o que dizer. Podia inventar mil desculpas, mas nada que convencesse Alana de sua inocência. Apesar da névoa e das sombras, imaginou suas feições crispadas de dor. Quando a vista se acostumou às brumas, percebeu o olhar assustador da princesa, quase tanto quanto o de sua mãe. Shayla sentiu a iminência da morte. Alana nunca havia matado ninguém, contudo, o instinto lhe dizia que ela era capaz de matar e que o faria.

Movida pelo instinto de sobrevivência, Shayla empurrou Alana e se virou para correr. Não teve tempo. Com agilidade e força, Alana a agarrou pelos cabelos, puxando-a com violência para trás. As duas desabaram no chão, e uma luta feroz se desenrolou. Rolando pelas pedras, esbarraram no corpo de Marlon, e Alana encontrou a faca, caída bem próxima a ele. Não hesitou. Segurou-a com força e virou-a na direção de Shayla, sem poder ver o terror nos olhos dela e a súplica silenciosa. A serva ainda tentou afastar a mão que a ameaçava, mas foi inútil. Na luta entre o ódio e o medo, o primeiro foi mais forte. Shayla estava apavorada, mas Alana nunca havia sentido tanto ódio em sua vida. Ódio por ter sido enganada, iludida, traída. Como fora idiota, acreditando que Shayla lhe era fiel. Tudo não passara de uma trama bem urdida para enganá-la e fazer com que confiasse na cobra alimentada por sua mãe.

Tendo o ódio por comandante de seus impulsos, Alana não foi capaz de escutar a voz da razão que tentava, inutilmente, irromper do fundo de sua consciência, dizendo-lhe para parar. Sem pensar muito no que fazia, movida apenas pelo desejo de vingança que costuma acompanhar o ódio, Alana venceu a luta, e a mão alcançou o corpo de Shayla, onde a faca encontrou refúgio dentro de seu coração.

Capítulo 7

Deitados na cama, Cartimandua e Velocatus aguardavam. O soldado que ele havia mandado para matar Marlon retornara havia pouco, informando que fora bem sucedido na missão. Àquela hora, Alana já deveria ter encontrado o corpo sem vida do amado.

– Elas estão demorando – observou Cartimandua, atenta a qualquer ruído no palácio.

– Tenha calma. Alana já deve estar chegando.

– Só espero que a tonta da Shayla mantenha o combinado.

– Shayla pode acusar você.

– Pouco me importa.

Nesse momento, uma barulheira fez-se ouvir pelos corredores do palácio. Não era preciso ser adivinho para saber que Alana estava voltando, coberta de ódio e desejo de vingança. O rei e a rainha mantiveram-se deitados e quietos, mas de olhos bem abertos na escuridão. Em pouco tempo, a porta do quarto se escancarou, e Alana surgiu diante deles, as vestes sujas de terra e sangue, o olhar insano, as feições distorcidas pelo ódio, tão terrível quanto Morrigan cercada de mortos num campo de batalha.

– O que você fez? – rugiu ela, tão alto que uma trovoada não teria causado tamanho furor.

– Quem lhe deu o direito de invadir o meu quarto? – retrucou Cartimandua, dando um salto da cama.

– Assassina! – acusou, cheia de ira, levantando a adaga tingida do sangue de Shayla. – Eu devia matá-la por isso.

– Nem tente – ameaçou Velocatus, postando-se diante dela. – Solte essa faca, menina, e vamos conversar.

– Não me toque, seu verme inútil e nojento.

– Do que está se queixando, Alana? – intercedeu a rainha. – Não cansei de avisá-la? Ainda ontem, não pus o destino de Marlon em suas mãos? Foi você quem colocou a morte no caminho dele.

– Maldita! Você não é minha mãe.

– Sou. Por mais que você me odeie e queira renegar o próprio sangue, você é minha filha, princesa de Brigância.

– Não sou mais! – bradou, rubra de ódio. – Não sou sua filha, não sou princesa, nem sequer sou mais súdita de Brigância. A partir de hoje, não viverei mais aqui.

– E para onde você pretende ir, posso saber?

– Não interessa. Qualquer lugar é melhor do que esse antro de traidores e assassinos.

Alana virou as costas, mas foi impedida de sair pela chegada de Tristan, que se postou diante da porta, barrando-lhe a passagem.

– Saia da minha frente – rugiu ela, erguendo a faca diante do rosto dele. – Saia, estou mandando!

O soldado, contudo, não se mexeu. Atrás dele, dois homens se mantinham em guarda, prontos para agir a qualquer ordem de seu comandante. Enfurecida, Alana brandiu a adaga, mas foi facilmente desarmada por Tristan, que, utilizando-se da máxima gentileza que as circunstâncias permitiam, imobilizou-a rapidamente.

– Não adianta lutar, Alana – aconselhou Velocatus, olhando com um misto de irritação e piedade. – O que uma garotinha como você pode contra meus soldados?

– Covarde! Solte-me, animal!

A um sinal de Velocatus, Tristan a soltou. Vencida e humilhada, Alana encarava o padrasto com raiva, tentando ocultar a sensação de ultraje. Lágrimas lhe vieram aos olhos, mas ela conseguiu contê-las, impedindo que deslizassem pelo seu rosto. Não daria a eles o prazer de vê-la chorando.

– Vá para seu quarto, Alana – ordenou a mãe. – Com o tempo, essa raiva irá passar, e você verá que tenho razão. Marlon não passava de um rebelde fracassado. Em breve, você desposará alguém a sua altura, e tudo voltará ao normal.

– Jamais – rosnou Alana. – Prefiro me matar a me casar com um romano nojento.

A ameaça de suicídio fez Cartimandua estremecer. É claro que ela não havia considerado aquela possibilidade, mas agora que a filha mencionara a hipótese, não duvidava de que ela seria capaz de cumprir a promessa.

– Leve-a para seus aposentos, Velocatus. E cuide para que a vigiem noite e dia. Qualquer descuido será punido com a morte.

O próprio Velocatus se encarregou de encarcerar Alana, colocando um guarda de prontidão junto a sua porta.

– Se eu fosse você, não criaria mais problemas – aconselhou ele. – Você não pode lutar contra sua mãe.

Ela não disse nada. Encarou-o com desprezo e cuspiu em seu rosto. Velocatus sentiu a raiva crescer dentro dele e a teria esbofeteado, não fosse o medo que, no fundo, sentia da rainha.

– Amarre-a – disse para Tristan. – Amanhã de manhã, pode vir soltá-la. Você, pessoalmente, ficará encarregado de acompanhá-la aonde quer que ela vá. A partir de agora, está proibida de sair sozinha.

Uma argola de ferro foi rapidamente incrustada na parede do quarto de Alana, e uma corda, atada a um de seus punhos.

– Sinto muito – lamentou Tristan, dando um nó não muito apertado, mas forte o suficiente para impedir que ela se soltasse.

A princesa jamais se sentira tão humilhada, tratada como uma criminosa, uma escrava acorrentada a seu próprio catre. Depois que os soldados saíram, ela não pôde fazer nada além de chorar.

Na manhã seguinte, despertou quando Tristan removia a corda de seu pulso, que ela esfregou vigorosamente, a fim de dissipar a dor e a vermelhidão. Uma nova serva havia sido designada para servi-la, mas Alana não lhe prestou muita atenção. O que a surpreendeu mesmo foi a presença de um homem, já de certa idade, parado perto da porta, quase invisível.

– Quem é você?– questionou ela, com agressividade.

– Me chamo Kelvin, princesa. A rainha me pediu para aconselhá-la nesse momento difícil.

– Você é um druida? – ele assentiu. – Não preciso de seus conselhos. Não preciso de ninguém.

– Eu não me apressaria tanto em dispensar os conselhos de um druida. Pode ser que a minha presença lhe seja conveniente.

As palavras dele a surpreenderam, e ela retrucou com curiosidade:

– Como?

– Espere até me conhecer melhor. Vai ver que posso ser bem mais útil do que sua mãe deseja, e por motivos que ela nem imagina.

Kelvin piscou um olho para ela, causando-lhe um espanto ainda maior. Ele era velho, mas havia algo jovial em seus gestos, uma nobreza característica dos homens de sua estirpe. Ela ia retrucar, porém, ele apontou para a criada com o queixo, e Alana silenciou.

– Qual o seu nome? – indagou ela, dirigindo-se à moça.

– Marva – respondeu a serva, que derramava água quente numa tina, preparando um banho para Alana.

– Vá banhar-se primeiro – recomendou o druida. – Depois, desça para a refeição da manhã. Em seguida, poderemos dar um passeio e conversar.

Alana não sabia o que pensar a respeito daquele homem. Sempre temera os druidas e o imenso poder que eles tinham, mas aquele parecia diferente. Marva, por sua vez, era como todas as outras servas, na certa, mandada ali pela mãe para espioná-la.

– O banho está pronto – anunciou Marva.

Tão logo Tristan e Kelvin saíram, Alana entrou na tina, sentindo o corpo relaxar ao contato com a água morna.

– Pode ir agora – ela falou para a criada, o mais gentilmente que conseguiu.

– Não quer que lhe esfregue as costas?

– Não, obrigada. Posso tomar banho sozinha.

Marva hesitou. Irritada, Alana já ia mandá-la sair novamente quando ela se adiantou e disse, meio em tom de desculpa, meio se divertindo:

– Sinto muito, princesa, mas seu pai me deu ordens expressas para não sair do seu lado.

– Ele não é meu pai – objetou Alana, sabendo que Marva se referia a Velocatus. – E não manda em mim. Saia, vamos!

– Lamento, mas não posso.

– Saia, imbecil!

Alana deu um salto da tina, encharcando o chão com a água do banho. Mesmo nua como estava, não se importou.

Avançou sobre Marva e a teria espancado, não fosse a reação rápida da moça, que se defendeu do golpe com eficácia surpreendente. Na mesma hora, Tristan entrou e a segurou pelos punhos, lançando-lhe um olhar enigmático, ao mesmo tempo que a censurava:

– Contenha-se, princesa. Por favor, não me obrigue a amarrá-la novamente.

Tristan evitava olhar sua nudez, mas isso não impediu que Alana se sentisse humilhada novamente. Ainda assim, ela o encarou com desprezo e ordenou friamente:

– Largue-me.

– Vai se comportar?

Ele a soltou, embora ela não lhe houvesse respondido. Sem olhá-la, rodou nos calcanhares e saiu porta afora, deixando Marva parada ao lado da princesa, encarando-a com ar divertido.

– Fique longe de mim – ordenou Alana, tornando a entrar na tina. – Vá para um canto, fora das minhas vistas. Não quero ter o desprazer de ser obrigada a olhar para você.

A moça não se ressentiu da agressividade e obedeceu. Havia sido selecionada pessoalmente pela rainha, incumbida de vigiar Alana, graças a suas habilidades como guerreira, instruída pelo próprio pai desde muito pequenina.

Aquilo tudo era uma afronta. Cartimandua demonstrava sua força, subjugando a própria filha e mostrando-lhe que ninguém podia a ela se opor. Queria espezinhá-la ao ponto de fazê-la sentir-se vencida e alquebrada. Queria minar-lhe as forças e a confiança, transformando-a em um cãozinho dócil, através do rebaixamento de sua moral e da destruição de sua dignidade. Mas não ia conseguir. Alana estava enfurecida, porém, a dor da morte de Marlon era algo que ela jamais conseguiria superar. Além disso, sentia remorso por haver tirado a vida de Shayla. A serva podia ser uma traidora, mas ela se transformara em assassina. Nada disso, porém, era motivo suficiente para dar à mãe o poder de subjugá-la. Com o tempo, Alana sabia que venceria a dor e aprenderia a usá-la em benefício próprio, dela retirando a força necessária para impor sua vontade.

Sentindo-se mais só do que nunca, Alana abaixou os olhos e chorou. As lágrimas despencaram livremente, unindo-se à agua quente e aveludada que envolvia seu corpo. Naquele momento, quando o sofrimento parecia rondar seus passos com a sombra da morte, descobriu que o que mais queria era viver.

Capítulo 8

Para surpresa de Alana, Tristan os acompanhou à distância, dando um passo atrás sempre que, inadvertidamente, se aproximava deles. Talvez fossem ordens de Kelvin, com quem o soldado trocara algumas palavras inaudíveis antes de saírem.

– O que você disse a Tristan? – questionou ela.

– Não disse nada, princesa.

– Vi vocês conversando. Ou melhor, você falou algo, e ele apenas assentiu. Exijo saber o que foi.

– Está bem, se é o que quer. Disse apenas para ele não se aproximar, para que eu pudesse lhe falar em particular.

– E ele, simplesmente, obedeceu? – espantou-se.

– Nós, druidas, ainda temos a nossa quota de autoridade e respeito – esclareceu ele, solenemente.

Ela guardou silêncio por alguns instantes, refletindo nas palavras dele, até que tornou a indagar:

– Aonde estamos indo?

– A lugar algum, em especial. Vamos apenas caminhar por entre as árvores. Quem sabe não damos a sorte de encontrar algum carvalho repleto de visco?

Se aquilo era uma tentativa de fazê-la sorrir, não deu resultado. Alana fechou o cenho e não disse nada, mas acompanhou o druida com tranquilidade.

– Vamos subir a montanha? – indagou ela, percebendo que ele seguia naquela direção.

– Não exatamente – respondeu ele, um sorriso enigmático enfeitando seu rosto enrugado. – A menos que haja alguma coisa que você queira fazer por lá.

– Queria enterrar o corpo de Marlon – respondeu ela, sem pensar. – E o de Shayla também.

– Isso já foi feito.

– Já foi feito? – surpreendeu-se. – Como? Por quem?

– É claro que, devido às circunstâncias, não foi possível organizar o ritual fúnebre de cremação. Assim, antes do amanhecer, mandei dois de meus noviços recolherem os corpos e enterrá-los no alto da montanha.

– Por que fez isso?

– Porque imaginei que era o que você queria.

– Minha mãe sabe?

– Não. E nem precisa saber.

Alana não sabia o que pensar. Simpatizava com o druida, contudo, tinha medo de confiar em mais alguém e ser traída novamente. Não seria mais ingênua como fora com Shayla.

– Minha mãe pediu que você me aconselhasse – observou ela, desconfiada. – Imagino o que ela pretende, mas lhe adianto que não vai funcionar.

Ele parou perto de um carvalho, procurando viscos ao redor de seu tronco. Não encontrando nenhum, conduziu Alana a uma pedra próxima e sentou-se, mandando que a princesa se acomodasse no chão, a seus pés. Alana obedeceu, não sem antes dar uma espiada em Tristan, que também havia parado, mas sem se aproximar. De onde estava, podia vê-los, porém, não poderia ouvi-los.

– Você sabe o que sua mãe quer, não sabe? – começou ele, perscrutando-a com olhar inteligente.

– Ela quer que eu me case com o general Marcus Tito ou outro romano qualquer.

– Exatamente. E o que você pretende fazer?

– Jamais me casaria com alguém que não fosse Marlon. Muito menos com um romano estúpido.

– Marcus Tito pode ser qualquer coisa, menos estúpido.

– Você está aqui defendendo os interesses dela, não é?– acusou Alana, com agressividade, levantando-se de um salto.– Pois está perdendo seu tempo. Prefiro a morte, ou a prisão, a casar-me com alguém a mando da rainha!

– Acalme-se, menina, e sente-se – disse ele mansamente, olhando para Tristan por cima do ombro dela. – Ou nosso amigo soldado não tardará a vir ver o que está acontecendo.

Temendo que Tristan se aproximasse, ela se sentou novamente, muito embora não houvesse conseguido se acalmar. Olhou para o soldado de soslaio, contudo, ele parecia alheio, fitando as árvores do outro lado.

– Não vou me casar – repetiu, mal humorada. – Não vou.

– Você age como uma criança fazendo birra.

– Pense o que quiser. Estou determinada a manter minha palavra, ainda que isso me custe a liberdade ou a vida.

– Você me parece mesmo determinada, embora não esteja sendo muito inteligente – ela o encarou, exasperada, mas preferiu não rebater. – Por que não pode, simplesmente, fingir que obedece?

– Como assim?– indignou-se.– Você quer dizer, mentir para minha mãe?

– Marcus Tito é um homem inteligente, vivido, experiente. Pode ter muito a lhe ensinar.

– E o que teria eu a aprender com um romano prepotente e detestável?

– Para começar, as artes da guerra.

– Por que haveria eu de querer aprender as artes da guerra?

– Não era o que Marlon ia lhe ensinar?

Ela levou um susto, mas manteve a postura altiva. Não sabia como Kelvin ficara sabendo daquilo.

– Não sei do que está falando – desconversou. – Nada disso me diz respeito.

– Será que não?

– Que eu saiba, não estamos em guerra com ninguém.

– Nós, não. Mas a rainha Boudica não tardará a declarar guerra aos romanos.

– Você quer dizer, a rainha dos icenos? E por que razão ela faria isso, se o marido dela é aliado de Roma?

– Porque o marido dela está muito doente e prestes a morrer.

– Problema deles, não meu – declarou, irritada.

– Há questões legais e sucessórias que poderão desencadear uma guerra – insistiu o druida.

– E o que eu tenho a ver com isso? Somos brigantes, não icenos.

– Contrariando os costumes romanos – prosseguiu ele, indiferente aos protestos de Alana –, o rei Prasutagus nomeou suas duas filhas herdeiras de suas terras.

– E daí? Nada disso me interessa – mentiu, para não dar a ele o prazer de notar que havia captado sua atenção.

– Os romanos ainda não sabem, mas quando o rei morrer, vão descobrir.

– E você acha que a rainha vai declarar guerra a eles?– indagou, agora sem ocultar a curiosidade.

– Muito em breve, sim. Prevejo que eles não aceitarão facilmente essa ofensa. A transferência das terras aos romanos consolidaria o acordo de rendição e submissão de Icênia a Roma, mesmo após a morte do rei.

– Como é que você sabe dessa história?

– Tenho amigos druidas influentes entre os icenos.

– Supondo que você tenha razão, o que eu tenho a ver com tudo isso? Minha mãe e Boudica nunca foram, nem nunca serão, aliadas.

– De Cartimandua, não podemos esperar nada. Quanto a você, é a sua chance de dar continuidade aos planos de Marlon.

– Como?– tornou, cada vez mais interessada.

– Lutando.

– Mas eu não entendo nada de lutas! Sou uma princesa, não um soldado.

– Por favor, Alana, você está subestimando minha inteligência. Não sou estúpido nem ingênuo, e você também não é. Como eu disse, se Marlon podia ensiná-la, com muito mais competência o fará Marcus Tito. O general é um guerreiro habilidoso e brilhante. Pode ensinar você a manejar as armas e a ter disciplina, o que falta aos nossos soldados. Com isso, você poderá liderar um exército e se aliar a Boudica na guerra contra os romanos.

– Como assim, liderar um exército? Quem sou eu para reunir seguidores?

– Você é uma princesa, e muitos soldados a seguirão ao descobrirem que você pretende se tornar rainha e reinar sobre um povo livre do jugo romano.

– Por que está me dizendo essas coisas? – indagou ela, de repente sentindo medo de que ele a estivesse testando. – Você está traindo a rainha e sugerindo que eu a traia também. Eu poderia sair daqui e ir correndo contar a ela o que você está me propondo.

– Você não vai fazer nada disso – rebateu ele, em tom divertido.

– O que lhe dá essa certeza?

– Além de trair os interesses dos brigantes, sua mãe mandou matar o homem que você ama. Isso não é algo que se perdoe com facilidade.

– Ela é minha mãe...

– E também a rainha. Cartimandua tem poder sobre você e pode mandá-la para Roma, se quiser.

– Ela jamais faria isso! – objetou, horrorizada.

– Será que não? Ela quer tanto fortalecer sua aliança com Roma, que não hesitará em forçá-la a um casamento arranjado, ainda que tenha que mandar você embora, para assegurar sua obediência.

– Prefiro me matar a permitir uma coisa dessas.

– Seja egoísta, mate-se e condene seu povo à servidão eterna. É isso que você quer?

– Não acha que está exagerando a minha importância? Não sou uma guerreira e o povo não me ama. Ninguém se atreveria a seguir-me para lutar.

– Eu não teria tanta certeza.

– Você está me confundindo com Marlon. Ele, sim, era um líder rebelde.

– E você também pode vir a ser.

– Como?

– Você odeia os romanos tanto quanto Marlon odiava, o que não é segredo para ninguém, muito menos para Cartimandua. Muitos guerreiros pensam da mesma forma, contudo, não sabem a quem seguir. Precisam de alguém que os lidere, e ninguém melhor do que sua princesa. Você possui sangue real, é contrária aos interesses escusos da rainha, pensa no bem-estar do povo e tem firmeza e coragem suficientes para comandar. Com o treinamento adequado, tenho certeza de que se transformará não apenas em uma excelente guerreira, mas em uma grande líder.

– Não sei, Kelvin... – ela hesitou. – E também não entendo. Por que está me dizendo essas coisas? Qual o seu interesse em tudo isso?

– O mesmo que o seu e o de Marlon. Muitos de nós, druidas, não somos favoráveis ao domínio romano. Depois da invasão, passamos a ser vigiados e não podemos nem mais cultuar nossos deuses em paz. Os romanos ficam horrorizados com as nossas práticas e nos proibiram de realizar nossos rituais do jeito que achamos que devem ser. Perdemos nosso prestígio, mas queremos voltar a ser livres e respeitados.

– O que você diz pode até fazer sentido, mas ainda não sei se posso confiar em você.

– Pense em tudo o que lhe disse e verá que tenho razão. E que interesse teria eu em entregá-la à rainha? Cartimandua sabe o que você pensa, de forma que eu não lhe levaria nenhuma novidade. Suas ideias não são surpresa para sua mãe.

– Realmente – concordou, pensativa. – Mas tem uma coisa que você não sabe. O general não gosta de mim. Ele deixou isso bem claro no dia do banquete em minha casa. E mesmo que gostasse, ele sabe que eu não gosto dele.

– Realmente, um casamento me parece inviável, mas há outras formas de conquistar os favores de um homem.

– Você está sugerindo que eu o seduza?

– Você vê algum problema nisso?

– Não sei, Kelvin. Você está me pedindo demais.

– Pense, Alana, reflita a respeito. Será sua chance de libertar o povo e ainda se vingar de sua mãe. Ao perceber que você está vendo Marcus Tito, ela, certamente, diminuirá a vigilância sobre você. E, após aprender o necessário, você poderá deixá-lo, para reunir seus próprios homens e se juntar ao exército da rainha Boudica.

Ela podia não saber em que acreditar, mas via sentido nas palavras do druida. Quanto mais Kelvin falava, mais ela sentia o fogo arder em suas entranhas. Imaginar-se guerreando ao lado de outra rainha, fazendo o que Marlon gostaria de ter feito, enchia-a de entusiasmo e esperança. Uma excitação desconhecida foi dominando cada parte de seu corpo, transformando a ideia em uma vontade veemente de ser parte de algo que, agora percebia, era muito maior do que ela e seu mundinho limitado de princesa.

Devia isso a Marlon. Ele morrera acreditando em um ideal de liberdade que ela aprendera a compartilhar. A força que a invadia, impelindo-a a aceitar a proposta de Kelvin, ia muito além de uma dívida para com o amor de sua vida. Era sua sina, a missão para a qual fora predestinada e que, até então, desconhecia. Talvez fosse esse o motivo da enigmática aparição, na montanha, da deusa negra que ela confundia com Morrigan e que a chamava para a guerra.

Quando Alana voltou ao palácio, disse a Kelvin que precisava de um tempo sozinha para pensar. A verdade, porém, é que já havia se decidido. Já sabia o que fazer.

Capítulo 9

Se Alana, de uma hora para outra, demonstrasse interesse por Marcus Tito, a mãe, na certa, desconfiaria. Uma mudança tão súbita despertaria suspeitas e faria redobrar a vigilância sobre ela, pois Cartimandua não acreditaria que ela, perdendo Marlon em um dia, se interessaria pelo romano no dia seguinte. Por isso, esperou uma semana para atrair o general.

Marcus Tito morava em uma casa de pedras, mandada construir especialmente para ele. Sua estada em Brigância prolongava-se mais do que o esperado, e ele não tinha a menor intenção de viver em uma tenda, no acampamento romano, nem em uma minúscula e fétida choupana, à moda dos bretões. Por isso, dera ordens a seus soldados para que se reunissem e lhe fizessem uma residência minimamente condigna de um general a sua altura.

Quando Kelvin bateu à porta, foi recebido por uma criada bretã, que Marcus praticamente obrigara a lhe prestar serviços, embora lhe pagasse um salário razoável. O romano o recebeu com frieza e até com uma certa rispidez. Não gostava de druidas e de suas práticas bárbaras. Pensou em dispensá-lo da porta mesmo, mas a curiosidade falou mais alto.

– Trago um recado da princesa – anunciou Kelvin.

– Que recado? – surpreendeu-se o outro, desconfiado.

– Ela pergunta se pode vir lhe fazer uma visita.

– Alana quer vir a minha casa? – tornou ele, em tom de deboche, soltando uma gargalhada. – Essa é muito boa! O que ela pretende?

– Não sei, general.

– É claro que você sabe. Só não quer me contar.

– O que devo dizer a ela? – redarguiu Kelvin, esforçando-se para ignorar a ironia nas palavras de Marcus.

– A rainha sabe que ela pretende me fazer uma visita?

– Não.

– Então, por quê? Cartimandua tem motivos para se interessar pela minha pessoa, mas Alana, não.

– Terá que perguntar isso a ela.

Obviamente, Marcus ficou desconfiado. Ninguém muda de uma hora para outra, e ele sabia tudo aquilo por que a princesa vinha passando. Sabia da morte de Marlon, do cárcere em sua própria residência, da vigilância dos soldados de Velocatus. Sabia até que ela matara sua serva e que se roía de remorso por isso.

– Se bem me lembro, ela me chamou de atrevido, arrogante e prepotente – alfinetou, divertindo-se cada vez mais. – Ah! E de velho também. E disse, pronunciando bem cada palavra, que não tinha o menor interesse em mim.

– Quanto a isso, não sei o que dizer – contrapôs Kelvin, sereno como um lago traiçoeiro. – Vim apenas transmitir-lhe um recado.

– Os druidas devem estar mesmo enfrentando o declínio, para você aceitar o papel de mero mensageiro – Kelvin fuzilou-o com seu olhar frio, conservando a postura impassível de quem aprendera a manter o controle. – No entanto, vou fazer como me pede. Diga que ela pode vir quando quiser. É só mandar me avisar, para que eu prepare uma recepção adequada.

– A princesa aguarda um convite formal.

– Convite formal? Ela quer que eu a convide para vir aqui? – Marcus permaneceu alguns segundos em silêncio, estudando o rosto de Kelvin, até que balançou a cabeça e, com um sorrisinho irônico, acrescentou: – Acho que agora compreendi. Nossa linda princesinha quer enganar a mãe, embora eu não saiba bem por quê. A rainha não acreditaria em uma mudança súbita de quem, até há bem pouco tempo, se dizia apaixonada pelo jovem revolucionário. Sendo assim, um convite partindo de Alana não seria convincente. Agora, vindo da minha pessoa...

– O senhor vai ou não convidá-la a vir aqui? – reiterou Kelvin, agora começando a perder a paciência e a compostura.

– Sim, é isso mesmo – prosseguiu o general, sem dar a menor atenção ao mau humor do interlocutor. – Cartimandua vai pensar que eu, sabendo do infortúnio que acolheu o pobre rapaz, resolvi arriscar a sorte e investir em uma conquista.

– Senhor, aguardo uma resposta – insistiu o druida, prestes a gritar com o romano. – Ela pode esperar por esse convite?

– Farei melhor do que isso – anunciou, um sorriso mordaz preso nos lábios, que Kelvin achou ainda mais irritante. – Irei, eu mesmo, fazer-lhe uma visita. Aposto que a rainha não se recusará a franquear-me a entrada no palácio.

– Certamente que não.

– Ótimo. Então, está decidido. Volte e diga a sua senhora que irei vê-la em breve.

– Posso saber quando?

– Não, não pode. Para não estragar a surpresa, é claro.

Kelvin saiu da casa de Marcus espumando de ódio. Ele era ainda mais arrogante do que imaginara. E era óbvio que não se convencera do interesse repentino de Alana. Assim como Cartimandua, Marcus Tito era experiente e sagaz. Kelvin, porém, contava com a sensualidade dos romanos. Alana era muito bonita, e ele não duvidava de que o general muito apreciaria tê-la em seu leito.

No palácio, Alana caminhava de um lado a outro no quarto, espiando pela janela a todo instante, cada vez mais impaciente com a demora de Kelvin.

– Algum problema, princesa? – sondou Marva, a voz melíflua da falsidade.

– Nenhum problema – respondeu Alana, de má vontade.

– Posso fazer alguma coisa para ajudar?

– Pode calar a boca e ficar quieta. Melhor ainda. Pode sumir das minhas vistas.

– A princesa sabe que não posso – retrucou ela, saboreando a imposição feita a Alana. – E não entendo por que é tão ríspida comigo. Só o que quero é agradá-la.

O discurso soou tão falso que Alana teve que se conter para não gritar com ela. Marva podia parecer uma criatura doce, mas era venenosa feito uma víbora.

– Não – objetou Alana, fitando-a com hostilidade. – Só o que você quer é agradar minha mãe. Não sei o que ela lhe prometeu, mas tome cuidado. Shayla também se iludiu com as promessas dela, e veja só no que deu.

– Não sou Shayla – atreveu-se a dizer. – Não estou aqui para trair ninguém.

– Talvez você esteja certa. Shayla me enganou, fazendo-se passar por minha amiga. Você, pelo menos, é uma total estranha e não esconde que está aqui obedecendo às ordens da rainha.

– Lamento que pense assim, princesa. Eu poderia ser sua amiga também.

– Poderia. E, assim como Shayla, recolheria todos os meus segredos para entregá-los a minha mãe.

– A princesa há de me perdoar– desconversou Marva.– Preciso me ausentar por uns instantes, mas não se preocupe. Pedirei a Tristan para lhe fazer companhia.

Era uma provocação, mas Alana não revidou. Por ela, Marva podia se atirar do alto de uma torre, que ela não se importaria. A serva saiu do quarto de Alana e se dirigiu, às pressas, à alcova da rainha. Era sua obrigação mantê-la informada sobre as atividades da princesa.

– Não se preocupe, princesa– disse Tristan, aparentemente compadecido da situação dela.– Em breve, tudo isso irá acabar.

– O que você quer dizer?

– Que os deuses estão do seu lado– arrematou ele, indo postar-se junto à porta.

Alana achou as palavras do soldado deveras estranhas, contudo, permaneceu quieta. Começava a acostumar-se com a perfídia e com falsas simpatias, e a melhor garantia de segurança era o silêncio.

Enquanto isso, Marva se dirigia ao encontro da rainha, que a aguardava com ansiedade.

– Alguma novidade?– quis saber Cartimandua.

– Não, minha senhora.

– Se não tem novidades para me contar, então, o que está fazendo aqui? E por que a deixou sozinha?

– Ela não está sozinha. Tristan está com ela.

– E Kelvin, onde está?

– Ainda não o vi hoje, senhora.

– Mande-o à minha presença, assim que ele chegar.

– Sim, senhora.

O que Marva mais queria era cair nas boas graças da rainha. Filha de um soldado, aprendera com o pai a manejar a lança, mas não tinha intenção alguma de aliar-se ao exército, preferindo cuidar de seus próprios interesses. Ao chegar ao quarto de Alana, percebeu que Tristan se encontrava do lado de fora, conversando com outro soldado.

– O druida está aí dentro – anunciou ele, apontando para a porta com o queixo. – E a princesa não gosta de ser incomodada quando está com ele.

– Trago ordens da rainha – disse, com insolência.

Tristan deu de ombros, deixando que Marva passasse. Sem nem bater na porta, ela entrou. Queria ter ouvido o que diziam, mas não foi possível. Kelvin falava aos sussurros, em tom de conspiração.

– Quem mandou você entrar? – gritou Alana, que, só de olhar, sentia a raiva inflamá-la.– Saia daqui!

– A rainha mandou chamá-lo – ela comunicou ao druida, evitando olhar para a princesa e fingindo ignorar seu acesso de fúria.

– Irei imediatamente – afirmou ele, pedindo licença à Alana. – Depois conversaremos.

Marva estava certa de que os dois estavam tramando algo, mas não tinha como provar. Kelvin era um druida; um bardo, professor, curandeiro, juiz e sacerdote, detentor do conhecimento e da sabedoria, um homem da mais alta hierarquia dentro da sociedade brigante. Tudo o que ela dissesse contra ele seria interpretado como traição, e ela é que acabaria ardendo na fogueira por isso.

Intuitivo como era, Kelvin leu a perfídia no coração de Marva. Era preciso ter, para com ela, o cuidado que Alana não tivera com Shayla. A única diferença entre ambas era que a princesa fora enganada por Shayla, ao passo que agora sabia, perfeitamente, o tipo de pessoa que era Marva.

A rainha estava em um de seus raros dias de tranquilidade e o recebeu com a reverência devida a alguém em sua posição.

– E então?– quis saber.– Algum progresso na tarefa que lhe dei?

– Acredito que sim. A princesa confia em mim.

– Ótimo. E como anda a questão do casamento?

– Ainda não obtive sucesso, mas tenho certeza de que, em breve, conseguirei algum avanço.

– Espero que sim. Só posso contar com você, Kelvin, porque Alana parece detestar Marva.

– Se me permite dizer, senhora, a menina não soube se conduzir. Tentou impor sua presença a Alana de uma forma um tanto ou quanto invasiva, justo no momento em que a princesa está ressentida com a morte de Shayla. Marva, a meu ver, não teve tato.

– Garota estúpida. Pelo menos, serve para vigiar Alana e não permitir que ela saia sozinha.

– Apesar da enorme irritação que isso causa na princesa, sim, ela obtém sucesso nesta pequena tarefa.

– Você acha que estou errada? Que não devia controlar Alana nem mandar vigiá-la?

– Na minha opinião, Marva só serve para atrapalhar, e justo agora, que a princesa e eu estamos nos tornando mais íntimos.

– Não posso deixar Alana somente aos seus cuidados. Ela é uma moça, precisa de companhia feminina.

– Alana é muito independente, não precisa de ninguém.

– Mas eu quero que ela permaneça sob vigilância constante, todas as horas do dia. Marva fica, ainda que não tenha sido capaz de conquistar a confiança de Alana e ainda que Alana a deteste.

– Muito bem, senhora. Sua vontade é soberana.

– Agora pode ir. Espero que, muito em breve, tenhamos um noivado no palácio.

– Teremos, e não tardará muito. Confie em mim.

Confiança era um artigo de extrema raridade naqueles dias. Cartimandua não confiava inteiramente em Kelvin, como não confiava em mais ninguém além de Velocatus. Mas ele era um druida e era o único com quem, naquele momento, poderia contar.

Capítulo 10

As intrigas do palácio aborreciam Kelvin imensamente. Incomodava-o aquele joguinho conspiratório, onde uns tentavam parecer mais justos e leais do que realmente eram. Ele sabia muito bem o que as pessoas ocultavam no coração, conhecia seus desejos mais profundos, seus ódios, seus amores e, acima de tudo, aquilo de que cada um era capaz.

Não lhe agradava enganar a rainha, mas ela selara seu destino ao se aliar aos romanos, traindo os interesses do próprio povo. Nem todos os sacrifícios e oferendas haviam sido suficientes para repelir a invasão estrangeira, e os brigantes se viram dominados por uma legião de guerreiros autoritários, que tinham vindo para mudar seus costumes e interferir em suas tradições. Não era certo.

Por isso, Kelvin optara por ceder sua lealdade a Alana, ao menos enquanto ela lhe fosse útil. Havia homens dentre os soldados de sua tribo que também seriam leais a ela e que não hesitariam em juntar-se ao exército de Boudica, se isso significasse seguir sua princesa. Cartimandua ficaria enfraquecida, os romanos seriam expulsos, e Brigância retornaria para os brigantes, tendo Alana como rainha. Suas práticas e rituais voltariam a ser os mesmos, e a vida retomaria a normalidade.

– Está pensativo hoje, Kelvin – observou Alana, retirando-o de seus devaneios. – Estamos caminhando há horas, e você ainda não me disse como foi seu encontro com Marcus Tito.

– Não exagere, princesa. Meu silêncio não durou mais do que alguns minutos.

– Para mim, durou mais do que o necessário. Mas me diga, como foi com o general?

– Marcus Tito não é nenhum tolo, isso posso lhe afirmar, embora seja um homem de temperamento horrível. Debochado, satírico, desrespeitoso, mas esperto e sagaz. Ele sabe que você está tramando alguma coisa.

– E o que isso significa, exatamente, para nós?

– Ainda não sei. Ele ficou de vir, pessoalmente, lhe fazer uma visita, mas não disse quando. No momento, temos que esperar.

Esperar não era algo a que Alana estivesse acostumada, mas não havia remédio. Ela inspirou profundamente e tomou a direção da montanha, olhando por cima do ombro para ver se Tristan ainda os seguia.

– Quero ir aonde Marlon está enterrado. Acha que Tristan vai contar à minha mãe?

– Tristan não dirá nada, não se preocupe. É por isso, então, que traz essa trouxinha?

Efetivamente, Alana vinha abraçada a um embrulho de pano, que apertou ao ouvir a pergunta do druida.

– É uma oferenda para Marlon. Quero enterrá-la ao lado de seu túmulo. Ele precisará de forças para chegar à outra vida.

– Não acha que, pelo tempo, ele já chegou lá?

– Não pude vir antes – desculpou-se.

– Essa é uma crença tola, Alana. Os mortos não precisam comer.

– Não?

– Não.

– Quer dizer, então, que eu trouxe isso à toa?

– Não exatamente. O espírito de Marlon ficará feliz em saber que você se lembrou dele. Podemos até colher alguma flores pelo caminho, para enfeitar o túmulo de Shayla também, se você quiser.

Alana não disse nada. Abaixou a cabeça e continuou a caminhar, acabrunhada. Apesar do remorso, não tinha certeza se conseguira perdoar Shayla. No alto da montanha, ajoelhou-se ao lado do túmulo do amado, permitindo-se chorar livremente. Enterrou a comida e depositou as flores ao redor de ambas as sepulturas.

– Sinto tanta falta de Marlon! – choramingou ela, abraçando-se ao druida.

– Eu sei. Sua dor é grande, mas vai passar.

– Não, Kelvin, acho que nunca vai passar.

– Todo sofrimento parece eterno para quem sofre, mas o tempo, que é o organizador de todas as coisas, transforma a dor em experiência e faz ressurgir a esperança onde antes só havia a dor.

– Às vezes me pergunto se não seria melhor morrer...

– Não diga o que não sente, Alana. Entregar-se ao desânimo não é próprio de você. Todo mundo morre um dia, e a morte se aproxima cada vez mais, à medida que se vive. A todo instante, caminhamos ao seu encontro, mas vamos desviando dela pelo caminho, até que o momento inevitável nos alcance e nos envolva. Só então não poderemos mais fugir.

– Tem razão, Kelvin. Mas é que sinto que algo morreu dentro de mim, entende?

– Entendo, porque não é apenas o corpo que morre. A esperança pode morrer, a alegria, a coragem, o ânimo, a determinação, os sonhos... Tudo isso pode morrer quando se sofre. Mas o tempo... Ele mostra que essa morte é apenas uma ilusão provocada pelo desespero, e que todas as coisas boas podem renascer.

– Esse é o meu desejo, Kelvin – tornou ela, após refletir por alguns instantes. – Tenho um objetivo na vida, que fez renascer minha coragem e a vontade de viver. Quero lutar ao lado da rainha icena, para vencer os romanos e expulsá-los de nossas terras de uma vez por todas.

– Não esperava outra coisa de você.

– Sou-lhe muito grata por confiar em mim.

– E quanto à sua mãe? Você sabe que Cartimandua não renunciará ao trono nem o entregará passivamente a você.

– Creio que ela não terá opção, não é? Infelizmente, será deposta, mas eu cuidarei dela. Acho que a perda do reinado, do poder, do prestígio, das riquezas e da influência será um castigo mais do que suficiente para uma rainha orgulhosa feito Cartimandua.

– E Velocatus?

– Velocatus é diferente. Ele é um soldado, não podemos confiar nele. Talvez o mande para o exílio, juntamente com o que restar dos romanos.

– Não vai restar nada dos romanos. Não é costume de nossa gente fazer prisioneiros.

Ela não gostou muito de ouvir aquela revelação, pois, por mais que odiasse os romanos, não pretendia simplesmente matá-los a sangue frio. Queria transformar-se em guerreira, não em assassina.

– Se eu for rainha, caberá a mim essa decisão – anunciou, em tom grave.

– Tem razão, mas você precisará tomar cuidado. Mudar os costumes de um povo pode não ser assim tão fácil.

– Conto com você para isso.

Kelvin sorriu e disse com satisfação:

– Muito bem. Mas agora, é hora de voltarmos. Está ficando tarde, e Tristan já ameaça se aproximar.

– Espere um instante. Quero lhe fazer apenas mais uma pergunta.

– Pois faça.

– Você já ouviu falar em Oyá?

– Oyá? Não. O que é? Uma planta, uma cidade?

– Não sei, Kelvin, mas gostaria muito de saber.

– Onde foi que ouviu esse nome?

– Foi soprado ao meu ouvido por uma deusa.

– Uma deusa? – estranhou.

– Sim, uma deusa negra. Pensei que poderia ser Morrigan.

– Morrigan não é negra, e não existem deuses negros na Britânia. Se for alguma divindade, é provável que seja de além-mar.

– Como vou descobrir, Kelvin? Queria muito saber quem ela é. Uma deusa imponente, lindíssima, toda envolvida em um halo cor de cobre.

– Você não sonhou?

– Não. Eu a vi pessoalmente. E tinha um deus também, só que não era tão majestoso.

– Não sei, Alana. Não estou familiarizado com deuses de terras estrangeiras.

– Acha que é isso que eles são? Deuses de outras terras?

– É o que parece. Que eu saiba, é na África que existem pessoas de pele escura. Talvez, eles tenham vindo de lá.

– Mas o que estariam fazendo aqui, tão longe?

– Não sei. Só o que sei é que não há barreiras para os deuses. Eles vão aonde querem.

– Se você não sabe, quem poderia saber?

– Talvez os romanos. Eles é que têm domínio sobre aquela região. Mas agora chega. Vamos voltar. Faz tempo que saímos, e você não quer que Tristan venha nos repreender, quer?

– Não – respondeu ela, olhando para o soldado, que, como sempre, os acompanhava de longe.

Quando chegaram ao palácio, a tarde já ia morrendo. Entre as nuvens cor-de-rosa, Alana pensou ter visto o espectro fulgurante da deusa negra, porém, ele logo se dissipou. Devia ter sido uma miragem, embora das mais bonitas.

– Venha logo, princesa – Alana ouviu Marva chamar, correndo ao seu encontro. – A rainha está louca atrás de você.

– O que ela quer desta vez?

– O jantar já vai ser servido, e teremos convidados. Venha antes se arrumar. A rainha quer que você se apresente condignamente.

A mãe não havia lhe falado nada sobre um jantar com convidados, contudo, ela obedeceu. Não estava com disposição para ralhar com Marva nem para discutir com a rainha.

A presença de Marcus Tito não foi uma total surpresa. Pela cabeça de Alana, bem havia passado a possibilidade de que ele tivesse resolvido cumprir sua promessa e houvesse ido fazer-lhe uma visita formal.

– Alana, finalmente! – exclamou Cartimandua. – Veja quem nos surpreendeu com uma visita. O general Marcus Tito! Lembra-se dele?

– Como poderia me esquecer? – tornou ela, em tom mordaz.

– Princesa – cumprimentou ele. – Cada vez mais linda e doce.

– Obrigada. E o senhor, cada vez mais simpático e gentil.

A troca de elogios não enganou Cartimandua, que percebeu o tom de ironia de ambos. Havia algum segredo entre eles do qual ela não participava, mas não importava. Só o fato de eles estarem se falando com uma certa intimidade, ainda que repleta de sarcasmo, era suficiente para satisfazê-la.

O general comeu e bebeu à vontade, como se compartilhasse a mesa com amigos de velhos tempos. Durante todo o jantar, mal falou com Alana, preferindo discutir questões políticas com a rainha ou estratégias militares com o rei. Somente no final foi que ele lhe endereçou uma pergunta:

– Os bretões, finalmente, parecem estar assimilando bem nossos costumes, não acha, princesa?

– O que foi que disse? – embaraçou-se ela, que não prestava a menor atenção à conversa, mesmo depois de Kelvin tê-la orientado a fazer o contrário.

– Após tantos anos, vocês, bretões, não estão assimilando nossos costumes? – repetiu ele. – Não estão agora deixando de lado certas práticas bárbaras para entrar, finalmente, na civilização?

– Não exatamente – contestou ela, sem ocultar a indignação. – Não me parece que a imposição de uma cultura sobre outra, praticamente destruindo seu modo de vida e suas tradições, seja uma forma de assimilação. Para mim, soa mais como aniquilação... ou escravidão.

Cartimandua ia recriminá-la, mas o general foi mais rápido e retrucou:

– É o preço do progresso, minha cara. Pense em quantos benefícios trouxemos a essa região primitiva.

– Você já se perguntou se queríamos esse progresso? Nunca lhe passou pela cabeça que podíamos estar felizes com o jeito *primitivo* com o qual levávamos nossas vidas?

– Alana, silêncio! – zangou Cartimandua, lançando-lhe um olhar de cruel recriminação. – Está sendo impertinente.

– Deixe, rainha, não se preocupe. A princesa é jovem e cheia de ilusões. Não conhece os caminhos tortuosos da vida nem está familiarizada com os mecanismos do progresso. É assim que as coisas são, menina – acrescentou ele, falando diretamente a ela. – Não há progresso onde impera a selvageria, e converter selvagens em pessoas civilizadas só é possível através da força.

Alana teve vontade de gritar que não tinha a menor intenção de fazer parte da civilização de nenhum romano, contudo, percebeu, a tempo, que reagia exatamente da forma por ele esperada. Ele a estava provocando, e cair naquela armadilha não parecia uma boa estratégia.

– Tem razão, general – concordou ela, mudando para um tom mais ameno. – Não passo de uma menina. Não entendo nada dessas coisas.

Ele riu, nada convencido do conformismo dela, mas mudou de assunto. Não queria irritá-la, apenas testar sua personalidade e sua inteligência. Tinha que admitir que ela o impressionava não apenas pela beleza, mas pelo caráter marcante, decidido e perspicaz.

Após o jantar, Cartimandua desculpou-se com o general e voltou para o quarto com Velocatus, alegando uma indisposição passageira. É claro que pretendia deixar a filha a sós com o romano, mas teve que engolir a frustração. Marcus Tito agradeceu pela acolhida, despediu-se e foi embora, sem se preocupar com os protestos da rainha. Ao passar por Alana, adotou uma atitude inesperada e atrevida, abraçando-a, ao mesmo tempo que lhe soprava ao ouvido:

– Não se preocupe. Eu vou voltar.

Não disse mais nada. Pôs a mão no punho da espada, em um gesto incompreensível, e, sem mais dizer, partiu.

Capítulo 11

Tal qual prometera, Marcus Tito voltou três dias depois. Alana, como de costume, encontrava-se fora, em mais um de seus passeios em companhia de Kelvin.

– É muito bom que tenha vindo – comentou Cartimandua. – Precisava mesmo falar-lhe sem a presença de Alana.

– Pois não, rainha – tornou ele, solícito. – Em que posso ser-lhe útil?

– O senhor sabe que Alana passou por uma situação, digamos, traumática, nos últimos dias, não sabe?

– Refere-se à morte do amado?

– Sim. Na verdade, Alana se encantou pelo rapaz, o que é natural na idade dela. Ele era um revolucionário e andou colocando ideias sombrias na cabeça da menina, se é que me entende.

– Entendo perfeitamente.

– Pois é. Não gostaria que isso atrapalhasse a amizade de vocês.

– Caso não tenha percebido, senhora, a princesa não é muito simpática à minha pessoa.

– Engano seu. Alana o admira muito.

– Ela tem uma maneira um tanto estranha de demonstrar.

– Porque sente que deve ser leal à lembrança de Marlon. Ela pensa que se apaixonou pelo rapaz e não se conforma com a morte dele.

– Ela não se conforma com o fato de ele ter sido assassinado.

– Não tive escolha – sussurrou ela, em tom de confidência. – Dei a ela todas as oportunidades de romper com o rapaz, mas ela não quis me ouvir. E quando soube que ela ia fugir com ele para o meio da floresta, fiz o que qualquer mãe faria.

– Fez o que qualquer rainha na sua posição teria feito – emendou ele, com seu habitual ar de divertimento.

– Talvez isso seja verdade. Mas procure se colocar na minha posição. Sou mãe e rainha ao mesmo tempo. Tenho que pensar no que é melhor não apenas para minha filha, mas também para o meu povo.

– Não me interprete mal, Cartimandua. Não a estou julgando nem recriminando. O rapaz era um rebelde perigoso e não vai fazer falta para ninguém, exceto para Alana, claro.

– Compreende meus motivos?

– Certamente.

– Então sabe que uma aliança entre nossos povos seria de extrema utilidade.

– Eu disse que compreendo seus motivos, não que concordo com eles. Roma não precisa, necessariamente, de alianças com os povos bárbaros. Precisa apenas de sua obediência e lealdade.

Pela primeira vez, Cartimandua enrubesceu, só que de ódio. Olhou de soslaio para Velocatus, que permanecia impassível, como se tivesse optado por permanecer alheio à conversa. O rei, porém, notou os olhares intimidadores da rainha e resolveu intervir:

– Meu caro general, não somos tão bárbaros quanto parecemos. E, sem dúvida, nossa lealdade seria mais interessante se estivesse atada a laços familiares.

– Talvez – admitiu Marcus.

– Temos um exército considerável, e há muitos rebeldes espalhados por toda a Britânia. Nem todas as tribos são favoráveis a sua intervenção. Sem falar na resistência dos nortistas.

– E uma aliança, pelo casamento, reuniria nossos exércitos – complementou Marcus, com uma certa frieza.

– Exatamente.

– Vocês lutariam contra sua própria gente?

– Se isso for necessário para salvar nossa tribo, sim.

– Mas sua tribo não está ameaçada. Brigância convive bem com Roma.

– A verdade, general – Cartimandua retomou a palavra –, é que estamos encontrando dificuldade no comércio de nossos produtos. Os tributos exigidos por Roma são altos e enfrentamos a escassez de metais nobres para a confecção de nossas tão bem conceituadas joias.

– E uma aliança traria mais riquezas para a rainha.

Cartimandua percebeu que ele dissera *rainha* em lugar de *povo*, mas não fez qualquer comentário. Era até bom que ele compreendesse seus motivos, sem que ela precisasse fingir o tempo todo.

– De certa forma, sim – prosseguiu ela.

– Há, porém, um problema que você não está considerando.

– E qual é?

– Alana não quer se casar comigo.

– Ela lhe disse isso?

– De forma clara e inequívoca.

– Alana é só uma menina. Vai fazer o que eu mandar.

Marcus Tito sorriu. Pelo visto, ele conhecia mais a princesa do que a própria rainha. Alana não se permitiria dominar, a não ser que estivesse fingindo para proteger seus próprios interesses.

– E, caso não tenha percebido, general – continuou Velocatus – Alana está bem mais dócil do que era alguns dias atrás. A clausura forçada quebrou seu orgulho e a fez dobrar-se à vontade da rainha. Alana pode ser teimosa, mas é inteligente e sabe que quem dá as ordens é Cartimandua.

Ele duvidava muito, porém, não contestou. Também estava curioso para saber o que Alana queria e até onde pretendia chegar.

– Resta-nos saber se o senhor está disposto a casar-se com ela – especulou Cartimandua, fitando-o avidamente.

– A reunião de nossos exércitos até que seria conveniente – ponderou ele, com fingido interesse. – E não posso negar que Alana é uma mulher bastante desejável.

– Se aceitar nossa proposta, pode contar com nosso apoio. Alana será sua esposa, custe o que custar.

– Entendo sua determinação, mas gostaria de falar a sós com Alana. Será que é possível?

– É claro – Cartimandua bateu palmas, e uma criada apareceu.– Vá chamar a princesa imediatamente. E não volte aqui sem ela.

Trêmula de medo, a serva partiu em busca de Alana. Por sorte, ela já havia retornado de seu passeio e agora encontrava-se em seus aposentos, discutindo ferozmente com Marva.

– O que foi? – indagou ela agressivamente.

– A rainha solicita sua presença.

Sem prestar mais atenção a Marva, Alana saiu. Ao entrar no salão, imediatamente compreendeu a razão daquele chamado. Procurando se acalmar, ela entrou e foi direto até onde a mãe estava.

– Mandou me chamar? – perguntou.

– Não cumprimenta nosso convidado?– retrucou Cartimandua, com aparente amabilidade.

– Como vai, general? – saudou ela, notando o ar zombeteiro do romano.

– Muito bem, Alana, e você?

Ela não respondeu. Em vez disso, endereçou à mãe um olhar interrogativo e aguardou.

– O general gostaria de lhe falar – anunciou Cartimandua, torcendo para que Alana não fizesse nenhuma grosseria.

– Certamente – aquiesceu ela, cordata. – De que se trata, general?

Ele teve vontade de rir. Nem fingir ela sabia.

– Por que não vão dar um passeio? – sugeriu Cartimandua. – Tristan poderá acompanhá-los.

– Não precisa mandar ninguém nos acompanhar. Prometo tomar conta de sua filha e defendê-la com a própria vida, se necessário. Não preciso do auxílio de um gorila.

Apesar de nunca ter visto um gorila, Cartimandua intuiu que Marcus não fizera nenhum elogio ao soldado.

– Como quiser – assentiu, tentando não demonstrar sua ignorância.

– Não estou disposta a enfrentar o sol quente outra vez – protestou Alana, de forma provocadora. – Acabei de voltar de um passeio com Kelvin e estou com muito calor.

– Pois, a mim, você me parece muito bem – comentou a rainha, fulminando-a com o olhar. – Não seja grosseira, Alana. Acompanhe o general...

– Será uma volta rápida – cortou Marcus Tito. – Eu lhe prometo.

Alana deu de ombros e acompanhou o romano para fora do palácio. Talvez aquela fosse a primeira vez em meses, desde que Marlon morrera, que Alana saía de casa sem ser escoltada por Tristan. Sentiu uma liberdade que, havia muito, não experimentava, e, ao menos isso, devia a Marcus.

– Muito bem, princesa – começou ele, logo que se viram a sós. – Agora que estamos sozinhos, você pode me dizer por que resolveu mudar de ideia a meu respeito.

– Não mudei de ideia – objetou ela, de chofre. – Continuo achando-o arrogante, atrevido e presunçoso, mas preciso de você.

– Não sei para que você precisa de mim, mas não é com essa atitude que vai conseguir a minha ajuda, seja lá para o que for.

– Pretendo pagar por ela.

– Como? Atirando-se na minha cama?

– Exatamente.

– A proposta é tentadora, mas não, obrigado. Posso ter a mulher que quiser, na hora em que desejar. Não preciso de uma menina convencida feito você.

– Você não me deseja?

– Não se trata disso. O caso é que sua mãe pensa que quero me casar com você e acredita que você acabará me aceitando. Como vamos lhe dizer que ela está errada em ambos os sentidos?

– Não precisamos dizer. Ela pode acreditar no que quiser.

– É impressão minha, ou você guarda uma grande mágoa de sua mãe? É por causa de Marlon?

– O que você acha?

– Acho que sim, mas isso não me interessa, de verdade. O que quero saber é o que você pretende.

– Quero aprender a lutar – revelou, sem rodeios.

A gargalhada que ele deu foi espontânea e irritante ao mesmo tempo.

– Você, lutar?

– E por que não?

– Vejo que está falando sério, não está? Por que você quer lutar, princesa? E contra quem? Não contra nós, espero.

– Contra ninguém, é claro! – tornou, com fingida inocência. – Quero apenas aprender a me defender. Há muitos perigos rondando as estradas nos dias de hoje.

– Acha mesmo que me convence com essa explicação pueril?

– O que há de pueril em um ataque conduzido por salteadores?

– Talvez você pense que eu seja estúpido, mas, para seu desagrado, posso lhe assegurar que não sou. Você é uma princesa e só sai do palácio acompanhada. Quem poderia atacá-la e por quê? – ela não respondeu, furiosa com a resistência dele. – Essa ideia absurda só pode ter um motivo, e esse motivo se chama Marlon. Estou errado?

– E daí, se for? – rebateu ela irritada, perdendo a paciência.

– E daí que não vou ensinar alguém que pode se voltar contra mim um dia.

– De que tem medo, general? O que poderia uma garota, sozinha, contra o poderoso exército romano?

– Não se faça de ingênua, menina. Você é uma princesa que pensa de forma diferente de sua mãe. A rainha quer submeter o povo ao nosso comando. Você, não. Quantos não a seguiriam em nome de uma liberdade que jamais poderá acontecer?

– O que quer dizer com isso?

– Quero dizer que, se você tem alguma pretensão de levantar armas contra nós, é melhor que reconsidere. Aproveite a liberdade que oferecemos a todos os bretões, ainda que ela não seja, exatamente, a que vocês esperam. Você e seu exército de desmantelados não têm a menor chance contra a supremacia das armas e da inteligência romanas.

Se pudesse, Alana o teria esganado com as próprias mãos, tamanho o ódio que as palavras dele causaram. Como não podia, engoliu a emoção e o ímpeto, para retrucar com uma frieza estudada, porém, pouco convincente:

– Quer dizer que sua resposta é não.

– A resposta é não – afirmou ele, divertindo-se com a raiva que transparecia dos olhar e das palavras dela. – E agora, precisamos voltar. Vamos. Tenho assuntos realmente importantes a tratar.

Enquanto cavalgavam de volta, Alana sentia o ódio recrudescer. Olhou de soslaio para Marcus Tito, que mantinha o olhar preso no horizonte, aparentemente alheio à sua presença. Em seu íntimo, ele repassava os episódios da última hora, imaginando o que Alana realmente pretendia. Lutar contra eles seria loucura, mas ele sabia bem a que tipo de loucuras a opressão podia conduzir.

Capítulo 12

Incapaz de esconder a irritação, Alana chutava as pedras do caminho, imaginando que cada uma delas era uma parte do corpo de Marcus Tito.

– Ele brincou o tempo todo comigo – enfureceu-se. – E me humilhou.

– Eu disse que ele era astuto – assentiu o druida. – E gosta de se divertir, humilhando as pessoas.

– Isso não vai ficar assim. Se ele pensa que vou desistir tão facilmente, está muito enganado.

– Não se trata de não desistir, princesa, mas de convencer. Ele sabe o perigo que corre se ensiná-la a lutar.

– É lógico que ele sabe. Deixou isso bem claro.

– Ele seria um tolo se desse a você as armas com que poderia destruí-lo.

– Precisamos convencê-lo, mas como, Kelvin? Pense! Você é o druida, o sábio, o bruxo. Deve haver um jeito de dobrar o orgulho daquele general insolente.

– Pelo visto, terei que recorrer à rainha.

– Minha mãe não pode fazer nada. Marcus Tito a está enganando também.

– Duvido. Cartimandua é esperta e, assim como você, deve estar pensando em uma maneira de atrair o general para o matrimônio.

– Parece que Marcus Tito é mais inteligente do que nós duas.

– Pode ser, mas também tem suas fraquezas, e eu sei como utilizá-las em nosso favor.

– Como?

– Deixe comigo. Vamos voltar. Preciso falar, agora mesmo, com a rainha.

Retornaram ao palácio o mais depressa que puderam, e Kelvin partiu ao encontro de Cartimandua. Ela estava no arsenal, verificando as novas armas que mandara forjar, quando ele se aproximou. Ao vê-lo, sentiu a urgência em seu olhar. Soltou a lança que examinava e questionou:

– Aconteceu alguma coisa?

– Não exatamente, mas preciso falar-lhe – respondeu, baixinho. – Já sei como fazer para que a princesa se case com o general.

A notícia era das mais animadoras. Cartimandua deu ordens para que Velocatus prosseguisse na inspeção e acompanhou Kelvin até o palácio, onde se trancaram, a sós, no salão principal.

– Muito bem – disse a rainha, ansiosa. – Como fará isso? Está claro, para mim, que nenhum dos dois está interessado em casamento. Alana é rebelde, e o general zomba de nós. Não sei por quanto tempo mais conseguirei suportar suas ironias.

– Acho que podemos concordar que forçar Alana a aceitar Marcus Tito não nos trará nenhum resultado útil. E o general também resiste a esse casamento, pois as mulheres celtas são muito diferentes das romanas.

– Isso eu já sei. Mas entendi você dizer que tinha a solução para esse problema.

– E tenho – ele aguardou que a ansiedade transparecesse no olhar ávido de Cartimandua e, antes que ela explodisse, complementou: – Conheço métodos eficazes de prender um ao outro.

– Está falando de magia?

– Exatamente. Há forças poderosas e ocultas que podem trabalhar para nós.

– E o que está esperando para realizar esse encantamento?

– A sua aprovação. Uma vez realizada a magia, não haverá como voltar atrás, e Alana poderá entregar-se a ele prematuramente.

– Acha mesmo que seria prematuramente? Pensa que não sei que ela se deitava com Marlon? Isso pouco me importa. Você tem a minha permissão.

– Preciso também da sua ajuda para reunir certos elementos.

– Que elementos?

– O primeiro é o sangue da lua derramado pela princesa.

– Isso é fácil. Marva pode obtê-lo, pois é ela quem lava as roupas de Alana.

– Também vou precisar de um pouco de sêmen do general.

– Sêmen do general? Como pensa que vou conseguir uma coisa dessas?

– Uma escrava bem orientada poderá fazer o serviço. Creio que, para uma mulher sedutora e experiente, não haverá problema.

– Tem razão. Vou pensar em alguém que nos sirva e a mandarei a seu encontro, para que você mesmo a instrua.

– Excelente, rainha. Mas ela deverá recolher o sêmen na mesma época em que a princesa sangrar, para que os fluidos cheguem frescos até mim.

– Será feito como deseja.

– Ótimo.

– Tem uma coisa, Kelvin – ele aguardou. – Alana não pode, nem de longe, imaginar o que estamos fazendo.

– Fique tranquila, pois ela de nada desconfiará.

– Será que ela não vai achar estranho, de uma hora para outra, se apaixonar pelo general, já que o detesta tanto? Isso não pode chamar a atenção dela para o fato de que forças estranhas estariam agindo sobre ela? Afinal, por mais que a magia seja poderosa, será tão eficiente a ponto de fazê-la esquecer um grande amor, da noite para o dia?

– Ela não suspeitará de nada – reiterou o druida. – A magia toldará seus pensamentos, e ela não pensará mais em Marlon com a mesma paixão. Não se esquecerá dele, contudo, não lhe terá mais amor.

– Tem certeza?

– Absoluta.

– Ótimo. Então, agora, é só aguardar o próximo sangue da lua da Alana, para que comecemos a agir.

O plano deixou Cartimandua esperançosa, pois ela sabia o quão poderosa era a magia de Kelvin. O druida, porém, não tinha a menor intenção de executá-la como deveria ser, embora precisasse ser convincente. Reuniria todos os elementos e faria o preparado quase correto, suprimindo, apenas, o sangue de Alana. Os fluidos corporais agiriam como potencializadores, cada qual prendendo seu doador à energia do outro. Por isso o sangue de Alana não podia ser utilizado, porque funcionaria como catalisador do desejo dela pelo romano, e a pretensão de Kelvin era que o general se apaixonasse por ela, mas não que ela se apaixonasse por ele.

É claro que não seria um amor puro, pois a magia não tem o poder de interferir no sentimento de ninguém. Atuando sobre as áreas mais comprometidas da pessoa invigilante, a magia adormece o discernimento e desperta os instintos mais primitivos.

Dado a sensualidades exageradas, o general seria presa fácil para as forças das sombras, que teriam liberdade para movimentar suas energias, de forma a intensificar nele a lascívia e cravar seu desejo em Alana. Dessa forma, o pensamento obsessivo seria instaurado na mente do romano, cujo único propósito passaria a ser deitar-se com a princesa.

Kelvin aguardou até o dia seguinte para informar Alana do resultado do plano. Mais do que tudo, era necessário que ela fizesse a sua parte, agindo de forma convincente, para que Cartimandua não desconfiasse de nada. Disfarçando a euforia, convidou Alana para seu usual passeio, pois só assim ficariam livres de Marva e manteriam Tristan à distância.

– Deu tudo certo, princesa – disse ele, tão logo se viu livre da vigilância dos demais. – Sua mãe concordou com o plano e mandou a escrava que irá seduzir Marcus Tito à minha gruta hoje cedo. Agora, é só esperar que você sangre, para que a moça extraia o sêmen do general. Alana sentiu um arrepio de medo, mas não disse nada. Era tarde demais para desistir.

– Fico contente, Kelvin – respondeu, sem entusiasmo.

– O que foi que houve? Está arrependida?

– Não sei. Quero muito aprender a lutar e vencer os romanos, mas será que é certo enganar e mentir?

– Se é pelo bem de nosso povo, então, tudo é certo.

– Será mesmo?

– Não pense nisso. Agora é tarde, não podemos voltar atrás.

– Eu sei.

– E a rainha está exultante, certa de que a magia dará resultado.

– E dará?

– Certamente! Mas o sucesso não depende apenas disso. Você também tem que fazer a sua parte, que é convencer sua mãe de que se apaixonou pelo general.

– Está bem.

– Mas tome cuidado, Alana, e seja esperta. Marcus Tito poderá estar enfeitiçado, mas sua mãe, não. Qualquer deslize seu, e ela perceberá.

– Não se preocupe, Kelvin, saberei como me comportar.

Era tudo o que Kelvin esperava. O sucesso do plano dependia, em grande parte, da capacidade de Alana fingir. Ela não era como Cartimandua, acostumada a se utilizar de artifícios para ocultar a verdade, contudo, um objetivo maior estava em jogo, e ele não tinha opção. Precisava confiar em Alana.

Capítulo 13

Cerca de uma semana depois, Marva trouxe a notícia de que a princesa havia sangrado. No mesmo dia, a escrava escolhida por Cartimandua pôs-se a seguir o general, mas só duas noites depois conseguiu abordá-lo, quando ele saía do acampamento romano aonde costumava ir para beber vinho em companhia dos soldados. Bastante embriagado, logo notou a linda moça rondando o acampamento e se aproximou.

– O que está fazendo aqui, mulher? – indagou, a voz pastosa e o olhar lúbrico.

– Nada – foi a resposta inocente. – Apenas aproveitando o luar, na esperança de que um nobre e gentil senhor queira desfrutar da minha companhia.

Propositalmente, ela deixou à mostra parte de seus seios rijos e das coxas bem torneadas, inflamando Marcus Tito de um desejo quase incontrolável. Ele a puxou e a beijou avidamente, seguindo, abraçado com ela, em direção a sua casa, onde a amou frenética e selvagemente, deixando nela as marcas de sua lascívia.

Logo após ato sexual, ele adormeceu e só despertaria no dia seguinte, já esquecido da mulher com quem se havia deitado. Ela, então, recolheu todo o sêmen que pôde em um vidrinho e saiu sem fazer barulho, correndo em direção à caverna onde Kelvin e outros druidas viviam.

De posse dos elementos necessários, Kelvin colocou tudo em uma cesta e partiu para a floresta, longe das vistas de aprendizes curiosos e dos demais druidas, que poderiam perceber que o encantamento seria feito de forma incompleta. Ali, preparou a magia, deitando fora o sangue de Alana, que seria a substância ativadora da paixão da princesa pelo romano.

A energia desprendida do preparado provocou os espíritos que costumavam atender aos chamados do druida, e eles receberam as oferendas com entusiasmo e avidez. O pagamento fora plenamente aceito pelas entidades, que logo trataram de interferir na mente do general, o que era muito fácil, dada a baixa moral de que gozava. A recompensa, contudo, ainda não estava completa, condicionada à eficácia do resultado. Os espíritos sabiam que tinham direito a mais, e era com isso que Kelvin contava para o sucesso do trabalho.

Rapidamente, os efeitos da magia foram sentidas pelo general. Ele estava em patrulha, cavalgando ao lado de seus soldados, quando dois espíritos maltrapilhos o avistaram. Ambos se sentaram no cavalo junto com ele, um na frente, outro atrás. Na mesma hora, ele sentiu um arrepio, que atribuiu ao mau tempo e ao frio que parecia constante naquelas terras. Subitamente tomado pelo cansaço, resolveu dar por encerrada a ronda do dia e foi para casa, sentindo-se estranhamente mal.

Os espíritos seguiram com ele. Em casa, serviu-se de uma generosa dose de vinho, que os espíritos também sorveram, estimulando-o a beber ainda mais. Assim ele o fez, facilitando a ação dos desencarnados.

Quem dava as ordens era uma mulher, um espírito com cara maldosa chamado Lorna. O segundo, de nome Brian, parecia não ter muita consciência do que fazia, limitando-se a obedecer e repetir o que Lorna fazia, com gestos mecânicos e impensados. A um sinal dela, teve início o procedimento.

Lorna postou-se à frente do general e Brian atrás, pondo-se, ambos, a trabalhar no processo de selamento dos corpos emocional e mental do romano, a fim de drenar eventuais vibrações de harmonia e aprisionar a energia daninha que atuaria como facilitadora da ideia fixa que pretendiam introduzir em seus pensamentos. Começaram alfinetando os joelhos, os pés, as mãos e os ombros do romano, a fim de evitar a absorção, a distribuição, o equilíbrio e a renovação do fluxo energético em seu corpo. Depois, Brian pressionou a parte posterior do pescoço do encarnado, nele injetando fluidos densos e bloqueadores, que facilitariam a ação perniciosa dos espíritos.

Feito isso, Lorna deu início ao processo de moldagem de uma forma energética derivada de pensamentos lascivos, com a aparência e a sensualidade de Alana. Quando a forma plasmada ficou pronta, Lorna colou-a ao corpo do general, direcionando suas mãos para as partes íntimas dele, que ela ia acariciando de forma mecânica e repetitiva. Por fim, Brian introduziu uma espécie de cunha no cérebro de Marcus Tito, que obnubilou seu campo mental, deixando-o aberto à sugestão repetitiva de deitar-se com Alana, e apenas com ela.

Foi tudo muito rápido. Terminado o serviço, aguardaram. A princípio, nada aconteceu além de um arrepio e um leve estremecimento na nuca do general. Aos poucos, porém, ele foi sendo envolvido por uma nuvem espessa, que anuviava e confundia seus pensamentos, facilitando a assimilação das sugestões da forma energética a ele grudada e instalando o processo obsessivo. Paralelamente, as carícias íntimas, embora não sentidas na matéria densa, iam despertando nele um desejo incompreensível e quase incontrolável.

De repente, Marcus Tito pôs-se a pensar em Alana e a imaginar como seria tê-la em seus braços. Ele a desejara desde a primeira vez em que a vira, contudo, conseguira resistir a seus encantos porque sabia que ela, de alguma forma, só queria usá-lo. Agora, porém, reconsiderava a ideia.

Alana era linda e sensual o suficiente para despertar nele a paixão avassaladora da juventude. Ele não era mais nenhum garoto, contudo, sentia ainda o ímpeto do sexo de maneira bastante acentuada. E já andava cansado das meretrizes que acorriam a sua cama em busca de favores e algumas moedas. Possuir uma princesa seria bem diferente.

Satisfeitos, Brian e Lorna deixaram o general a sós, em companhia da falsa Alana, artificialmente plasmada para lhe servir de companhia constante. Agora, era só aguardar a conclusão da empreitada, quando, então, receberiam o pagamento principal. Um sacrifício de sangue lhes fora assegurado, caso o general cedesse aos assédios da princesa. Era algo que não podiam perder.

Ao mesmo tempo, Alana cuidava de fazer a sua parte. Assim que Kelvin lhe avisou da entrega das oferendas e, portanto, do início da movimentação das forças ocultas, a princesa também começou a agir como se fascinada estivesse. À hora do jantar, manteve o olhar perdido, mal tocando na comida, até que, subitamente, fez uma pergunta que Cartimandua gostou de ouvir:

– Por que o general não veio mais nos visitar?

Cartimandua e Velocatus trocaram olhares significativos, até que a rainha falou, forjando inocência:

– Não sei. Por que pergunta?

– Não sei explicar, mas, de repente, senti falta dele.

– Verdade?

– Posso saber por que a mudança repentina? – questionou Velocatus que, embora respeitasse o poder dos druidas, era um pouco cético quanto àquele tipo de magia.

Cartimandua quase o esbofeteou, temendo que ele fizesse Alana raciocinar e a tirasse do encantamento. A princesa, contudo, seguindo as orientações de Kelvin, prosseguiu com seu fingimento:

– Como eu disse, não sei explicar. Foi algo repentino, súbito. A imagem dele surgiu em minhas lembranças e me peguei sentindo a falta dele.

– Alana sabe o que é melhor para ela – intercedeu Cartimandua.

Foi preciso muita frieza para que Alana não saltasse da cadeira e atirasse na face da mãe o horror que tinha à ideia de se casar com um romano. Sem contar que ainda não a havia perdoado por ter mandado matar Marlon.

– Já se esqueceu de Marlon?– insistiu Velocatus, indiferente aos olhares furiosos de reprovação que a mulher lhe enviava.

– Não sei... Talvez... – respondeu ela, reforçando a expressão de alheamento que Kelvin lhe ensinara, própria das pessoas sob encantamento. – Acho que Marlon foi só um capricho, uma ilusão.

– Exatamente! – concordou a rainha, satisfeita. – Marlon foi apenas um sonho de criança, mas você é uma princesa, não pode se permitir essas fantasias.

– Tem razão, mãe. E Kelvin tem me ajudado a perceber o quanto Marlon estava enganado a respeito de suas ideias revolucionárias. Tenho pensado em uma maneira de ajudar nosso povo, sem precisar levantar armas contra Roma.

Mais uma vez, Cartimandua e Velocatus se entreolharam, dessa vez, sem saber o que pensar.

– E como você pretende fazer isso? – Velocatus adiantou-se.

– Se conquistar a confiança das pessoas, posso convencê-las a trabalhar um pouco mais e, consequentemente, produzir mais. Isso deixaria os romanos satisfeitos e não causaria danos ao nosso povo. Afinal, não quero dar início a uma chacina.

– Muito sábio, minha filha – elogiou Cartimandua.

– E onde o general entra nisso? – Velocatus quis saber.

– Ainda não sei, exatamente. Para falar a verdade, nem eu sei por que, de uma hora para outra, dei para pensar nele com tanta insistência. Mas a verdade é que ele não me sai da cabeça.

– Que tal se o convidássemos para jantar amanhã? – sugeriu a rainha.

– Seria bom.

– Então, está decidido. Amanhã mesmo, Marcus Tito estará conosco.

Alana sorriu, embora seu sorriso não se devesse ao general, mas sim, ao bom encaminhamento de seus planos. Como bom soldado que era, Velocatus podia estar um pouco desconfiado, mas a ansiedade de Cartimandua, aliada à confiança que tinha em Kelvin, fazia com que ela acreditasse cegamente nas palavras da filha. Ou talvez fosse seu desejo, ou sua esperança, que a levasse a crer naquilo que ela gostaria que fosse verdade.

Logo cedo, no dia seguinte, a rainha despachou um mensageiro, levando o convite para Marcus Tito. O romano atendeu o rapaz com uma certa impaciência. Depois de ouvir a mensagem, dispensou-o sem dar resposta. Não dizia nem que sim, nem que não. Estava cansado de Cartimandua e de suas armadilhas para tentar levá-lo a casar-se com a princesa.

Havia um alarme soando na mente dele que dificultava, em parte, a ação dos seres das trevas. Mais forte do que a lascívia era sua lealdade a Roma. Ele podia estar louco de desejo, mas isso não o tornava estúpido. Sabia que Alana tramava alguma coisa que só podia estar relacionada às ideias revolucionários que Marlon incutira em sua mente. E, se um revolucionário quer aprender a manejar a espada, só pode ser por uma razão: lutar.

Confiante na infalibilidade da magia de Kelvin, Cartimandua tinha como certo o início de uma relação entre a filha e o general. Não contava que a fidelidade dele a Roma pudesse transformar-se em obstáculo a seus propósitos, mesmo porque desconhecia os planos de Alana. E quando o mensageiro retornou ao palácio, trazendo a informação de que o general não enviara resposta, Cartimandua começou a duvidar dos poderes de Kelvin.

– Não se preocupe, rainha – disse o druida. – Essa resistência não vai durar muito. Em breve, ele cederá.

Kelvin não entendia por que ele não se entregava desde logo à magia e decidiu que era preciso um pequeno estímulo para obrigá-lo a ceder. Mas já sabia o que devia fazer.

Capítulo 14

O caminho por onde ela andava era escuro e cheio de pedras pontiagudas, que atravessavam a sola de suas sandálias e espetavam-lhe os pés. Havia no ar um cheiro estranho, que tornava a atmosfera densa, carregada de sombras disformes. O lugar era muito esquisito. Alana tinha certeza de que nunca estivera ali antes, contudo, não se deteve. Prosseguiu na caminhada, até que uma claridade opaca jogou uma luz cinza sobre a escuridão, tornando parcialmente visíveis as formas indistintas que ladeavam a estrada.

Alana viu-se no meio de uma espécie da clareira árida, envolvida pela luz de um crepúsculo nebuloso, que lhe delimitava o perímetro. A escuridão além formava muros altos e impenetráveis. Acima, nuvens espessas emitiam raios assustadores, embora fossem eles que conferissem ao local a luminosidade fugidia do ocaso. Ela estreitou os olhos, tentando discernir alguma coisa. Havia pessoas ali, muitas agachadas, algumas perambulando a esmo, enquanto outras a observavam com olhar maldoso. Sentindo um arrepio, Alana avançou, seguindo na direção de alguém que acenava para ela.

À medida que se aproximava, percebeu que havia um cordão brilhante e prateado preso à região umbilical da pessoa. Alana abriu a boca, espantada, e seguiu, com o olhar, na direção por onde ele se estendia. Não foi capaz de ver-lhe o fim, porque o cordão atravessava o espaço vazio e sumia em algum ponto no meio da escuridão. Mas lhe chamou a atenção o fato de que ela também possuía um cordão igual àquele, que corria quase que paralelamente ao da figura mais adiante.

Assustada, Alana tateou o umbigo, sentindo um formigamento ao tocar na região de onde o cordão saía. Deu um leve puxão nele, mas nada sentiu. Além de brilhante, ele parecia flexível e cedeu ao seu toque. À exceção deles dois, ninguém mais parecia ter um daqueles, levando-a a concluir que ela e seu companheiro desconhecido estavam presos a algum dispositivo de segurança, que os puxaria dali em caso de necessidade.

Quando, finalmente, o rosto do vulto se tornou visível, Alana suspirou aliviada. Era de Kelvin que ela se aproximava. Ele continuou acenando para ela e a recebeu com um sorriso.

– Que lugar é este?– ela foi logo perguntando.

– É só um lugar, nada mais – respondeu ele, como se fosse muito natural estarem ali.

– Mas onde fica? Acho que nunca vim aqui.

– Veio. Só não se lembra.

– Como assim?

– Este é o mundo dos mortos – anunciou uma voz rouquenha.

Só então Alana se deu conta de que havia mais alguém ali. Ele estava agachado e encolhido, uma rocha cinzenta cravada no chão. Ao menos, foi o que ela pensou a princípio.

A rocha, porém, falou com voz familiar, que ela reconheceu após alguns breves instantes.

– Marlon! – exclamou, mais surpresa do que assustada. – É você!

– Como eu disse, este é o mundo dos mortos – repetiu ele, pondo-se de pé diante dela.

Estranhamente, Alana sentiu medo dele. Marlon estava com um aspecto terrível. Os olhos fundos, raiados de vermelho, incrustados em um rosto cavernoso, mais pálido do que o usual.

– O que aconteceu com você? – interpelou, horrorizada.

– Marlon não faz mais parte do mundo dos vivos – lembrou Kelvin.

– Isso eu sei. Mas o que foi que houve com a sua fisionomia? Por que está tão diferente?

– Lamento se a desapontei – retrucou Marlon acidamente. – Você esperava encontrar um príncipe e se deparou com um monstro...

– Não se trata disso – ela tentou corrigir. – Eu só não entendo...

– Não se assuste com a aparência de Marlon – falou Kelvin.

– Sim, não se assuste com a minha aparência – Marlon o interrompeu. – Aqui, posso ser quem realmente sou.

Alana entendeu menos ainda, contudo, achou melhor não insistir e mudou de assunto:

– Como foi que vim parar aqui, no mundo dos mortos, se ainda estou viva? Ou será que também morri?

– Não, minha cara, você está bem viva – tranquilizou o druida. – Está vendo aquele cordão ali? – prosseguiu ele, apontando para a cordinha prateada. – É o nosso elo com o mundo dos vivos.

– Rompa-o e se tornará uma de nós – acrescentou Marlon, com uma certa malícia.

– Você quer que eu morra? – foi a resposta rápida e perplexa.

– É claro que não! – objetou Kelvin, fuzilando o outro com reprovação. – Marlon está apenas frustrado.

– Estou furioso, se quer saber – corrigiu o espírito. – Com raiva mesmo. Minha vida tinha um objetivo, um propósito. E agora, graças a sua mãe, estou preso neste lugar.

– Você está preso? – inquietou-se Alana. – Como? Quem o prendeu?

– Tenha calma, minha querida – intercedeu o druida, notando a angústia da princesa. – Marlon não se conforma com o que lhe aconteceu e culpa sua mãe por tudo o que está passando.

– E não é verdade? – retrucou Marlon. – Quem, senão Cartimandua, me mandaria para este lugar horrível? Não vê que tudo é culpa dos gananciosos que atraiçoaram nosso povo em troca de riquezas? Dos traidores que se uniram aos romanos?

– Marlon... – sussurrou ela. – Sei que foi terrível, mas eu também estou sofrendo.

– Está? Pois não é o que parece. Onde você está agora, Alana? De volta ao palácio da mamãe, não é?

– Isso não é justo. Sem você, não tenho para onde ir, mas meus planos não se alteraram. Ainda quero vencer minha mãe, para... – ouvindo o ruído metálico de correntes, Alana parou de falar e fixou o olhar na escuridão atrás dele, divisando os contornos do que parecia um grilhão. – O que é isso, Marlon? Você está acorrentado?

Ele não respondeu. Puxou a corrente com força, e Alana percebeu que algo ou alguém opunha resistência na outra ponta. Como, porém, Marlon era mais forte, acabou arrastando o espírito preso pelo pescoço na outra extremidade.

– Shayla! – exclamou ela, atônita.

A surpresa foi ainda maior. Alana esperava tudo, menos encontrar-se frente a frente com a traidora que a transformara em assassina.

– Venha cá, desgraçada – rosnou Marlon, puxando-a para mais perto. – E ajoelhe-se diante de sua princesa.

Com violência, Marlon forçou Shayla a ajoelhar-se aos pés de Alana. Para ela, foi muito inesperado. Pensava em Marlon com carinho, imaginando que, se tivesse a oportunidade de encontrar-se com ele, se derreteria de amores e saudade. Mas o que sentiu foi medo. De Shayla, evitava se lembrar, porém, quando acontecia de a imagem dela roçar as beiradas de seus pensamentos, imaginava o ódio que a consumiria e as palavras de desprezo que atiraria em seu rosto. No entanto, o que experimentou, ao vê-la naquele estado, foi compaixão.

– O que significa isso? – Alana espantou-se. – O que foi que fez com ela, Marlon?

Shayla não teve coragem de levantar os olhos. Mantinha-se abaixada, em posição de submissão, humilhada pelas garras de seu algoz.

– Ela agora é minha escrava – esclareceu ele. – Quando despertei aqui, encontrei-a vagando pelas sombras. Meu desejo foi de esganá-la, mas ela já está morta, assim como eu. Senti tanto ódio, que, não sei como, fiz surgir uma corrente, prendendo-a a mim. Hoje, ela é minha escrava, mas não permito que se aproxime nem que fale comigo. Ela só tem que me obedecer.

– Você não pode soltá-la?

– Posso, mas não quero e não vou fazer isso. É o seu castigo, por ter participado de meu assassinato. Ela agora só faz o que eu mando.

A aparência de Shayla não era assustadora. Seu rosto lívido não ostentava nenhuma deformação. Os olhos permaneciam límpidos, embora enevoados pela tristeza, estava mais magra, suja, com semblante doentio, mas nada que se comparasse ao aspecto medonho de Marlon. O único sinal de tormento visível nela era a ferida aberta em seu abdome, por onde o sangue ainda brotava.

– Por que você faz isso?– Alana indagou a Marlon.– Deixe-a ir.

– Já disse que não– respondeu ele, resoluto.– O poder da minha vontade a aprisionou, por justiça. Ela é minha escrava, já disse!

– Este lugar pertence ao Senhor da Morte, ao Deus do Outro Mundo – esclareceu Kelvin. – Somente ele poderia ter-lhe dado esse poder.

– Senhor da Morte... – repetiu Marlon, entre o desprezo e o desafio. – Por enquanto ele pode se vangloriar desse título, mas veremos por quanto tempo ainda mais. Quero que ele venha me enfrentar. Saberei muito bem como lidar com ele.

– Não desafie o Deus do Outro Mundo! – recriminou Kelvin. – Você pode ser punido por isso.

– Ele não é nenhum deus – rosnou, furioso. – Pensa que não sei? É apenas um espírito como eu, que conquistou o poder pela força. Ouça o que lhe digo, druida. Fui forçado a vir para cá e não tenho outro remédio, senão aceitar minha condição. Mas ainda vou comandar este lugar, você vai ver!

O olhar de Marlon era assustador, tenebroso, implacável. Alana não compreendia por que ele havia mudado tanto. Não sabia que, no fundo, ele sempre fora revoltado, irascível e maldoso. Ela desconhecia sua má índole, achava que ele era um rebelde determinado e audaz, mas não aquele ser insensível e cruel, que se comprazia em humilhar e infligir sofrimento.

– Marlon – tornou ela, decepcionada. – Não reconheço você.

Ele hesitou por um instante, tocado pela reação dela. Sua intenção não era assustá-la nem magoá-la. Queria apenas mostrar-lhe quem realmente era, o ser poderoso no qual acreditava que poderia se transformar.

– Sinto muito, Alana – lamentou ele, inesperadamente aparentando fragilidade e abatimento. – Pensa que eu não preferia estar vivo? Que não gostaria de estar ao seu lado, vendo-a lutar comigo, amando-a como sempre a amei? Mas Shayla e sua mãe me roubaram essa oportunidade, e agora não posso perder a chance de conquistar o poder que sempre soube que me pertenceria.

Alana se compadeceu. Queria dizer-lhe que deixasse aquilo de lado, que não se importasse mais com as guerras dos vivos, porque ele agora tinha uma outra batalha a travar, que era a luta pela libertação de sua alma.

– Marlon...

– Não diga nada, Alana. Não me recrimine, não sinta pena de mim.

– Deixe-o, princesa– aconselhou Kelvin.– Ele sabe o que faz.

Ver Marlon daquele jeito quase fez Alana desistir de seus planos. Se era para a rebelião transformar as pessoas em criaturas abomináveis como ele, melhor seria continuar vivendo em submissão.

– Você tem um propósito – anunciou Marlon, como se lesse os pensamentos dela. – Não tem como fugir ao seu destino.

– Que destino?

Subitamente, ele deixou de lado a aparência frágil e alquebrada, para se converter no espírito empedernido e desumano que, tão rapidamente, aprendera a ser. Fitando-a com olhos malignos, retorceu os lábios, num esgar de diabólico sarcasmo. Deu um sorriso malicioso, mau, impiedoso, e puxou a corrente de Shayla, ao mesmo tempo que gargalhava de um jeito sinistro e assustador.

Alana sentiu um arrepio de pavor percorrendo todo seu corpo. Decididamente, não conhecia aquele espectro assustador, que a ameaçava só com o fato de olhar para ela. Uma lágrima discreta desceu por seu rosto, levando-a ao extremo da indignação. Sentiu medo. Não propriamente por ela, mas pelo que Marlon seria capaz de fazer.

Capítulo 15

Parecia que a atmosfera havia deixado de se movimentar. Até os espíritos que perambulavam por ali estacaram, para prestar atenção às ameaças de Marlon. Olhando ao redor, Alana percebeu o quanto todos estavam assustados. Ela sabia que não era ele quem mandava ali, mas, fosse quem fosse o Deus do Submundo, parecia óbvio que Marlon não o temia.

Em meio ao tenebroso silêncio que se alastrou pelas trevas, Alana ouviu Shayla gemer. Ela continuava prostrada aos pés de Marlon, em atitude de submissão e constrangimento. Notando que as atenções de Alana haviam se voltado para a antiga serva, Marlon, com um chute, obrigou-a a deitar-se com o rosto colado ao chão e colocou o pé sobre sua cabeça, dominando-a inteiramente.

– Solte-a, por favor – pediu Alana suavemente, mas com firmeza. – Quero falar com ela.

O olhar incisivo de Alana deixou Marlon intimidado. Havia nela uma força que ele não estava disposto a enfrentar. Mesmo assim, não permitiu que a expressão de seu rosto se alterasse. Mantendo o ar aterrador de sempre, levantou o pé e puxou a coleira, colocando Shayla novamente de joelhos.

– Ela é toda sua – anunciou ele, emprestando à voz um tom mais gutural do que comumente usava.

Alana agradeceu com o olhar e abaixou-se junto à serva.

– Shayla – chamou, em tom compassivo. – Fale comigo.

Ela não respondeu. Pelo canto do olho, endereçou um questionamento mudo a Marlon e abaixou a cabeça.

– Ela não tem autorização para falar – advertiu Marlon. – Sua língua é o instrumento da perfídia, que ela utilizou para delatar, matar e morrer.

– Ela está com medo.

– E daí? Todo mundo por aqui tem medo de alguma coisa.

– Quero falar com ela. Você não tem o direito de me impedir.

A fim de evitar um embate, Kelvin puxou Marlon para longe das duas, obrigando-o a libertar Shayla de seu domínio mental. Quando ele se afastou o suficiente, ela venceu o medo e se atreveu a falar. Tomou, nas suas, as mãos da princesa e beijou--as, liberando as lágrimas e permitindo que os lábios descerrassem as palavras que, havia muito, a vinham engasgando:

– Perdoe-me.

– Por quê, Shayla? Por que você me traiu?

– Eu não queria – soluçou ela, abaixando a cabeça, envergonhada.

– Minha mãe a obrigou?

Ela não respondeu a princípio. Parecia muito fácil transferir a culpa de tudo para a rainha, mas Shayla sabia que não fora bem assim. Cartimandua impusera sobre ela um poder implacável, que a aterrorizou, contudo, Alana lhe dera a oportunidade de fugir com eles. Infelizmente, porém, ela fizera a escolha errada.

– Sua mãe foi persuasiva – respondeu com cautela. – A decisão final, contudo, foi minha.

– Ela a ameaçou?

– Também. Mas não foi só isso. Ela prometeu me recompensar. Se eu fizesse tudo direitinho, teria terras para cultivar, e meus pais não passariam mais fome.

– Shayla... – lamentou Alana. – De que lhe valeu a ambição?

– Estou arrependida, princesa. O sofrimento me mostrou a verdade. Sei que não mereço o seu perdão, não sou digna de mirá-la, nem sequer de falar com você. O que eu fiz foi uma covardia, uma traição. Por isso, entendo se você não quiser ou não puder me perdoar. Eu, no seu lugar, não sei se perdoaria...

– Não vou dizer que não senti raiva pela sua traição. Senti, e muita. Mas o remorso por ter lhe tirado a vida suplantou o ódio. Não sou assassina, Shayla.

– Pensa que foi nisso que se transformou? Em uma assassina? É claro que não. Se você me matou, a culpa foi minha. Você agiu por impulso, motivada pela minha perfídia. Que mais eu poderia esperar?

– Nós duas cometemos erros, mas talvez os deuses estejam nos dando a oportunidade de corrigi-los nesse momento.

– Como?

– Através do perdão. Ambas carregamos nossas culpas, mas se conseguirmos nos perdoar, recíproca e verdadeiramente, talvez nos libertemos desse fardo e sejamos amigas outra vez.

De onde estava, Marlon acompanhava toda a conversa, fingindo prestar atenção às palavras que Kelvin, inutilmente, lhe endereçava. Já não aguentava mais aquela cena ridiculamente sentimental. Mais do que tudo, sentia o perigo da iminência do perdão. Ele desconhecia os mistérios divinos, contudo, intuía que ali, naquele lugar de sombras, o perdão era o inimigo que jogaria luz para dissipar as brumas e mostrar o caminho aos que se encontravam perdidos. Bastante irritado, deu um puxão na coleira, atirando Shayla novamente ao chão.

– Chega dessa bobagem! – grunhiu, recolhendo a corrente e arrastando a prisioneira até ele.

– Quando foi que você endureceu o coração dessa maneira, Marlon? – questionou Alana, sentindo a raiva ultrapassar o horror. – Você costumava ser gentil com as pessoas.

– Engano seu, Alana – respondeu ele, encarando-a com hostilidade. – Eu nunca fui gentil. Você é que me enxergava assim.

– Basta! – exclamou Kelvin, subitamente. – Já é hora de ambos superarem os ressentimentos. A vinda de Alana aqui tem um propósito, e você está se distanciando dele, Marlon.

– Que propósito? – Alana quis saber, deixando de lado suas divergências com Marlon.

– Está vendo aqueles vultos ali? – indagou o druida, apontando para dois espíritos que confabulavam mais adiante. – Prometi algo a eles, em troca da rendição de Marcus Tito.

– Como assim?

– São eles os encarregados de induzir nosso amigo romano a tomá-la como amante e pupila.

Um tanto envergonhada por ter seus planos revelados na presença de Marlon, Alana olhou para ele de soslaio, esperando uma recriminação. O ex-noivo, contudo, não dava mostras de se importar, embora, no silêncio de seu coração, alimentasse um ódio desmedido pelo romano.

– O que eles querem? – tornou ela, procurando não se deixar magoar pela indiferença de Marlon. – Você já não lhes pagou?

– Dei a eles uma oferenda, mas prometi algo muito maior.

– O quê?

– Um sacrifício de sangue.

– Ótimo – cortou ela, com pressa. – Mate um boi ou um cabrito. Ou eles querem o sangue de uma pessoa? Além de eu não gostar disso, você sabe que estamos proibidos de fazer sacrifícios humanos.

– Ainda mais porque costumamos usar nossos inimigos – observou Marlon, em tom mordaz. – E os maiores inimigos que temos, no momento, são os romanos.

– O que você quer que eu faça, Kelvin? Já disse que os sacrifícios estão proibidos. Você sabe disso melhor do que ninguém.

– Nenhum romano precisa testemunhar nossas práticas – observou Marlon, com irritação.

– Mas se eles descobrirem, talvez adotem medidas duras de repressão – ponderou Alana. – Não quero que nosso povo sofra mais do que já vem sofrendo.

– Há uma outra maneira – considerou Kelvin.

– Que maneira?

– Eu posso arranjar, digamos, um pequeno acidente... Para nos livrar de mais um inimigo, inclusive.

– Que inimigo?

– Marva.

– Marva...?

– Ela é falsa e está a serviço da rainha.

– Não sei, Kelvin. Não sou assassina. Não quero matar ninguém.

– Você já matou antes – lembrou Marlon, maldosamente. – E depois, não é ninguém importante.

– O que pode acontecer se não lhes dermos o sangue? – perguntou ela, com curiosidade.

– Eles podem desistir de nos ajudar – admitiu Kelvin.

– E Marcus Tito vai continuar rejeitando nossa linda princesinha – acrescentou Marlon, sarcástico.

– Você não se importa, Marlon? – tornou Alana, sem saber o que doía mais, se a indignação ou a decepção. – Não o incomoda o fato de que vou me deitar com quem você mais odeia? Um romano?

– Se esse é o preço da nossa liberdade, então que seja – afirmou Marlon, evitando o contato com os olhos dela. – Todos temos que fazer sacrifícios.

– Não entendo, Marlon. Qual o seu interesse em tudo isso? Você agora não pertence mais ao mundo dos vivos. De que lhe adianta expulsar os romanos de uma terra na qual você não poderá mais viver?

– Não é porque morri que meu ódio se aplacou. Ao contrário, odeio-os ainda mais e farei o que puder para interferir no mundo corpóreo e levar minha vingança até o fim.

– Então, foi nisso que tudo se transformou? Em vingança? Você não quer libertar nosso povo. Quer se vingar dos responsáveis pela sua morte.

– Que diferença isso faz? O que importa é eliminar o invasor. Homens, mulheres e crianças, nenhum romano há de continuar respirando o ar que nos pertence.

– E depois, não é você quem vai executar o plano – cortou Kelvin, temendo que a ira de Marlon desviasse Alana de seu real objetivo. – Na verdade, princesa, você nem vai saber que a morte de Marva terá caráter ritualístico.

– Como não, se você está me contando isso agora?

– Você está dormindo, princesa. Ao acordar, esses momentos vão parecer resquícios de um sonho. Pouco desta nossa conversa ficará retida na sua memória.

– Isso não está certo, Kelvin. Você disse que sua magia faria Marcus Tito se apaixonar por mim. Não falou nada sobre matar alguém.

– Eu não contava com a lealdade dele a Roma. É um sentimento tão forte que funciona como uma espécie de escudo, que o protege das investidas dos espíritos. Ele arde de desejo, mas resiste, porque compreende o risco que poderá correr. E, mesmo que venha a ceder, se não alimentarmos estes espíritos, eles cessarão o processo obsessivo e, com o tempo, o feitiço enfraquecerá e Marcus Tito se libertará de seu domínio.

– E isso não é de nosso interesse, é? – completou Marlon, olhando-a com ar de sádico divertimento.

– Os espíritos que atenderam ao meu chamado não são criaturas do bem – prosseguiu o druida. – São seres das sombras, que se alimentam da energia de vida que o sangue contém. Isso faz com que eles se sintam vivos também. É uma ilusão, mas essa ilusão os entorpece e lhes dá prazer. Se eu não lhes der o sangue prometido, todo o trabalho de aprisionamento invisível que fizemos com Marcus Tito terá sido inútil.

– A verdade, Alana, é que essa magia envolve muita gente – esclareceu Marlon, interrompendo Kelvin abruptamente. – O pagamento não é apenas para os espíritos, que são meros trabalhadores. Esse Deus do Outro Mundo, ou Senhor da Morte, como Kelvin chama, que nada mais é do que um espírito poderoso, é o rei por aqui e espera receber sua parte em primeiro lugar. Ele fica com o quinhão maior, e se você não pagar a dívida de sangue, os servos não recebem praticamente nada. Se não recebem, não executam o serviço direito, entende? Eles não conseguem levar a tarefa a termo porque ficam enfraquecidos, pois o sangue que foi prometido serve de alimento para eles também. Então, sem sangue, sem forças; sem forças, sem executor; sem executor, sem magia. Compreendeu?

– Não sei se compreendo muito bem. Não seria o caso de o rei abrir mão de sua quota e dividir o que já ganhou com os servos?

Marlon gargalhou e respondeu cinicamente:

– Se fizer isso, ele não apenas dará mostras de fraqueza, como poderá enfraquecer de verdade e, consequentemente, perder o posto de rei.

– Mas se nosso objetivo é uma guerra, eles, certamente, obteriam muito mais sangue nos campos de batalha. Tenho certeza de que Morrigan não se importaria de dividir o sangue com eles.

– Sim, princesa, mas isso ainda pode demorar, e eles reclamam o pagamento para agora – alertou Kelvin. – Não é conveniente fazê-los esperar.

– Eu bem lhe disse para não contar nada a ela – recriminou Marlon. – Mas você insistiu em colocá-la a par de tudo. E isso apenas servirá para deixá-la contrariada, Alana, porque Marva vai morrer, quer você queira, quer não.

– Tem razão – concordou Kelvin, desapontado. – Enganei-me com você, princesa. Julguei-a mais forte do que realmente é.

– Não vejo fraqueza em não concordar com assassinato.

– Não é assassinato, é sacrifício. Se fosse em um altar, você não estaria reclamando.

– Engano seu, Kelvin. Minha mãe sabe que nunca fui a favor de sacrifícios humanos. E, embora não ache certo, os que sacrificávamos nunca eram de nossa gente, mas inimigos capturados e vencidos. Marva pode ser desleal, mas é uma de nós.

– Isso agora está fora de seu alcance. Ao acordar, você nada poderá fazer para nos impedir.

– Já entendi – admitiu ela, a contragosto. – Mas tenho uma exigência a fazer.

– Que exigência?

– Quero que Marlon liberte Shayla.

– Impossível – recusou-se ele, com veemência.

– Marlon, por favor – intercedeu Kelvin, mais que depressa. – De que ela lhe serve? É uma infeliz, uma inútil, um peso para você, que vive arrastando essa corrente por aí. Por que não se livra desse fardo?

– Já disse que não – teimou ele.

– Esse é o meu preço para fazer o que me pedem – insistiu Alana. – Ou você liberta Shayla, ou pode arranjar outra princesa para seduzir o romano.

– Duvido muito – objetou Marlon, com uma gargalhada. – Quando acordar, você vai se esquecer deste encontro, e tudo prosseguirá como deveria.

– Quer apostar que não?

Alana voltou-lhe as costas, pondo-se a caminhar firmemente, acompanhando o cordão prateado que lhe servia como caminho. Depois de alguns passos, ouviu a voz frenética e apressada de Marlon:

– Está bem! Pode levá-la. É uma inútil, não serve para nada mesmo.

Nesse exato instante, os elos da corrente se romperam, caindo ao chão com um ruído metálico. Vendo-se livre, Shayla correu para Alana, atirando-se a seus pés.

– Obrigada, princesa – choramingou. – De hoje em diante, serei outra pessoa. Vou me tornar boa, vou sair daqui e ajudá-la a vencer seus inimigos.

– Vá embora! – rugiu Marlon, puxando-a pelos cabelos. – Já conseguiu o que queria, agora, deixe a mim e a Alana em paz!

– Vá, Shayla – aconselhou Alana. – Procure uma saída, liberte-se de tudo isso.

– Como?

– Concentre-se – orientou Kelvin, baixinho em seu ouvido. – Se você for sincera no seu arrependimento e pedir ajuda, o caminho da saída se abrirá. Depois, algum espírito deverá vir buscá-la, e você poderá segui-lo, se quiser.

Assustada, Shayla se levantou aos tropeços. Deu um último olhar para Alana, transmitindo-lhe toda sua gratidão, e correu escuridão adentro, deixando a princesa a se questionar se, um dia, a veria novamente.

Depois que ela se foi, Alana fixou-se em Marlon, que a fitava com desconfiança. Não sabia mais o que pensar a seu respeito. Só o que sabia é que não confiava mais nele. Mesmo em espírito, ele ainda conseguia intervir na vontade dos vivos, o que poderia ser um problema. Mas ela não queria pensar em nada disso. Naquele momento, desejava apenas desaparecer daquele lugar horrível.

Sem se despedir, agarrou o cordão de prata ligado a seu ventre e entrou na escuridão, exatamente como Shayla havia feito momentos antes. Não olhou para trás, contudo, sabia que Kelvin não a seguia. Sentiu-se sozinha. Mais do que uma sensação, teve a certeza de que estava sozinha, não porque não tivesse a companhia dos seus, mas porque parecia ser a única a não permitir que o ódio a transformasse em alguém cruel e implacável, lutando por sangue em lugar de justiça.

Capítulo 16

Marcus Tito andava inquieto. Não entendia por que a imagem de Alana, de repente, surgia em seus pensamentos como um fantasma insistente, a segui-lo por todos os lados. Por mais que invocasse os argumentos da razão, ouvia o nome dela como um sopro quente sussurrado em seus ouvidos. Tudo obra da forma-pensamento colada a ele, que agia sem discernimento nem vontade, apenas obedecendo às ordens para as quais fora programada.

Pensou em sair e se divertir, mas aquela maldita aldeia era muito primitiva para atender aos gostos sofisticados de um general de sua estirpe. Nada de tabernas nem de cortesãs instruídas na arte do sexo, apenas algumas mulheres bretãs, a quem faltavam polidez e elegância. Possuía em casa uma serva, que lhe atendia os caprichos quando solicitada, contudo, já se encontrava farto da moça. Sem contar que percebia, nitidamente, que ela se deixava usar por medo ou interesse, mas não escondia a repulsa que sentia cada vez que ele a tocava.

Talvez devesse voltar a Roma por uns tempos. Tinha certeza de que o governador Caio Suetônio não se oporia e, caso isso acontecesse, apelaria diretamente a Nero, que, na certa, autorizaria uma licença. Rapidamente, tomou uma decisão. Iria, agora mesmo, falar com o governador e, na manhã seguinte, deixaria a Britânia.

Assim que abriu a porta, levou um susto e estacou abismado, sentindo o coração acelerar, ao mesmo tempo que toda a área da sexualidade ardia de desejo, estimulada, mais e mais, pela forma energética que o acompanhava.

– Cheguei em má hora, general?– ele ouviu a voz suave de Alana indagar.– Vai sair?

– O que está fazendo aqui, menina?– retrucou ele, numa luta feroz entre o desejo e o dever.– E onde está sua escolta?

– Estou sozinha. Consegui convencer minha mãe a dispensar Tristan, e Kelvin só faz o que eu quero.

– Conseguiu...?

– Minha mãe sabe que estou aqui, e a presença de Tristan não é necessária.

– Não quero ser grosseiro, princesa, mas, como percebeu, eu estava de saída.

– O que tem a fazer não pode ficar para depois?

Gentilmente, Alana o empurrou de volta para o interior da casa, aproximando seu corpo do dele, à medida que ele recuava para dentro.

– O que você quer, Alana? – ele tentou resistir, embora com a vontade bastante enfraquecida.

– Quero saber por que me evita tanto – revelou ela, umedecendo os lábios de forma sensual.

– Você é só uma menina...

– Sou bem mais do que uma menina. Ou será que não lhe agrado?

Ele ia protestar, mas não teve tempo nem coragem. Com agilidade e volúpia, Alana deixou cair a túnica, exibindo um corpo perfeito, alvo e puro. Potencializada pela atuação da forma colada a ele, a concupiscência do general se converteu em chamas, queimando seu corpo com o desejo incontrolável de ter Alana em seus braços. Totalmente dominado não só pelas forças ocultas do invisível, como também por sua própria lascívia, Marcus Tito desprezou o alerta da razão e puxou a moça para si, beijando-a com ardor e paixão. Ergueu-a no colo e levou-a para o quarto, amando-a com furor animal.

Do lado de fora, os espíritos bateram palmas. Haviam sido proibidos, por Kelvin, de adentrar o recinto onde os amantes se deitariam, mas sentiam as fortes vibrações do sexo, que irradiavam em todas as direções, permitindo sua fácil absorção.

– Conseguimos! – exclamou Lorna, toda orgulhosa.

– Podemos ir agora – acrescentou Brian. – A mocinha que colocamos lá, alimentada pelos desejos do general, pode cuidar de tudo sozinha.

Como Kelvin previra, Alana pouco retivera do que acontecera no submundo astral. Lembrava-se de Marlon e de Shayla, de um lugar horrendo, de correntes, de sombras aterrorizantes e indistinguíveis. Inconscientemente, intuía a movimentação invisível e assentia às orientações de Kelvin com muita facilidade. Conhecedora dos meandros da estratégia, agia conforme o esperado e o necessário.

Ela estava muito consciente de que executava um ardil cuidadosamente preparado pelo druida e pelas forças ocultas da treva. Fora até ali convencida de que representaria um papel importante na trama da revolução. Contudo, depois de consumada a artimanha, sentia que havia algo mais. Terminado o sexo, permanecia ainda abraçada ao romano, o que era inapropriado e mesmo desnecessário. Pensou que apenas cumpriria uma obrigação, sem sentir nenhum prazer, mas o que aconteceu foi inesperado. O Marcus Tito amante era um homem totalmente diferente do Marcus Tito general.

Ele, por sua vez, esquecera-se por completo que chegara a considerar retornar a Roma. Nem parecia que, minutos antes, havia-se decidido a partir. O envolvimento era tão forte que ele se esqueceu até do alerta da lógica, entregando-se totalmente aos ardores da paixão.

– Gosto de você, Alana – confessou de repente, tentando entender e organizar as próprias emoções.

Ela não respondeu. Também se surpreendera com o que havia sentido. Apenas ficou ali, fitando o teto de pedras pintadas de branco, tentando não pensar nas consequências do que havia feito e do que ainda pretendia fazer. Depois de algum tempo, suspirou e, contendo o ímpeto de abraçá-lo novamente, anunciou:

– Está tarde. Tenho que ir.

– Por quê? Duvido que sua mãe se importe de você estar comigo.

– Não se importa. Mas estou sozinha, e as estradas podem ser perigosas à noite.

Ele riu e, ao contrário dela, deu vazão ao impulso e a abraçou vivamente.

– Você é uma criança atrevida e corajosa – falou, beijando-a várias vezes no rosto. – Tem a minha admiração, pequena.

– Não sou criança – objetou ela, com cara de amuada. – Crianças não fazem o que eu acabei de fazer.

– Tem razão. Quem foi que lhe ensinou as artes do sexo? Marlon, talvez?

– Não quero falar sobre isso– tornou, acabrunhada.

– Não importa. Marlon está morto e deixou você para mim.

– Não seja arrogante – rebateu ela, sentindo uma pontada de irritação. – Marlon nunca foi meu dono, e eu não pertenço ou jamais pertencerei a ninguém.

– Não precisa ficar aborrecida, princesa. E não estrague esse momento com a sua rebeldia. Pense que somos pessoas distintas, vivendo vidas distintas, com objetivos distintos. Só o que partilhamos é o prazer pelo sexo. Afinal, não foi por isso que veio?

Ele a estava testando. Ela sabia disso, contudo, não tinha motivos para mentir. Nunca lhe escondera que pretendia aprender a lutar. Precisava apenas tomar cuidado com os motivos de sua decisão.

– Você sabe por que vim – respondeu ela vagamente.

– Porque sua mãe quer que nos casemos – respondeu, em tom zombeteiro.

– Você sabe que não quero me casar.

– Eu sei. Você quer aprender a lutar.

– Exatamente.

– Para me matar depois?

– Eu jamais faria uma coisa dessas! – objetou, verdadeiramente indignada. – Não sou nenhuma traidora.

– Não se esqueça de que somos inimigos. Estamos em lados opostos.

– Não somos inimigos. Minha mãe é aliada de Roma.

– Mas você não é sua mãe, é?

– Não... – hesitou. – Mas o que isso importa?

– Importa para saber de que lado esta guerreira vai estar. Se do nosso ou dos rebeldes.

– Não sou nenhuma rebelde.

– Será que não?

– Não entendo por que tanto drama. Sou apenas uma princesa, cuja vontade é aprender a manusear uma espada. Que mal pode haver nisso?

– Nenhum, desde que você se alie ao exército certo.

– Não pretendo me aliar a exército algum. Mas os tempos são perigosos, e há salteadores nas estradas. Gosto de ser livre e de cavalgar sem um soldado atrás de mim, mas, para andar sozinha, preciso aprender a me defender.

– Sua mãe aprova essa escolha? Será que isso não vai contra os interesses dela?

– As mulheres celtas não são proibidas de lutar, e os interesses de minha mãe não me dizem respeito. Tenho vontade própria. E depois, ela não precisa saber. Tenho certeza de que, se você estiver comigo, ela vai suspender a vigilância de Tristan, e serei livre para fazer o que quiser.

Uma advertência alarmante tentou infiltrar-se nos pensamentos do general, mas ele a rejeitou drasticamente. Fosse por influência dos espíritos, fosse por sua própria vontade, suas emoções se tornaram seletivas, elegendo o desejo em lugar da prudência.

– Talvez eu me arrependa depois – cogitou ele, como se não estivesse falando com ninguém em particular. – Mas farei o que me pede. Vou ensiná-la a manejar a espada e a erguer o escudo, para atacar e se defender.

– Oh! Marcus, obrigada! – exultou ela, dando-lhe um enorme beijo nos lábios. – Garanto que não vai se arrepender. É uma promessa que lhe faço. Não conheço os meandros do futuro, mas, haja o que houver, jamais me voltarei contra você.

– Nem sempre as coisas são como desejamos, Alana. Às vezes, elas fogem ao nosso controle e não nos pertencem mais. As decisões tendem a seguir caminhos incertos, oscilando de acordo com a vontade de quem está no poder. Você pode definir suas escolhas, mas a vida pode tomar outro rumo e impedir que você faça o que pensa que é certo ou o que gostaria de fazer. Quando nos tornamos parte de um movimento, perdemos um pouco da nossa individualidade, porque concordamos em seguir as regras da liderança, e o líder, na maior parte das vezes, age movido por interesses próprios e de acordo com suas próprias aspirações. Você pode até não concordar, mas, ou aceita, ou fica de fora. Esta talvez seja a única escolha que você poderá fazer, caso as coisas não saiam como você espera.

Alana o encarou seriamente. Reconhecia a sabedoria das palavras dele, contudo, tinha que ter fé nas orientações de Kelvin. Ela era a princesa, caberia a ela a liderança, e as decisões partiriam de suas escolhas. No final, tudo acabaria do jeito que ela imaginava. Ou seria possível que não...?

Capítulo 17

Nem bem Alana abriu os olhos, deparou-se com Kelvin sentado ao seu lado, na cama. Mais adiante, Marva fingia arrumar seus pertences, mas ela sabia que a serva acompanhava todas as palavras que ali eram ditas.

– Bom dia, princesa – cumprimentou o druida alegremente. – Sente-se bem hoje?

– Muito bem, obrigada.

– Não gostaria de dar um passeio?

– É claro. Aonde iremos?

– Uma caminhada pela montanha não seria agradável? – ela assentiu, olhando para Marva de soslaio. – Ótimo. Vou esperá-la no salão principal.

Kelvin desceu as escadas, pensativo, e encontrou Velocatus no andar de baixo.

– A rainha o aguarda – o rei foi logo dizendo. – Já que você parece ser a primeira pessoa a merecer a atenção da princesa, ela solicita sua presença, para ter notícias da filha.

O druida apenas balançou a cabeça e seguiu o rei até o salão, onde Cartimandua fazia a refeição matinal. Ela não o convidou a juntar-se a ele, mas fez sinal para que se sentasse na cadeira ao lado.

– E então, Kelvin? – sondou. – Não tem nada a me dizer?

– Por enquanto, não – respondeu ele, que sabia do que ela estava falando.

– Alana chegou tarde ontem à noite e foi direto para seus aposentos. Não sei o que aconteceu entre eles.

– Alana ainda não conversou comigo. Acabei de despertá-la e vamos sair para um passeio. Espero ficar a par de tudo em breve.

– É o que espero também. Só posso contar com você, Kelvin. A inútil da Marva não me serviu de nada. Alana a odeia e só a tolera por imposição minha. Mas você, não. Tornou-se seu confidente. Não estou certa?

– Certíssima.

O olhar de Cartimandua traçou uma linha reta até a entrada do salão, onde Alana estava parada, olhando de um para outro com ar desconfiado.

– Ah! – exclamou a rainha. – Bom dia, Alana. Venha, sente-se aqui para comer.

– Não estou com fome – retrucou a menina, indiferente aos olhares perscrutadores da mãe. – Na verdade, vim aqui chamar Kelvin para o nosso passeio. Vamos?

– Vamos. Com licença, rainha.

Os dois saíram sozinhos, sem a escolta indesejada de Tristan.

– O que minha mãe queria? – perguntou Alana.

– Saber como foi sua noite com o general.

Ela fez silêncio por alguns segundos, até que retrucou evasivamente:

– Não sei se quero falar sobre isso. É um assunto íntimo, não creio que interesse a ninguém.

Kelvin sentiu uma pontada de alerta. Quando alguém resolve guardar segredo, é porque o que tem a dizer pode não ser conveniente nem agradável. Mais um motivo para que Alana lhe revelasse o que havia se passado.

– Não precisa entrar em detalhes íntimos – sugeriu. – Mas eu tenho que saber se correu tudo bem.

Ela soltou um suspiro prolongado e retrucou, escolhendo bem as palavras:

– Tudo correu dentro do esperado. Marcus Tito não é tão forte como quer fazer parecer, já que cedeu à minha nudez com muita facilidade. Mas não é tolo.

– Não, não é. Ele sabe os riscos que corre, mas está de tal forma amarrado pelas forças do submundo inferior, que é incapaz de opor resistência. É isso que queremos, não é?

– Sim.

– E quando se iniciarão suas lições?

– Em breve.

– Ótimo. Você é uma moça inteligente e hábil. Tenho certeza de que aprenderá com facilidade.

– E depois, Kelvin? O que farei com tudo o que aprender?

– Já conversamos sobre isso.

– Vou me juntar ao exército de Boudica – ele assentiu. – Mas, até agora, não chegou notícia alguma sobre o estado de saúde do rei. Tem certeza de que ele está doente?

– A enfermidade de Prasutagus ainda não se instalou em seu corpo de carne, mas está lá.

– Não entendi.

– A doença circula seu corpo em espaços inacessíveis ao nosso conhecimento. Antes de adentrar o corpo que o espírito habita, ela se aproxima aos poucos, transpondo os universos invisíveis que se estendem para além da carne, mas que fazem parte do todo que é o indivíduo. A enfermidade já existe, ela só não é conhecida nem perceptível no campo da matéria.

– É como se a alma adoecesse antes do corpo?

– Pode-se dizer que sim.

Ela sentiu um arrepio, mas não rebateu. Não sabia o que dizer.

– E agora? – indagou, voltando os pensamentos para a rainha. – O que faremos quanto a minha mãe? Não tenho a menor intenção de dividir, com ela, o que se passou entre mim e Marcus Tito.

– Apenas continue agindo normalmente. Seja você mesma, não se torne dócil de uma hora para outra. A magia muda o comportamento e a vontade, não a personalidade. É como se você agisse sem compreender por que age daquela forma, entende?

– Entendo.

– E deixe que me encarrego de contar a ela os detalhes.

Alana sentiu um aperto no coração. O plano parecia estar dando certo, contudo, uma apreensão inexplicável a dominou por completo. Era um receio infundado, um desejo de proteger o general e evitar que o pior lhe acontecesse. A sensação foi tão forte, que Kelvin a captou. Ele a encarou, acabrunhado, e recomendou sem fazer rodeios, sentindo a sombra do perigo:

– Não caia na besteira de se apaixonar pelo romano.

– Não vou me apaixonar por ele – rebateu ela, convicta. – Mas é que estou tramando uma traição. Não me agrada agir pelas costas, enganar, mentir... trair.

– Pense que é por um motivo justo.

– Mesmo assim. Marcus Tito pode ser o inimigo, mas está sendo sincero quando diz que gosta de mim.

– É claro que ele gosta! Não foi para isso que preparamos todo esse plano? Para que ele se submetesse totalmente a você?

– Eu sei. Mas, se uma guerra for deflagrada, não quero que nada lhe aconteça.

– Você está fraquejando – Kelvin indignou-se. – Será que não é a guerreira que eu pensei que fosse? A mulher forte, corajosa, audaz? É apenas uma princesinha mimada, apaixonada pela armadura brilhante do soldado inimigo?

– Não lhe dou o direito de falar assim comigo! – revidou ela, subitamente se lembrando do que Marcus lhe dissera. – Não se esqueça de que eu me voluntariei para essa missão para dar seguimento aos planos de Marlon, porque acredito que nosso povo deve se libertar dos romanos. Mas não sou sua serva nem sua escrava, para você manipular a seu bel prazer. Faço o que acho certo e não acho certo trair a única pessoa capaz de me ajudar. Marcus Tito está acima de qualquer ato de vingança ou crueldade. Espero que você saiba diferenciar as coisas, Kelvin, ou pode esquecer tudo isso!

– Perdão, princesa – redarguiu ele, ocultando a raiva e o medo de que houvesse julgado mal o temperamento de Alana. – Longe de mim pretender manipulá-la ou dizer o que deve fazer. Temo apenas que uma eventual paixão pelo romano atrapalhe nossos planos.

– Não estou apaixonada por ele – contestou friamente.

– Sua bondade, então? – aventou ele, sem acreditar no que ela dizia.

– E daí, se for? Nada pode ser maior do que a bondade, e o ódio não deve ser grande a ponto de nos tornar cegos e insensíveis. Não busco vingança, Kelvin, mas justiça.

– Uma linha muito tênue separa as duas, princesa. Às vezes, é difícil distinguir onde uma termina e onde começa a outra.

– Talvez. Mas eu não sou uma pessoa vingativa e não vou permitir que você me convença a ser.

– Será que Shayla pensaria a mesma coisa?

A referência deixou-a perplexa e com raiva. Durante alguns poucos segundos, permitiu que um estremecimento de fúria percorresse seu corpo, mas logo recobrou o controle e revidou, misturando desprezo e desculpa:

– Ela é uma das razões pelas quais lhe faço essa afirmação. Matei Shayla em um rompante de raiva, movida pelo impulso de vingança, e veja o que isso me fez. Até hoje, não consigo me livrar da culpa. Se fosse uma pessoa vingativa, estaria em paz comigo mesma, sentindo que havia feito a coisa certa. Mas não. Matá-la fez-me mais mal do que bem.

– Muito nobre de sua parte, mas não creio que isso nos ajude agora. Estamos perdendo tempo com essa discussão sem propósito. Faça como achar que deve ser feito, mas faça. Não sou seu comandante para lhe dar ordens e peço que me perdoe se fiz parecer que sim.

Kelvin havia mudado de postura. Se antes parecia arrogante, agora dava mostras de humildade e subserviência, comportamentos não muito adequados a um druida. Fosse Alana mais experiente, teria percebido a raiva camuflada e as intenções ocultas, contudo, apesar do temperamento estouvado, era ingênua e crédula.

– Não precisa se desculpar – tornou ela, abrandando o tom de voz. – Acredito que, como eu, você também quer o melhor para nosso povo. É só que temos maneiras diferentes de ver as coisas.

– Sim, princesa, deve ser isso.

– E volto a dizer, Kelvin. Na verdade, é uma ordem: não quero que nada de mau aconteça a Marcus Tito. Se houver uma guerra e nós a vencermos, ele estará sob a minha proteção.

– Se esse é o seu desejo, ninguém ousará tocar no romano.

– Agora, vamos voltar. Esse passeio já durou demais.

– Como quiser, princesa.

Sem perceber, haviam alcançado a trilha onde, alguns meses antes, Alana tivera as fabulosas visões das divindades negras. Naquele momento, o local parecia quieto, silencioso, sem o vento forte que vergastava as árvores e rugia lamúrias indistintas.

– Foi aqui que vi o deus negro – anunciou ela, estacando, abalada. – E ali, mais adiante, vi a deusa Morrigan.

– De novo com isso, Alana? Não sei nada sobre deuses negros, já disse.

Alana silenciou. De repente, perdeu toda a vontade de dividir aquela visão com o druida novamente. Kelvin podia ser mestre na arte da magia, mas nada sabia sobre deuses de outras terras.

Ao retornar ao palácio, Alana subiu diretamente a seus aposentos, deixando Kelvin sozinho no salão principal. Ele pediu que chamassem a rainha e, assim que ela apareceu, tratou logo de revelar:

– Deu certo, rainha. Alana e o general passaram a noite juntos.

– Isso eu já sabia – retrucou ela, impaciente. – O que quero é saber como foi.

– Ela não me disse. Contudo, afirmou que está apaixonada.

– Será?

– É o efeito da magia. Ela não compreende esse sentimento e recrimina a si mesma por senti-lo, mas não consegue evitar. É uma espécie de ilusão que a envolve, porém, forte o suficiente para minar-lhe a vontade e enlaçá-la nas tramas da paixão e do desejo. Por mais que Alana tente, não conseguirá resistir ao general, assim como ele foi incapaz de resistir a ela.

– E isso resultará em casamento?

– Sim. Com o tempo, a paixão crescerá a tal ponto que ambos só pensarão em estar juntos. É um sentimento contra o qual não podem lutar.

– Excelente! Fez bem o seu trabalho, Kelvin.

– Devo, contudo, alertá-la, rainha. O que eles vivem é uma paixão, não é amor verdadeiro. O efeito da magia não é duradouro e, quando ela acordar, a tendência será que, aos poucos, passe a rejeitar o general.

– A magia não pode ser renovada?

– Certamente. Isso, porém, importará em uma convivência espinhosa e sem afeto. Permanecerão juntos por uma atração inexplicável, mas que se tornará uma prisão para ambos.

– Isso não importa, desde que permaneçam casados.

– Vão permanecer, eu garanto.

– Ótimo. Precisamos acelerar logo esse casamento.

– Acho que não devemos nos precipitar. O general está sob encantamento, mas é esperto e experiente. Penso que o melhor é deixar o tempo agir, pois tudo acontecerá no momento certo.

O momento certo não era exatamente o do casamento, mas da declaração de guerra. Quando Alana estivesse pronta, conduziria seu exército à vitória, aliando-se a Boudica e a outras tribos. E nem Cartimandua, nem o general poderiam impedi-los de retomar o que lhes pertencia desde os primórdios dos tempos e do nascimento dos deuses.

Capítulo 18

O espelho fora um rico presente que Alana recebera de Marcus Tito. Não era uma coisa comum entre seu povo, e embora ela não fosse dada a vaidades fúteis, não podia negar que o objeto a encantava. Sentada diante dele, penteava os cabelos, vendo-os reluzir toda vez que um raio de sol caía sobre eles, tornando-os ainda mais rubros do que costumavam ser, mesmo sem luz. Era um prazer simples, porém, dos mais agradáveis. Pena que a imagem de felicidade refletida no espelho foi distorcida pela aparição inesperada de Marva.

– O que você quer? – indagou Alana, sem esconder a irritação.

– A rainha a chama. Você tem visita.

Alana soltou a escova em cima da mesinha e fitou-se mais uma vez, surpreendendo-se com o ar de euforia causado pela notícia. Em seu íntimo, tentava convencer-se de que estava ansiosa para iniciar seu treinamento militar, rejeitando a ideia de que, no fundo, o que desejava mesmo era rever o general.

– É Marcus Tito? – perguntou ela, tentando parecer casual e desinteressada.

– Sim.

– Diga que já vou.

No momento em que a serva saiu, a sombra do infortúnio se estendeu sobre o coração de Alana. Era uma inquietação que ela não sabia explicar, uma sensação estranha de dor e morte. Movida pelo instinto, levantou-se às pressas e correu atrás de Marva, chamando-a pelo nome. A criada parou perto da escada e se virou, solícita.

– Espere – falou Alana. – Vou descer com você.

Foi uma ação instintiva e inexplicável, que Alana tentou decifrar, embora sem sucesso. Se detestava tanto Marva, não entendia por que, de repente, preocupara-se com a vida dela, como se uma armadilha invisível a estivesse ameaçando.

No andar de baixo, a primeira pessoa que Alana viu foi Kelvin. Mais uma vez, a estranheza a incomodou, causando-lhe um sobressalto indizível. Mesmo sem compreender, intuiu a tragédia. Olhou do druida para a criada, tentando entender o que sentia. Não gostava de Marva nem um pouco, porém, não queria que nenhum mal lhe acontecesse. Mas que mal seria esse, já que a serva estava a seu serviço, protegida pelas paredes do palácio?

– Bom dia, princesa – cumprimentou Kelvin, olhando de soslaio para Marva, que nada percebeu.

– Bom dia – respondeu ela, sem lhe dar muita atenção.

Entrou no salão principal com o coração confrangido, mas, assim que avistou o romano, logo se esqueceu da estranha apreensão. Ele fazia a refeição matinal com a rainha e o rei, e se levantou assim que a viu.

– Princesa Alana! – exclamou, tomando-a pela mão. – Linda como sempre.

– Obrigada, general.

– O general veio convidá-la para uma cavalgada – avisou Cartimandua, sem conseguir ocultar o contentamento. – É uma excelente ideia, não acha, minha filha?

– Sem dúvida – concordou ela, genuinamente feliz. – Aonde quer ir, general?

– General, general... – repetiu ele, com ar zombeteiro. – Por que não me chama simplesmente de Marcus?

– Como quiser... Marcus. E aonde pretende me levar?

As palavras dele causaram frenesi em Cartimandua e apreensão em Kelvin. Não que ele duvidasse da eficácia da magia, no que dizia respeito ao general. O que o deixou perplexo foi a genuína felicidade de Alana, cujo súbito entusiasmo era espontâneo e não se devia a nenhum encantamento.

– Vamos simplesmente caminhar, sem destino – sugeriu Marcus. – E sem hora para retornar.

– Ótima ideia! – concordou a mãe. – Marva, prepare uma merenda para eles levarem.

– Sim, senhora – obedeceu a criada.

– Talvez fosse boa ideia se Marva os acompanhasse – recomendou Kelvin.

– Posso saber por quê? – revidou Alana impacientemente.

– Ora, quem vai servir-lhes a merenda? Marva é sua criada pessoal.

– Podemos fazer isso, nós mesmos – objetou Alana, fuzilando o druida com seus olhos azul-escuros.

Tão logo Marva voltou com a cesta, contendo galinha e o vinho levado por Marcus, que detestava a tradicional cerveja bretã, o casal se retirou para o passeio.

– Marva deveria acompanhá-los, princesa – insistiu o druida.

– Você fica, Marva – ordenou ela.

O plano invisível reagiu com raiva, tentando agredir Alana, que sentiu uma leve tonteira, mas nada que comprometesse seu bem-estar. Apenas o druida percebeu a movimentação do outro lado, pois, dotado do dom da vidência, via os espíritos enfurecidos atirando-lhe impropérios, cobrando o sangue que ele lhes prometera para aquele dia. Um tombo da escada fora planejado ou, se necessário, uma queda do cavalo, mas agora, nada iria acontecer.

– Uma outra hora – pensou Kelvin, transmitindo suas palavras mentalmente aos espíritos.

Sem saber, Alana salvara a vida de Marva pela primeira vez.

Cavalgando pelos campos verdejantes da Britânia, Alana desfrutava daquele momento único em companhia do general romano. Sentia-se livre e confiante, ao lado de um homem que lhe inspirava respeito e segurança. Nos momentos em que ele disparava à frente, ela se esquecia de seus propósitos, observando-lhe as espáduas musculosas, as coxas rijas, o porte galante e viril. Era um homem maduro, mas muito longe da decrepitude.

Marcus Tito corria com seu cavalo, sumindo à distância, na direção do sol. Alana estreitou os olhos, procurando sinais dele, até que o avistou, retornando em meio à luz dourada que se estendia sobre a relva. Ela parou seu cavalo e aguardou. Quando, enfim, ele se acercou, desceu do cavalo e puxou-a para baixo, envolvendo-a em um abraço carregado de desejo e paixão. Amaram-se ali mesmo, exaustivamente, sobre o capim macio, até que seus corpos se renderam ao cansaço e desabaram lado a lado.

– E agora? – questionou ela. – Foi por isso que viemos aqui?

– E pelo que mais seria? – devolveu ele, olhando-a com ar divertido.

– Você prometeu me ensinar.

– Está dizendo que fez o pagamento antes da entrega?– indagou, entre malicioso e decepcionado.

– Não se trata disso. Mas você prometeu...

– Prometi mesmo. E é exatamente isso que faremos agora.

De um salto, ele se levantou, retirando duas espadas de madeira e um escudo, também de madeira, da sela do cavalo e entregando-os a Alana, que, rapidamente, já havia se postado a seu lado.

– Dois pedaços de pau?– indignou-se ela, atirando os artefatos para longe.

– Não seja malcriada – ralhou ele, apanhando o escudo e a espada, e colocando-os na mão dela. – Isso é só o seu primeiro contato com uma arma. Você nunca manejou uma espada na vida. Não seria prudente arriscar que você se ferisse ou furasse um olho, seria?

– Isso jamais aconteceria – rebateu ela, mas rindo do ar de seriedade zombeteira dele. – Não sou nenhuma estúpida.

– Que não é estúpida, eu sei, mas ainda não descobri se também não é desastrada. Preciso testar suas habilidades, para ver se você será uma guerreira boa, medíocre ou ruim.

– Eu jamais seria uma guerreira boa – contestou ela, emendando antes que ele pudesse contrariá-la: – Serei a melhor!

– Não sei por que, mas acredito nisso. Então vamos lá, mostre-me.

Ele ergueu a espada de madeira e avançou sobre ela, que, com o susto, deu um passo atrás, tropeçou numa pedra e caiu. De cenho franzido, esperou as gargalhadas dele, que não vieram, nem sequer foram esboçadas em seu rosto, que permanecia sério e concentrado.

– Levante-se – ordenou ele. – Essa é sua primeira lição. Quando um guerreiro cai, não pode perder tempo pensando no que aconteceu nem no que vai acontecer em seguida. Ou se movimenta rapidamente, ou morre.

Mais uma vez, ele foi para cima dela, mas Alana, que sentia uma certa raiva pelo que recebera como uma leve humilhação, deu um pulo e pôs-se de pé tão rapidamente que, quando ele chegou perto, encontrou apenas um lugar vazio. Dali em diante, a aula transcorreu maravilhosamente. Nem parecia que Alana era uma principiante, demonstrando uma perícia inata e uma intuição aguçada, capaz de prever o local de onde surgiriam os próximos golpes. Lutaram por mais de duas horas, até que o cansaço os forçou a parar.

– Como eu me saí?– indagou ela, ansiosa.

– Bem, para a primeira lição. Eu diria que você tem futuro.

– Quando poderei manejar uma espada de verdade?

– Em breve.

– Na próxima aula, espero. Sinto-me preparada.

– Ainda é muito cedo.

– Você disse que eu fui bem.

– E foi, mas eu ainda preciso me convencer de que você não irá se ferir.

– Você está me engabelando.

– Você é que está sendo muito afoita. Um soldado apressado age de forma atabalhoada, comete erros e morre. É isso que você quer?

– Não – concordou ela, contrariada.

– Pois então, faça tudo como eu ordenar e você será a melhor, como é do seu desejo.

– Tem certeza?

– Absoluta. Sei reconhecer um grande potencial, e isso, você tem. Só precisa ser mais paciente e mais disciplinada. Sem obediência e disciplina, nenhum exército se sustém.

Ela ouviu as palavras dele com atenção, retendo na memória os movimentos precisos que aprendera com ele. Não havia mistério no manejo da espada, apenas habilidade, e isso era algo que ela possuía.

Enquanto pensava nisso, Alana se distraiu e não percebeu o olhar de desconfiança de Marcus Tito. Em seu íntimo, ele sabia que estava armando o inimigo, contudo, as investidas espirituais não lhe permitiam resistir ao desejo. E ele a desejava mais do que qualquer outra coisa, sem saber que, bem lá no fundo, ela o desejava também.

Capítulo 19

Cartimandua não saberia definir se o que sentia era euforia ou desconfiança. A que ela creditaria a súbita mudança no comportamento de Alana? À magia de Kelvin ou a um comportamento ardiloso da própria filha? Por mais que confiasse no poder do druida, Velocatus havia lhe incutido uma certa dúvida, alertando-a para a inteligência da princesa e os subterfúgios que ela poderia gerar. E Cartimandua não era tola nem inexperiente. Não mantivera o reinado sobre os brigantes à custa da ingenuidade. Por mais que acreditasse em Kelvin, a prudência recomendava cautela.

– Espero que a rainha esteja satisfeita com o resultado da magia – comentou Kelvin, intimamente pressentindo a dúvida no coração de Cartimandua.

– Ainda é cedo para nos vangloriarmos – respondeu ela, olhando de soslaio para Velocatus, que bebericava uma copa de cerveja, mantendo o olhar distante.

– Por que diz isso? A rainha duvida do poder da minha magia?

– Não se trata disso. É que a mudança em Alana foi repentina demais.

– E não era isso que a rainha desejava?

– Sim, era. Vamos aguardar para ver até onde essa aparente paixão irá levá-la.

– Não sei se já podemos chamar de paixão – contrapôs Kelvin, tentando imprimir veracidade à situação. – Um forte interesse talvez seja mais apropriado.

– Vamos ver. Tenho esperança, mas não quero me iludir. Só vou acreditar integralmente quando Alana estiver casada com Marcus Tito.

– Isso acontecerá, talvez mais brevemente do que a rainha imagina.

Quando Kelvin deixou o palácio, seu coração parecia comprimido, aflito com alguma coisa que ele não sabia bem definir. Talvez fosse a desconfiança da rainha, talvez algo que ele ainda não compreendia muito bem.

Kelvin não vivia em uma choupana, como a maioria de seu povo, mas em uma caverna nos arredores da aldeia, onde podia praticar livremente a arte da magia própria de um druida. Ali se reunia com seus pares, longe das vistas dos romanos, que, na medida do possível, tudo faziam para eliminá-los.

– Chegou uma mensagem para você – anunciou seu jovem ajudante.

– Sim? Do que se trata?

– Um mensageiro veio de Icênia. Kendra pede para falar-lhe e gostaria, se possível, que você fosse ao território dele.

Kelvin sentiu um estremecimento, um disparo no coração que bem podia predizer boas notícias. Kendra era o druida de confiança da rainha Boudica e seu amigo pessoal.

– Não posso me ausentar agora – anunciou Kelvin, certo de que Cartimandua se enfureceria com sua partida. – Você irá a Icênia e dirá a Kendra para vir ao meu encontro.

– Está bem.

– Por acaso ele não disse do que se trata, disse?

– Não.

– Pois muito bem. Prepare-se para partir o quanto antes. A viagem é longa, e você deve se apressar.

– Sim. Partirei imediatamente.

Cerca de uma hora depois, o jovem já se encontrava pronto para viajar. Levando poucos pertences, montou no cavalo mais veloz de que o druida dispunha e se foi, com a recomendação de não falar com ninguém e procurar pouso na floresta, em locais afastados das estradas.

Até seu retorno, Kelvin devia tentar se acalmar. Se Cartimandua percebesse sua excitação, poderia desconfiar de algo, e talvez ele não tivesse o sangue frio necessário para sustentar uma mentira daquele porte. Já bastava aquela que mantinha acerca do inexistente encantamento de Alana.

Perguntava a si mesmo se deveria comentar com a princesa sobre o chamado de Kendra. Sozinho na caverna escura, aguardou o anoitecer, quando, então, partiu de volta ao palácio. A hora do jantar já havia passado, de forma que ele encontrou a princesa em seus aposentos, dando ordens a Marva.

– Saia, já disse. Quero ficar sozinha.

Quando Marva passou a seu lado, a caminho da saída, Kelvin sentiu um frio arrepiar-lhe os cabelos da nuca. Por instantes, julgou ver, atrás dela, vultos indistintos e hostis. Mais rápido ainda foi o olhar que ele sentiu sobre si, e embora não conseguisse identificar a quem pertencia, sabia o que significava. Os espíritos contratados por ele para prender Marcus Tito vinham lhe cobrar o pagamento de sangue e não descansariam até que Marva lhes servisse de banquete.

Tão depressa quanto surgira, a sensação se foi, deixando Kelvin pronto para conversar com Alana. Ela estava de costas, fitando sua imagem retorcida e pouco nítida no espelho com o qual o general a havia presenteado.

– Você parece deslumbrada com esse artefato – constatou Kelvin, sua imagem surgindo no espelho, por detrás dela.

– Achei-o fascinante, na verdade. Aqui, não temos coisas assim.

– Um pedaço de prata polida – desdenhou ele. – Não há nada de mágico nesse objeto.

– Diz isso porque não foi você que inventou.

– Não tenho tempo para tolices. Possuo assuntos realmente importantes para tratar.

– Imagino que sim – concordou ela, apoiando o espelho em cima da mesa e virando-se para ele. – O que o traz aqui a essa hora?

– Primeiro, vim saber como foi seu passeio com o general.

– O esperado – respondeu ela, evasivamente.

– E o treinamento? Foi produtivo?

– Muito – falou ela, subitamente, com exagerada animação. – Marcus diz que eu nasci para ser guerreira

– Que bom. E foi só isso?

– Como assim?

– Marcus Tito concordou em ensiná-la em troca de favores, digamos, especiais de uma mulher.

– Não precisamos falar sobre isso, Kelvin. Você e eu sabemos que faz parte do acordo.

– Foi o que eu disse.

– Não entendo por que está me questionando. Não preciso lhe contar sobre nossos momentos de intimidade.

– Minha intenção não é conhecer os detalhes de seus momentos íntimos, porque isso não me interessa. Preocupo-me apenas com os perigos de um possível envolvimento.

– Não precisa. Tenho consciência de minha tarefa e de minhas responsabilidades. E se você quer saber se gosto de Marcus Tito, a resposta é sim. Ele é inteligente, agradável, bom amante. Mas não estou apaixonada por ele, se é com isso que está preocupado.

– Mesmo assim, você não quer que nada de mau lhe aconteça.

– E daí? Não acha que me voltar contra ele já basta como ato de traição? Tenho também que atentar contra sua vida?

– Você fala em traição como se lhe devesse algum tipo de lealdade. Esquece-se de que ele é nosso inimigo e que você deve ser leal a nosso povo?

– São coisas distintas, Kelvin. Quero lutar pela liberdade de nossa gente, mas isso não vai me conduzir à perfídia. É preciso agir com um mínimo de dignidade, respeito e consideração. Não vou agir como uma traidora e prometi a mim mesma que pouparia a vida de Marcus Tito.

– Entendo.

– Melhor assim. Agora, se foi apenas para isso que veio me ver, já pode ir embora. Ou não encontrou as respostas que queria?

– Não foi apenas por isso. Trago uma notícia importante.

– Que notícia?

– Recebi hoje uma mensagem de Kendra, um druida amigo meu que serve no palácio de Boudica.

Alana o encarou, surpresa. Fez sinal para que ele se calasse e esgueirou-se até a porta. Do lado de fora, não havia ninguém. Fazia algum tempo que a mãe dispensara Tristan de vigiá-la, e Marva não era mais obrigada a fazer-lhe companhia durante a noite. Então, estavam realmente sozinhos.

– E o que isso significa? – sussurrou ela, bastante interessada.

– Ainda não sei. Ele queria que eu fosse até lá, mas não pude. Não agora, que sua mãe requer a minha presença para assegurar o sucesso de nosso plano. Então, mandei um mensageiro a Icênia para pedir a Kendra que venha me ver pessoalmente.

– Tem alguma ideia do que possa ser?

– Ele não disse. Mas imagino que tenha relação com Prasutagus.

– Ele está mesmo doente?

– Não sei. Teremos que aguardar o retorno do mensageiro e torcer para que Kendra venha com ele.

– Não é perigoso? Quer dizer, minha mãe e Boudica não são exatamente amigas.

– É claro que é perigoso! E é por isso que ninguém pode saber da presença de Kendra aqui. Você tem que ser discreta. Sua mãe não pode desconfiar de nada.

– Fique tranquilo. Minha mãe não costuma ir a sua caverna. Lá, vocês estarão seguros.

– Eu sei. Mas fique preparada. Seja o que for que Kendra tenha a me dizer, certamente será de seu interesse também.

– Não se preocupe. Ficarei alerta.

– Ótimo. Mais uma coisa.

– Sim?

– Será que você pode me ceder Marva por uns instantes amanhã?

– Ceder-lhe Marva? Para quê?

– É que, com meu servo ausente, gostaria de saber se ela não pode ir ao mercado comprar algumas coisas para mim.

Uma sensação estranha perpassou o coração de Alana, que pressentiu o agouro da morte. Não havia explicação para aquilo, nem ela gostava de Marva a ponto de preocupar-se com ela, mas o fato é que se preocupava. Havia algo diferente no ar, uma vibração que cheirava a sangue, a desgraça. Alana não entendia a razão daquele pressentimento, mas sabia que não era a primeira vez que o experimentava, e sempre com relação a Marva. Não desconfiou de nada, contudo, desagradou-lhe a ideia de ver sua serva a serviço de Kelvin.

– Marva tem obrigações inadiáveis no palácio amanhã – redarguiu ela, com firmeza, sem dar maiores explicações.

E, mais uma vez, sem saber nem imaginar, Alana salvou a vida de Marva.

Capítulo 20

Era preocupação o que circundava o semblante de Marcus Tito naquele dia. Ele chegou acabrunhado, olhos anuviados, como se algo realmente importante o incomodasse.

– O que você tem? – indagou Alana, assim que desmontaram no campo onde costumavam treinar.

Ele entregou a ela a espada de madeira e a encarou em dúvida, imaginando se deveria ou não compartilhar com ela assuntos de especial interesse de Roma. Contudo, antes mesmo que pudesse inventar uma desculpa, pegou-se dividindo com ela seus temores.

– Parece que o rei de Icênia está doente – contou, erguendo a espada e dando início ao treino.

– Está?– tornou ela, rebatendo o golpe e fingindo de nada saber.– E por que isso o preocupa?

– Prasutagus é leal a Roma, mas não sei se posso dizer o mesmo da mulher dele.

– Por que não?

– Boudica sempre me pareceu uma mulher enigmática. Se, por um lado, sempre nos tratou com cortesia, por outro, carrega no olhar a marca da revolta, do ressentimento e da vingança.

– Não será imaginação sua? Afinal, que rainha iria contra seu rei?

– Muitas, na verdade. Desde a derrota dos icenos, quando Prasutagus assinou o termo de rendição, Boudica tem-se mostrado um tanto irresignável. Esses eram os comentários em Roma, já que, na época, eu estava lá, a serviço do imperador Cláudio.

– O imperador agora é outro, não é? – prosseguiu ela, curiosa.

– Sim. Todo o império está sob o governo de Nero, que é sobrinho de Cláudio, e é isso o que mais me preocupa.

– Por quê? Ele não é um bom imperador?

Um pouco alheio aos embates do treino, Marcus Tito ia desferindo golpes e defendendo-se sem muito esmero, concentrado que estava nos problemas do império.

– Nero é jovem, mas extremamente sanguinário – continuou. – Um déspota, celerado, louco. Não faz muito tempo, mandou matar a mãe, fazendo aparentar suicídio, o que convenceu muito poucos. Mas ninguém ousa questioná-lo ou contrariá-lo, por medo, nem eu pretendo me envolver nessa questão. O que me preocupa é seu interesse na Britânia... Ou a falta dele.

– Como assim?

– Nero é dado a libertinagens e excessos. Agripina, mãe dele, tentou usurpar-lhe o poder e, a partir daí, ele entregou-se a uma vida desregrada e totalmente sem moral.

– Foi por isso que ele mandou matá-la?

– Talvez. Quem vai saber, de verdade? Agripina era uma mulher poderosa, autoritária e dominadora, sempre tecendo intrigas e articulações para dominar o filho.

– Se é assim, por que ele não desiste de nós? Por que não retira seu exército de nossas terras e nos devolve o que sempre nos pertenceu?

As palavras dela lançavam ondas de mágoa e revolta, que Marcus Tito captou prontamente. Olhando para ela, tornou a questionar-se se estaria agindo corretamente. A desconfiança foi tanta que, por um breve momento, alcançou o limiar da lucidez, e ele abaixou a espada distraidamente, pensando em dar por encerrado o exercício. A distração, contudo, valeu-lhe o desarmamento. Com um golpe rápido e certeiro, Alana atirou longe a espada de Marcus, encostando a ponta da sua no pescoço do adversário.

– Venci você dessa vez, general – anunciou ela, substituindo o ressentimento por um gracejo forçado. – Renda-se ou morra.

Era uma brincadeira coerente com o sentimento real de Alana e que bem poderia ser verdade, não fosse a paixão subitamente denunciada em seu olhar. Marcus acompanhava as mudanças nas reações dela, adivinhando a confusão que, muito provavelmente, se misturava em seu íntimo. Eram coisas muito contraditórias e que deveriam levar suas emoções à desordem e à dúvida.

Perceber que ela parecia mesmo gostar dele funcionou como uma pedra sobre sua mente, esmagando os resquícios que ainda sobravam de seu discernimento e facilitando ainda mais a interferência espiritual. Quanto mais o raciocínio resistia, mais intensamente a forma energética grudada a ele entrava em ação.

Totalmente envolvido pela aura de sedução que partia dessa energia e de Alana, Marcus afastou a espada de seu pescoço e tomou a princesa nos braços, beijando-a prolongada e ardorosamente. Alana entregou-se sem a menor resistência nem sinais de desagrado. Ao contrário, sentia o corpo inteiro vibrar, em parte influenciado pelas fagulhas de sexo disparadas pela forma-pensamento, em parte estimulado pela sua própria excitação.

– Maldito! – ecoou uma voz de ira ao lado deles, inaudível aos ouvidos da matéria. – Ela nunca será sua. Nunca!

O espírito de Marlon, que acompanhara de perto todo o encontro do casal, remoía-se de raiva e despeito. Pensara que a ideia de vingança seria mais forte do que o ciúme, mas agora percebia o quanto se enganara. Ver Alana nos braços do general inimigo era mais terrível do que assistir ao domínio e à subjugação de todo o seu povo. A ira era tanta, que ele chegou a sentir uma dor na altura do coração. Na mesma hora, sacou a lança invisível e já ia disparar contra os dois quando foi interrompido pela chegada inoportuna de Shayla.

– Por que não os deixa em paz? – questionou ela, postando-se na frente de Marlon, para proteger a princesa.

– Como se atreve? – rugiu ele, rubro de ódio.

– Não vou permitir que você faça mal a Alana.

– Quem você pensa que é para me desafiar? E que poder você acha que tem para me impedir?

– Sou espírito, assim como você. A força que você possuía na carne já não existe mais.

– Você não sabe o que está dizendo. E como veio parar aqui, posso saber? Por que não seguiu seu caminho, quando a libertei? Com certeza, há espíritos que andam por aí resgatando desencarnados perdidos. Não encontrou nenhum? Ou será que está sentindo falta de mim e quer voltar para casa comigo?

Shayla não sabia o que dizer. Na verdade, não entendia bem por que ainda estava perdida. Quando saíra do submundo, vira espíritos que irradiavam luz, mas eles passavam ao longe, e ela não se atreveu a chamá-los. Ademais, tinha um compromisso com Alana e pensava que poderia protegê-la.

– Saia daqui! – rosnou Marlon, com furor. – Antes que eu me arrependa da liberdade que lhe dei e a torne minha escrava novamente.

Ele conseguiu o que queria, que era assustá-la. Shayla tinha boas intenções, contudo, faltava-lhe fibra moral para enfrentar um espírito que, ainda que a serviço da treva, tinha plena consciência de seu poder e domínio sobre suas faculdades psíquicas, o que lhe permitia manipular energias e fluidos em seu benefício. Temendo que ele cumprisse a promessa e a acorrentasse novamente, Shayla se afastou.

Em meio à discussão, o casal iniciara o ato sexual, e foi o que atraiu a atenção de Marlon. Observando os dois, ficou estarrecido com as sobras energéticas dos fluidos sexuais, que ele conseguia sorver com facilidade. Igualmente excitado, guardou a lança e, embora contrariado, aproximou-se ainda mais, juntando-se ao trio no ritual de amor. Marcus e Alana satisfaziam um desejo real, ao passo que Marlon recolhia as sobras e alimentava a ilusão de prazer. A forma energética, por outro lado, apenas repetia os movimentos para os quais fora programada, não sentindo nada além do vazio de uma existência sem propósito pessoal.

Obrigados a dividir o sexo com o espírito e a forma energética, a princesa e o general se sentiam muito mais cansados do que o habitual. Quando tudo terminou, Marlon não sentiu satisfação, mas uma revolta com ele mesmo. Jamais deveria ter-se permitido compartilhar o corpo de Alana com um romano, ainda que estando ambos em planos dimensionais diferentes.

A visão de Alana, completamente nua, a cabeça deitada no peito de Marcus, o enfureceu. Acertaria um murro no nariz dele, se pudesse, mas sabia que o efeito não iria além de um simples mal estar, uma dor de cabeça passageira ou uma leve tontura. Nada que valesse a pena o esforço e o desperdício de energia.

O casal apaixonado, por sua vez, nada percebia. Marcus Tito sentia inflamar-se toda vez que tocava em Alana ou que ela o tocava, porque a forma-pensamento não lhe dava trégua. Mas havia algo mais. Ele sentia a influência espiritual, mesmo que não soubesse defini-la ou nomeá-la. No entanto, o sentimento que se delineava superava a magia, porque não fora plantado artificialmente dentro dele, mas se instalava, aos poucos, em seu coração.

– Você é especial, Alana – elogiou ele. – É linda, inteligente e tem um talento natural para as armas.

– Ora, muito obrigada – rebateu ela, toda cheia de si.

– É verdade. Conheci muitas mulheres, mas nenhuma igual a você.

– Isso é porque as mulheres romanas são submissas. Não é verdade?

– Não se iluda. Pode ser que nossas mulheres não gozem da mesma liberdade que as daqui, mas compensam isso com astúcia e elegância. Elas sabem se posicionar e se impor. Seduzem com malícia e são manipuladoras. Além disso, possuem uma beleza clássica, ao contrário da beleza selvagem das bretãs.

– Você me enaltece, para depois me diminuir?– Alana indignou-se.

– Tolinha – gracejou ele, beijando-a novamente. – Não se trata disso. Você não precisa de enaltecimentos nem deve se sentir diminuída por nada. Cada uma tem seus encantos, mas é por você que estou apaixonado.

– Apaixonado? – repetiu ela, espantada.

– É modo de dizer – arrematou ele, arrependido de ter confessado o que sentia.

– Você gosta de mim.

– Certamente. É algo que não posso negar.

– Então, não negue também meu maior sonho. Quero aprender a lutar com armas de verdade. Chega de brinquedos de madeira. Estou pronta para empunhar uma espada de aço.

– Talvez...

– Vou usar uma espada de verdade da próxima vez?

– Vou pensar.

– Ah, Marcus, por favor!

– Não sei, Alana. Fico me perguntando se, um dia, você erguerá sua espada contra mim.

– Nunca! Já lhe disse que não!

– É uma promessa?

– Não. É um juramento.

Beijaram-se novamente, dessa vez movidos por algo que começava a ultrapassar os limites frágeis da paixão. Uma luzinha rosa se acendeu no coração de ambos, causando um abalo na forma colada a ele, que se afastou momentaneamente, atordoada pela inesperada emoção. Até Marlon percebeu e estacou, confuso, sem entender bem o que estava acontecendo.

– O desejo está virando amor – disse um espírito, que se aproximou sem que ele percebesse.

– De onde vocês surgiram? – Marlon se assustou. – O que estão fazendo aqui?

– Você bem sabe que fomos pagos por Kelvin para cuidar desse aí – explicou Brian, apontando para Marcus com o queixo.

– Eu sei. Mas por que apareceram de repente?

– A situação está saindo do nosso controle – observou Lorna, recolocando a forma-pensamento junto ao corpo do general. – Acho melhor o druida pagar logo o que nos deve, ou não poderemos mais ajudá-lo.

– Aquela coisa ficou transtornada de repente – falou Marlon, apontando para a forma plasmada. – O que aconteceu?

– Como eu disse, o desejo está virando amor– esclareceu Brian.

– E contra o amor, nada podemos fazer – complementou a mulher. – É um sentimento poderoso demais. Até a forma energética que colocamos junto ao romano, que não é pensante, foi repelida por esse energia suprema.

– Vocês estão querendo me dizer que Alana e o maldito romano estão se amando? Quero dizer, é amor de verdade?

– Se não é, é algo bem próximo – ironizou o homem. – E nos atrapalha bastante.

– Sem contar a falta de pagamento... – complementou Lorna, com ar sarcástico.

Marlon não respondeu. Abaixou os olhos por uns instantes e, quando tornou a erguê-los, os espíritos haviam sumido. Alana e Marcus Tito se preparavam para montar nos cavalos, trocando gestos carinhosos, palavras tolas de afeto e olhares apaixonados.

De onde estava, Marlon acompanhava o ritual de afeição dos dois, remoendo dentro de si o ciúme e a indignação. Mas nada pôde fazer além de assistir, e lá ficou, perplexo, vendo os dois sumirem no horizonte, acompanhados pela luminosidade rósea que tingia o entardecer e que parecia incidir, diretamente, sobre os corpos de ambos.

Capítulo 21

Kelvin andava ocupado com suas poções quando, de repente, sentiu uma sonolência inexplicável, que veio acompanhada de uma sensação de urgência e medo. Os pelos de sua nuca se eriçaram quase até doer, um sinal que ele conhecia muito bem. Pelo canto do olho, vislumbrou sombras espessas circundando o ambiente, tornando o ar da caverna sufocante, mais pesado do que usualmente era. Soltou as ervas que manipulava e sentou-se em uma cadeira esculpida na pedra. Em breve, adormeceu.

– Você precisa dar um jeito nisso! – exclamou Brian, tão logo o corpo fluídico de Kelvin se desprendeu do físico.

– Primeiro, vocês devem me contar o que está acontecendo – pediu o druida, preocupado.

– Alana e o romano estão indo além do desejo.

– Você está insinuando que a paixão se converteu em amor?

– É exatamente isso que está acontecendo – esclareceu Lorna, um pouco mais calma. – E você sabe onde isso vai dar.

– Impossível! Alana sabe que deve apenas manipular Marcus Tito. Não deve se permitir cair na armadilha da paixão, muito menos na do amor.

– Será que ela sabe mesmo? – questionou Brian. – Talvez não tenha entendido.

– Deixem de bobagens – censurou Lorna, um pouco mais sensata. – Ninguém diz ao coração o que pode ou não sentir. Ali estão um homem e uma mulher, e nessa combinação, tudo é possível.

– Você sabe o quanto isso nos atrapalha, não sabe? – indagou Brian. – Não temos força contra o amor genuíno.

– Ainda mais porque você nos deve – acrescentou Lorna. – Onde está o sangue que nos prometeu?

– Alana não descuida de Marva – asseverou Kelvin.– Não gosta dela, mas parece pressentir o perigo e consegue evitar todo tipo de acidentes.

– Isso não pode acontecer – disse Lorna, pensativa.– Acho melhor eu cuidar desse assunto pessoalmente.

– Temos contas a prestar, você sabe – continuou Brian. – Temos que pagar uma quota ao rei do submundo ou poderemos ser severamente punidos.

– Pague o que nos deve – rosnou Lorna, de forma ameaçadora. – Ou vamos retirar os elementos que tivemos o cuidado de pregar no romano, e aí, cada um estará por conta própria.

– Tenham calma – pediu Kelvin. – Vou resolver isso. Fiquem atentos ao meu chamado, estejam prontos para agir tão logo eu faça surgir uma oportunidade com Marva.

– Faça isso logo, ou não conte mais conosco – ameaçou Brian. – Estamos cansados de esperar.

– Não se preocupem – assegurou Kelvin. – Deixem tudo por minha conta. Não falharei com vocês.

Os espíritos desapareceram sem nem se despedir. Após alguns instantes, Kelvin despertou, guardando na memória todo o pequeno diálogo. Sabia que havia estado em contato com os espíritos e temia que eles cumprissem sua promessa. Era preciso, mais que depressa, provocar um acidente para extrair o sangue de Marva.

Acobertado pelas sombras, chegou ao palácio sem ser notado. Ouviu música partindo do salão e, aproximando-se sorrateiramente, espiou pela janela, deparando-se com uma cena estranha. Marcus Tito tocava uma lira, instrumento ridículo trazido pelos romanos, enquanto Alana e Cartimandua o acompanhavam com embevecimento, e Velocatus, com ar de enfado.

Ainda sem ser visto nem ouvido, Kelvin procurou Marva com o olhar. Como era de se esperar, ela não estava presente. Pelo avançado da hora, já devia ter-se recolhido à pequenina choupana que lhe servia de habitação, já que, desde que Alana e Marcus Tito começaram a se encontrar, Cartimandua a havia dispensado de dormir no quarto da princesa.

Certificando-se de que ninguém havia percebido sua chegada, Kelvin esgueirou-se pelo pátio do palácio, totalmente deserto. Precisava agir rapidamente, se quisesse obter sucesso em seu intento. A mente trabalhava com a velocidade do vento, tentando ajustar a oportunidade ao que precisava ser feito. Em razão do ultimato dos espíritos, não tinha mais tempo de preparar um acidente, de forma que teria, ele mesmo, que realizar o sacrifício, com cuidado, para que Alana não desconfiasse de nada.

Rondando a casa de Marva, Kelvin apurou os ouvidos. No interior, o silêncio era total. Marva devia estar dormindo. Sem produzir nenhum ruído, Kelvin abriu a porta e penetrou no pequeno recinto de madeira. A escuridão era completa, pois a noite sem lua não fornecia nenhum foco de luz, por menor que fosse, que lhe permitisse enxergar o chão onde pisava. Parou e aguçou os sentidos, até que conseguiu identificar, entre os sons característicos da noite, a respiração leve da criada.

Enquanto isso, no palácio, a lira de Marcus Tito silenciou. A madrugada se aproximava, de modo que o rei e a rainha quedaram adormecidos em suas cadeiras. Apenas Alana permanecia desperta, a atenção fixa no general, absorvendo cada minuto de sua presença.

– Já está tarde, minha querida – Marcus Tito soprou ao ouvido dela. – Seus pais adormeceram. É hora de partir.

– Acho que você tem razão – concordou ela. – Seria bom começarmos o treino logo cedo amanhã.

– Não tenha tanta pressa – sussurrou ele, beijando-a suavemente nos lábios. – Preciso atender a uns compromissos na parte da manhã e só poderei vir à tarde. Mas não se preocupe. O tempo nos pertence, podemos fazer dele o que quisermos.

Ela suspirou e encarou a mãe, que ressonava, a cabeça encostada no ombro do marido. Marcus Tito se levantou, puxando Alana pela mão. Beijou-a novamente, dessa vez com mais volúpia, mas conseguiu controlar o desejo e partiu.

Sonhando acordada, em uma luta constante contra o que sentia e o que deveria sentir pelo general, Alana seguiu para seu quarto. Ao entrar, uma inquietação desconhecida a incomodou. Olhou ao redor, mas não notou nenhuma alteração, a não ser a ausência de Marva, que já não dormia mais ali. Estranhamente, pensar em Marva fez recrudescer a sensação de inquietude, causando-lhe repentina agitação.

Ao lado dela, Shayla tentava alertá-la sobre as intenções de Kelvin e de sua malta de espíritos malignos. Dona de uma sensibilidade aguçada, Alana subitamente se lembrou de Shayla, tentando imaginar como estariam os mortos do lado de lá. Pensou no ódio desfeito, no arrependimento constante, na esperança da reconciliação futura, ainda que no mundo do além vida. Não sabia que Shayla estava bem ali, a seu lado, acompanhando cada movimento seu, cada pensamento, cada dúvida, na tentativa desesperada de salvar a vida de Marva.

Como não conseguiu o que pretendia, o jeito foi apelar para um subterfúgio. O desespero levou Shayla a tentar uma estratégia difícil de se alcançar, mas que vira Marlon executar algumas raras vezes com sucesso. Tudo dependeria do grau de sensibilidade de Alana e da ligação energética mantida com o espírito. Conjugando fluidos dela mesma e da princesa, Marva envolveu o espelho, que era o objeto preferido de Alana naquele momento, tornando-o imperceptível aos olhos da moça. Ao mesmo tempo, apoiou a mão na testa dela, incutindo, em seus pensamentos, a vontade de mirar-se no vidro mágico antes de se deitar.

O artifício funcionou rapidamente. Todos os elementos eram favoráveis ao intento: a vontade bem direcionada de Shayla, a intensa sensibilidade da princesa, a adequada faculdade sensitiva para a produção de fenômenos físicos, a forte afinidade tardiamente despertada com o espírito e o apreço especial pelo artefato, símbolo da afeição do general por ela. Reunidos todos esses aspectos, o resultado foi uma cadeia de lembranças que levou Alana a buscar o artefato de sua preferência.

Não o encontrou em lugar algum. Procurou em todos os cantos e recantos, passando os olhos várias vezes pela mesinha onde ele jazia, quieto, intocável e invisível apenas a seus olhos.

– Maldita Marva! – Alana pensou. – Aposto como deixou o espelho se danificar e sumiu com ele, para não ser repreendida nem castigada.

Ignorando o adiantado da hora, valendo-se das prerrogativas da realeza, Alana disparou em direção à cabana de Marva, que deveria lhe prestar contas do paradeiro do objeto.

Conforme Kelvin imaginara, Marva encontrava-se adormecida, deitada sobre uma cama de folhas. Pela silhueta estendida no leito, percebeu que ela estava sozinha. Durante alguns minutos, aguardou, para se certificar de que o sono era pesado. A essa altura, os espíritos cobradores já se encontravam junto a ele, naturalmente atraídos pelos pensamentos do druida, ávidos pela recompensa prometida. Kelvin notou-lhes a presença e pediu que o ajudassem, mantendo Marva adormecida até que ele concluísse o serviço. Assim os espíritos fizeram, movidos por uma euforia nervosa, que beirava o descontrole.

Lentamente, Kelvin aproximou-se, tateando a pequenina adaga em sua cintura. Não lhe agradava matar a sangue frio, porém, não via outra saída. Era isso ou perder o concurso de seus auxiliares invisíveis, e todo o plano elaborado para reconquistar Brigância desaguaria no vazio. Vencendo as trevas, alcançou a lateral da cama, redobrando a cautela para manter o ar sossegado e evitar que Marva despertasse. Somente quando se sentiu seguro foi que sacou a adaga, cuja lâmina reluziu palidamente, refletindo o negrume da habitação.

Com movimentos estudados e cuidadosos, abaixou-se ao lado dela, empunhando a adaga com vigor. Como a escuridão não lhe permitia identificar, com clareza, onde estava o coração, passou a mão levemente sobre o peito da serva e dirigiu a arma para o que lhe pareceu a altura correta, deslocando-a para cima e para baixo, procurando ajustá-la ao órgão que receberia o golpe fatal. Quando a coragem fortaleceu-lhe a vontade e dominou o controle de sua mão, Kelvin desceu a adaga sobre o peito de Marva, sentindo o tecido e a pele cederem suavemente, à medida que a lâmina penetrava a carne macia.

O cheiro acre de sangue inundou o ambiente com rapidez, atraindo a aproximação dos espíritos, que iniciaram o processo de extração do fluido da vida antes mesmo de Marva expirar. Ela não soltou nenhum grito e, mesmo sem ver os seus olhos, Kelvin podia imaginar a surpresa que os haveria anuviado naquela hora. Só que ela ainda respirava. Sem enxergar direito, Kelvin, certamente, errara o coração. Disposto a concluir a obra funesta, puxou a adaga e já ia desferindo na serva um novo golpe quando um grito de horror e revolta ecoou atrás de si.

Nem precisou se virar para saber de quem se tratava. Contra a escuridão da noite, o vulto de Alana sobressaía em frente à porta aberta. Kelvin puxou a adaga e, evitando voltar o rosto para a princesa, tropeçou para o lado, em direção à saída. Alana tentou segurá-lo, mas o druida era mais forte e conseguiu empurrá-la, não com muita força, mas de um jeito que a fez tombar no chão. A princesa gritou o mais alto que pôde, e logo uma tropa de soldados sonolentos, liderada por Tristan, se apresentou de armas em punho.

– O que foi que houve, princesa? – indagou ele, entrando no cômodo pequeno e escuro.

– Um agressor, um assassino – ela apressou-se em dizer. – Peguem-no! Não o deixem escapar!

Seguindo o comando de Tristan, os soldados saíram no encalço do criminoso, mas a noite os tornou cegos, e acabaram enveredando por caminhos errados. Kelvin, esperto e profundo conhecedor da floresta e das montanhas, desapareceu na escuridão, correndo de volta a sua caverna o mais depressa que pôde. Ali estaria seguro, indene de qualquer suspeita.

Kelvin tinha certeza de que Alana não o reconhecera. Seria impossível divisar qualquer feição ou porte no ambiente escuro. Mas se perguntava se Marva havia morrido, uma dúvida que, ele sabia, logo iria esclarecer. Efetivamente, não demorou muito e um mensageiro chegou, informando que a princesa solicitava sua presença. Ele fingiu sonolência, como se houvesse sido acordado de repente. Sem dizer nada, vestiu a capa e partiu atrás do emissário.

Em vez de ser conduzido ao palácio, o rapaz lhe indicou a cabana de Marva, para onde ele seguiu, simulando surpresa. Lá dentro, Alana estava debruçada sobre o corpo da serva, coberto pelo próprio sangue. Estaria viva ou morta? Tão logo percebeu sua presença, Alana se levantou e, assim que ela se virou para ele, Kelvin compreendeu por que havia lágrimas em seus olhos.

Capítulo 22

– Não entendo por que tanto alvoroço por causa de uma criada – Cartimandua queixou-se a Velocatus. – Na certa, ela se envolveu com quem não devia, e algum aldeão resolveu perfurar-lhe o coração, por ciúme.

– Pode ser – admitiu o marido, embora não muito convicto. – Mas o que me preocupa não é isso, e sim o fato de que alguém penetrou no palácio.

– Quanto a isso, você tem razão.

– A verdade, Cartimandua, é que nunca nos preocupamos em colocar soldados para guardar o palácio à noite. Nunca foi necessário, mas isso agora demonstra nossa vulnerabilidade. O alvo foi Marva, mas podia ter sido qualquer um de nós.

– Realmente – concordou Cartimandua, com certo ar de preocupação. – Algo assim jamais havia acontecido antes, embora eu ainda pense que foi uma questão pessoal com a serva.

– Dei ordens a Tristan para apurar os fatos, mas parece que ninguém viu nada. Quem quer que tenha entrado na tenda de Marva o fez acobertado pela noite. Uma sombra se movendo na escuridão não chama a atenção de ninguém, ainda mais a uma hora em que todos estavam dormindo.

– Todos, menos Alana. O que será que ela estava fazendo nos aposentos de Marva a uma hora daquelas?

– Parece que foi lá em busca de um espelho.

– Um espelho. Por quê?

– Acho que foi um presente do general romano, não sei.

– E onde está minha filha, por falar nisso?

– Lá, na cabana de Marva. Colocou vários homens atrás do possível criminoso.

– Será que isso foi um recado para nós, para nos mostrar o quão fácil é penetrar no palácio? – aventou a rainha, a quem a ideia surgiu de repente.

– Não creio. Por que alguém se importaria em nos mandar um recado desses? Se é nosso aliado, não precisaria chegar tão longe para nos alertar. Bastaria falar conosco. – Ela não respondeu. – Não, minha cara, para mim, foi uma questão pessoal com Marva, mas que serviu para nos mostrar nossa vulnerabilidade.

– Por que será que ele não atacou Alana também? Não seria o momento perfeito? A princesa, ali, sozinha, sem qualquer tipo de proteção, indefesa, bem ao alcance das mãos do malfeitor. Por que ele preferiu fugir em vez de atacá-la?

– Isso só comprova que o alvo era mesmo Marva. É nisso que acredito, mas, de qualquer forma, é preocupante. Precisamos organizar a segurança do palácio, inclusive, noturna.

– Sim, faça isso. Será melhor para todos nós.

– Essa será minha prioridade.

– E Kelvin? Por que não foi chamado?

– Ele foi. Deve estar lá, com ela agora.

– Vamos até lá. Quero ver o que está acontecendo.

– Está certo.

Quando o rei e a rainha chegaram à cabana, Kelvin havia acabado de entrar. Alana estava de pé, em frente a ele, chorando junto ao leito da serva moribunda.

– Kelvin, por favor– suplicou ela, mal se dando conta da presença da mãe.– Faça alguma coisa.

– Lamento, princesa, mas nem um druida é capaz de ressuscitar os mortos.

– Marva não está morta. Respira com dificuldade, mas ainda vive.

Foi uma surpresa tão violenta, que Kelvin se sentiu desfalecer. Não fosse a mente bem treinada, as pernas fraquejariam, e ele desabaria ao chão. Dominando o espanto e mais, o terror, o druida reassumiu o autocontrole e aproximou-se da moça, que parecia estar nos estertores da morte.

– Ela está em seus derradeiros momentos de vida – anunciou ele, examinando-a com cuidado. – Não posso fazer nada.

– Você não entendeu, Kelvin – tornou Alana, com tamanha autoridade, que parecia ter crescido em altura e imponência. – Estou mandando você salvar a vida dela.

– Não sou mágico.

– Ah, sim, você é. Sabe muito bem usar de magia, quando quer. Pois este é o momento em que estou mandando que você use todo o seu conhecimento para salvar a vida dela. É isso, ou pode esquecer a nossa... *amizade* – concluiu ela, frisando a palavra amizade, de forma a deixar transparecer seu significado oculto.

Para um homem inteligente feito Kelvin, foi o que bastou. Ele entendeu a mensagem e sabia que ela abandonaria os planos de se aliar à rainha Boudica e lutar contra os romanos, caso ele não lograsse salvar a vida da serva.

– Preciso de algumas ervas – informou ele, apressado. – E de algumas coisas da minha caverna.

– Quem vai achar ervas na escuridão da noite? – Velocatus perguntou, de repente. – Vai ser preciso esperar até o amanhecer.

Parecia que somente naquele momento Alana se dava conta da presença dos dois. Ela olhou de um para outro com assombro, como se eles estivessem deslocados ali, dois nobres estranhos infiltrados na plebe.

– Não – objetou ela, com veemência. – Kelvin conhece as ervas e sabe muito bem onde encontrá-las. Pegue dois soldados com tochas e vá buscar o que precisa. Agora!

Sem dizer nada, Kelvin saiu, acompanhado de dois homens que empunhavam tochas em vez de espadas. Sentia a iminência do perigo, a encruzilhada em que se metera. Se deixasse Marva morrer, perdia o apoio de Alana. Se a salvasse, perdia a ajuda dos espíritos. Tendo que tomar uma decisão apressada, optou por manter o plano traçado com a princesa. Com os espíritos, se entenderia depois.

– Não entendo por que essa obstinação em salvar a vida de Marva – comentou a rainha, espantada. – É só uma serva, e pensei que você não gostasse dela.

– Não gosto – assentiu Alana. – Mas não quero ser responsável pela morte de outra pessoa.

– Diz isso por causa de Shayla? – ela fez que sim. – Pois não devia. Você é uma princesa, não deve se permitir essas fraquezas.

– Não considero fraqueza o respeito pela vida.

– Onde foi que aprendeu esse tipo de bobagem? – intercedeu Velocatus. – Vidas insignificantes não merecem respeito. Nem Shayla, nem Marva são pessoas de valor. A morte delas não importa a ninguém.

– Importa a mim.

– Pois não devia...

– Pois você é que não devia se intrometer. Não me lembro de ter pedido a sua opinião.

– Parem com isso, vocês dois – censurou Cartimandua. – Venha, Velocatus. Deixemos Alana sozinha com suas culpas.

– Quem foi que falou em culpas? – retrucou ela, aborrecida por ter as emoções descobertas com tanta facilidade.

– Você mesma. *Não quero ser responsável pela morte de outra pessoa* – recitou. – Não foi o que você disse ainda há pouco?

– Isso é problema meu – desconcertou-se.

– Verdade, o problema é seu – repetiu Velocatus.

– Por que vocês dois vieram até aqui? – tornou Alana, irritada. – Se não foi para ajudar, não precisavam ter vindo.

– Eu só queria saber como um estranho penetrou no palácio.

– Caso você ainda não tenha percebido, aqui não é o palácio – retrucou Alana, impaciente.

– Vamos embora, Velocatus – ordenou a rainha. – Não temos nada que fazer aqui.

No exato momento em que os reis saíram, Kelvin retornou com as ervas e demais elementos de que precisava para tentar curar a lesão no peito de Marva. Preparou o emplastro com rapidez, limpou a ferida e cobriu-a em toda sua extensão. Depois, experimentou-lhe a testa, enrugando as sobrancelhas ao constatar o quanto ela estava quente. Separou algumas ervas e preparou uma infusão amarga, que forçou pela garganta da moça. Marva engasgou e tossiu, mas conseguiu engolir praticamente toda a poção.

– Agora, é só aguardar – considerou o druida, demonstrando séria preocupação.

– Ela vai sobreviver? – Alana quis saber.

– Vai – vaticinou ele.

– Ainda bem – ela olhou na direção da porta, mas a mãe e Velocatus haviam sumido, o que a deixou mais à vontade para confidenciar: – Eu não suportaria perder outra serva de forma tão brutal.

– Sabe que isso não é culpa sua, não sabe?

– Será que não? Não sei o que Marva fez para atrair o assassino, mas, se ela estivesse em meus aposentos, que é o lugar onde a serva de uma princesa deveria estar, isso não teria acontecido.

– Ela vai ficar boa – ele assegurou, soltando um longo suspiro. – E agora, vá descansar. Deixe que eu montarei guarda à cabeceira dela.

– Está bem.

– Antes, porém, me responda uma coisa – ela parou e o encarou, curiosa. – O que veio fazer aqui no meio da noite?

– Vim em busca do meu espelho. Ele desapareceu de meu quarto, o que acabou se tornando uma sorte. Não fosse por isso, não teria chegado a tempo de impedir o crime.

– E você conseguiu ver o agressor?

– Não. Estava escuro. Não vi nada.

– Talvez tenha sido melhor assim.

– Por quê?

– Porque ele poderia pensar em voltar para silenciar o que poderia ter sido a única testemunha.

– Bem, pode ser que isso ainda aconteça, não é? Quero dizer, como ele pode ter certeza de que eu não vi o seu rosto?

– Ele tem.

– Como você sabe?

– Intuição, princesa. As vozes internas de um druida nunca erram, e as minhas me dizem que o agressor se sente seguro e não voltará.

– Você pode ver quem ele é?

– Infelizmente, não. Sinto apenas a energia que ele deixou. E agora, vá dormir. Em breve, o dia irá amanhecer, e você precisa descansar.

– Tem certeza de que ficará bem?

– Absoluta.

– Deixarei dois soldados à porta, por segurança.

– Isso não é necessário, mas se fizer com que se sinta melhor...

– Sim. Tenha cuidado, Kelvin. E qualquer coisa, mande me avisar.

– Está certo. Não se preocupe.

Somente muito tempo depois que Alana saiu foi que o druida sentiu o peso do sono forçando suas pálpebras para baixo. O sol já despontava ao longe, cobrindo a terra com uma luminosidade pálida e fria. Ele pestanejou algumas vezes, lutando para se manter acordado, até que o cansaço o venceu, sua cabeça tombou levemente para o lado e ele adormeceu, para despertar em espírito, cercado pela súcia horrenda de companheiros invisíveis.

Capítulo 23

Lorna e Brian encaravam Kelvin com ar ameaçador. Ele sabia por que estavam ali e temeu pelo que estava por vir. Pensou em argumentar com eles, porém, não teve tempo. Lorna se adiantou e, enfiando as garras imundas no braço dele, reclamou, enfurecida:

– Você falhou em nos dar a serva.

– Tínhamos um trato – acrescentou Brian, erguendo o punho cerrado diante de seus olhos. – Que você descumpriu.

– Fiz o que pude – Kelvin tentou justificar-se. – Mas parece que Alana pressente as coisas...

– Não quero saber! Para nós, basta! Não conte mais conosco. Há outros druidas nos chamando para pequenos serviços. Melhor servir a eles do que a sua magia grandiosa, que pouco lucro nos rendeu.

– O que vocês querem dizer com isso?

– Você é surdo ou estúpido? – tornou Lorna. – O que Brian quis dizer é que estamos indo embora. Hoje mesmo vamos retirar os artefatos que impregnamos no espírito do romano, e ele vai ficar por conta própria.

– Vocês não podem fazer isso! Justo agora, que estamos chegando aonde queríamos.

– Você está chegando – contrapôs Brian. – Graças a nós, você conseguiu o que desejava, mas nós, não.

– Esperem! Ainda podemos tentar acabar com a vida da serva. Ela está sob meus cuidados.

– Faça isso agora – ordenou Brian, olhar terrível e ameaçador. – Derrame o sangue dela neste momento, e talvez reconsideremos nossa decisão.

– Agora? Não sei se é conveniente. Alana fez como vocês. Ameaçou abandonar nosso plano, caso eu não salvasse Marva.

– Ela não vai fazer isso – afirmou Lorna, convicta. – Foi só uma maneira de obrigar você a salvar a vida da moça.

– Pode ser. Mas pode ser também que ela desconfie...

– Desconfiar de quê, se a infeliz já está morrendo? – interrompeu Brian. – Faça uma sangria, diga que a ferida reabriu. Alana não é curandeira, não poderá contestá-lo.

– Sim, o momento é esse – incentivou Lorna. – Mate-a agora ou nos esqueça para sempre. E, ao contrário de Alana, nós estamos falando sério.

Kelvin abriu os olhos, ainda com as palavras de Lorna ecoando em sua mente. Lembrava-se de cada palavra dita do lado invisível. Mal acomodado em uma esteira de folhas, ergueu o corpo e olhou para Marva, que continuava adormecida, na mesma posição. Não havia facas nem adagas por ali, já que deixara a sua na caverna. A ferida, contudo, mal iniciara a cicatrização, coberta apenas pelo emplastro que ele preparara, de forma que seria fácil reabri-la, para que o sangue jorrasse livremente por ela. Faria aquilo com as próprias mãos.

Assim decidido, levantou-se vagarosamente, para não chamar a atenção dos guardas que Alana colocara de guarda à porta, do lado de fora. Ele apurou os ouvidos, mas não ouviu nada. Ou os dois estavam dormindo, ou absortos nos próprios pensamentos.

Esgueirando-se como uma cobra, sem emitir qualquer ruído, chegou mais perto. Marva dormia um sono inquieto, a respiração estertorante, o semblante retorcido, em agonia. Por uma fração de segundos, Kelvin chegou a sentir piedade da pobre moça, cujo único defeito era a ambição estúpida dos ignorantes. Contudo, não tinha outro jeito. Ou a matava, ou veria ruir todo seu plano, engendrado com tanto cuidado, de libertar seu povo do exército romano.

Na semiescuridão produzida pela única tocha do ambiente, Kelvin debruçou-se sobre o corpo de Marva, afastando sua roupa, em busca do ferimento. Encontrou-o com facilidade. Estava úmido, o sangue misturado às ervas. Tinha certeza de que, se continuasse com o tratamento, Marva se recuperaria em três ou quatro dias. Era uma pena, mas precisava ser feito.

Ele retirou o que pôde do excesso do emplastro e esticou a mão, para enfiá-la na ferida exposta, ainda purulenta e ensanguentada. Chegou a tocá-la com a ponta dos dedos e já ia afundá-los na carne da moça quando percebeu um par de olhos azuis acompanhando seus movimentos do outro lado e um pouco abaixo do nível da cama. Assustado, Kelvin soltou um grito abafado e deu um passo para trás, as pontas dos dedos manchadas do sangue que não tivera tempo de fazer brotar novamente.

– O que está fazendo?– indagou o soldado, levantando-se do chão, onde havia se acomodado, do lado oposto da cama de Marva.

– O que estou fazendo? – repetiu o druida, assombrado. – Eu é que pergunto o que você está fazendo aí. Quase me matou de susto.

– Estou cumprindo as ordens da princesa – esclareceu o homem, como se estivesse se desculpando. – Ela me mandou ficar de guarda.

– Ficar de guarda à porta da cabana, não ao lado da cama, deitado no escuro feito uma aranha peçonhenta!

– Peço que me perdoe, mas Marva é minha filha...

– Sua filha? – Kelvin surpreendeu-se, ao mesmo tempo que abrandava o tom de voz e tentava disfarçar. – Compreendo. Mas preciso que você saia daí. Tenho que examinar a doente.

Sem desconfiar de nada, o soldado se levantou desajeitadamente. Alisou os cabelos da filha, deu-lhe um beijo amoroso na face e pediu baixinho:

– Por favor, cure-a.

Depois se afastou, deixando Kelvin apavorado, fingindo que conferia o curativo de Marva.

– Maldição!– praguejou o druida, em tom inaudível.

Pelo canto do olho, Kelvin acompanhou a movimentação do soldado, que se havia postado em um ponto atrás dele. Podia mandar que ele saísse da cabana, contudo, se a moça morresse naquele momento, muitas suspeitas poderiam surgir. Com esse temor, Kelvin não viu outro jeito, a não ser substituir o emplastro e desistir de seu intento.

Foi o que fez. Marva gemeu, atraindo o pai para mais perto. Kelvin disfarçou, afagou sua cabeça e concluiu o curativo, ajeitando as cobertas sobre seu corpo. Depois, virou-se para o soldado, que abaixou os olhos, provavelmente constrangido por ter revelado o que poderia ser considerado uma fraqueza.

– Ela está bem – afirmou o druida. – Pode voltar a dormir.

O soldado tornou a se acomodar ao lado da cama, enquanto Kelvin se deitava na esteira novamente. Não conseguiria dormir, mas precisava disfarçar a impaciência e o temor. Através da grande sensibilidade que possuía, viu o plano invisível ao redor. Os espíritos circundavam a cama de Marva, à espera de uma gota de sangue que lhes satisfizesse a insaciável sede de vida.

Mas nada aconteceu. O sangue ainda fluía nas veias de Marva, inacessível à usurpação violenta de quem já não possuía mais corpo de carne. Os espíritos sabiam disso e reconheciam a derrota.

– Acabou – informou Lorna a Kelvin, deitando sobre ele o olhar furioso.

A única resposta possível foi o silêncio. Sem mais dizer, os dois se retiraram. Kelvin sabia bem para onde se dirigiriam e seguiu atrás deles, sentindo a pele arrepiar-se ao contato do vento gélido da manhã recém-nascida.

Quando alcançou o local onde Alana se encontrava, os espíritos ainda não haviam dado início ao serviço. Ele apeou do cavalo a uma distância segura e chegou sorrateiramente, escondendo-se atrás dos arbustos para observar. Ela e Marcus lutavam como se em batalha estivessem, e os espíritos preferiram esperar um momento mais calmo.

Alheios à movimentação invisível, o general e a princesa prosseguiam com o exercício de armas. Fazia já algum tempo que haviam trocado as espadas de madeira por lâminas de aço, e Alana demonstrava total domínio sobre a espada. Era uma guerreira nata.

Uma sensação estranha, contudo, deixava Alana inquieta. Havia algo no atentado a Marva que ela não compreendia, embora intuísse uma trama macabra urdindo-se por detrás dos acontecimentos. Todavia, mesmo apreensiva e desconfiada, não permitiu que suas preocupações interferissem em seu treino matinal, já que agora usava uma espada de verdade e não queria desapontar Marcus Tito nem permitir que ele zombasse de sua imperícia. Não. Estava disposta a se tornar a melhor guerreira de Brigância, quem sabe, até, de toda a Britânia.

– Impressionante! – comentou Marcus, quando pararam para descansar. – Você é uma guerreira nata. Maneja o aço melhor do que as espadas de madeira que lhe dei antes.

– Sinto como se a espada fosse uma extensão do meu braço.

Naquele instante, os espíritos se movimentaram, dando início à retirada dos apetrechos invisíveis, inclusive, da forma energética. Tudo aconteceu muito rápido. Em um minuto, toda uma parafernália invisível envolvia o corpo energético do general. No minuto seguinte, não havia mais nada. Brian e Lorna sabiam que Kelvin os havia acompanhado e olharam para ele com ar de triunfo. Fazendo uma careta de desafio, ela puxou o espírito do homem pela mão, e ambos desapareceram.

Para surpresa do druida, nada se modificou. Alana e Marcus continuavam ligados um ao outro, embora a energia que os envolvesse não fosse de sexo, mas de afeto. Se era amor de verdade, ele não sabia, mas, com certeza, era algo que ia além do desejo. Bem, talvez nem tudo estivesse perdido.

– Uma mulher guerreira– prosseguiu Marcus, sem se dar conta do que havia acontecido, embora sentisse um súbito e inexplicável alívio, como se, de repente, houvesse se tornado mais leve.– Agora posso dizer que já vi de tudo.

– Há muitas mulheres guerreiras na Britânia. Nosso povo não é como o seu, que coloca a mulher em posição de inferioridade à do homem.

Antes que ele protestasse, ela riu e enlaçou-lhe o pescoço, permitindo que ele a beijasse com ardor. Entregava-se a ele por vontade própria, porque gostava dele e sentia enorme prazer em sua companhia, fazendo sexo ou não. Ele, por sua vez, sentia o mesmo, pois desfrutava não apenas do corpo dela, como também das conversas e dos momentos de intimidade silenciosa, quando permaneciam apenas abraçados, rindo das nuvens que corriam no céu ou se aquecendo ao sol frio das manhãs.

– Sinto que algo a perturba, Alana– observou ele.– Aconteceu alguma coisa?

– Aconteceu. Tentaram matar Marva ontem à noite.

– Como é que é?– surpreendeu-se ele, dando um salto repentino.– Por que alguém faria uma coisa dessas?

– Não sei. Marva é uma inútil, nem gosto dela, mas não desejo que seja assassinada. Já basta eu ter matado Shayla.

– Foi algum assaltante?– ela deu de ombros.– Um amante ciumento, talvez?

– Não sei. Surpreendi o bandido na cabana dela, mas ele fugiu.

– Como assim, você o surpreendeu?

Ele estava horrorizado e fez com que ela lhe contasse tudo. Ao final, sua surpresa era tanta ou maior do que a dela.

– Muito estranho – falou, desconfiado. – Quer que eu mande investigar?

– Acho que não vai adiantar. Não houve testemunhas além de mim, e ele não deixou nenhum vestígio. Mas mandei redobrar a segurança ao redor do palácio. – Ele soltou uma gargalhada sonora, fazendo com que ela se assustasse: – Está rindo de quê?

– Você não sabe o que é um palácio de verdade – divertiu-se. – Comparadas às romanas, suas residências não passam de choupanas toscas e rústicas. E seu palácio? Bem, é só uma choupana de dois andares, melhorada para se aproximar um pouco mais da civilização.

– Não sei por que está zombando de mim – irritou-se. – Foram vocês que ensinaram nossos construtores a erguer aquela edificação e nos disseram que se chamava palácio.

– Está certo, perdoe-me. Não precisa ficar aborrecida.

Como Alana estava emburrada, ele se atirou sobre ela, fazendo cócegas em sua barriga. Ela se descontraiu e caiu na risada, abraçando-se a ele, totalmente envolvida pela aura do amor. De repente, um ruído chamou a atenção do general, que se pôs de pé muito antes de Alana. Espada em punho, gritou:

– Quem está aí? Apareça, ou vou encontrá-lo e abrir sua garganta.

Na mesma hora, Kelvin surgiu do meio dos arbustos. Cabeça baixa, procurou não encarar nem Alana, nem o general.

– Kelvin! – Alana surpreendeu-se. – Deu para me espionar agora, é?

– Perdão, princesa – ele foi logo dizendo. – Vim procurá-la porque Marva acordou e pediu para falar-lhe.

– Isso não pode esperar? – tornou Marcus Tito, contrariado.

– A princesa é quem sabe.

– Não, deixe– retrucou Alana.– Quero ver como ela está. Acompanha-me, Marcus?

– Sim, claro. Vamos lá.

Pegaram seus cavalos e partiram às pressas, deixando Kelvin sozinho e pensativo. Ele havia mentido, já que Marva não tinha despertado. Aquela fora a desculpa que arranjara para justificar sua presença ali, pois fora descoberto.

Observando os dois, Kelvin felicitou a si mesmo. Pelo visto, a retirada do par de espíritos não faria a menor diferença para a consecução de seus objetivos. A aura do general se tornava mais clara e límpida, não tinha como negar, e a nuvem espessa que o envolvia se dissipava aos poucos. Ainda se observavam pontos negros e vermelho-escuros manchando seu corpo energético, mas nada que não fosse dele. Energias externas se dissipavam aos poucos, permanecendo apenas o que já era próprio de sua natureza.

O retraimento dos espíritos e de seus mecanismos de obsessão não provocaram qualquer alteração no desejo e nos sentimentos do general. Pelo visto, sua paixão por Alana se convertera em algo pessoal e independente das investidas espirituais. Ele gostava mesmo dela, sentia afeto por ela, importava-se com ela, queria-lhe bem e a desejava não com lascívia, mas com amor. É claro que fora a interferência espiritual que dera início a todo aquele processo, contudo, o sentimento se desenvolvera por si próprio.

Se era assim, não havia mais motivos para inquietação. Desde que Marcus continuasse a ensinar Alana, tudo prosseguiria conforme o planejado, e Kelvin não teria mais que se preocupar com a cobrança de espíritos raivosos e incompetentes. Concluiu que o resultado final tinha sido ainda melhor do que o esperado.

De uma maneira ou de outra, havia conseguido o que queria, e de uma forma muito mais eficaz do que a que imaginara a princípio. Não tinha o que temer, apenas comemorar.

Capítulo 24

O que Alana encontrou quando entrou na cabana de Marva foi a serva inconsciente, embora com o semblante um pouco mais descansado. O pai dela não se encontrava mais ali, pois os soldados haviam sido substituídos, e Tristan achou melhor mandá-lo descansar.

– Ela continua do mesmo jeito – observou Alana, sem entender.

– Não sei o que você vê nesse druida – desdenhou Marcus Tito. – Pelo visto, além de incompetente, é também mentiroso.

– Não fale assim, você não sabe de nada. Vocês, romanos, nada entendem da nossa civilização, das nossas crenças, dos nossos costumes.

– Entendo que certas práticas são bárbaras. Mas isso não interessa agora. Seu amigo druida nada representa para mim. Não gosto dele, não confio nele e não me agrada a influência que ele exerce sobre você.

Alana ia protestar, contudo, naquele momento, Kelvin entrou na cabana. Havia chegado bem a tempo de ouvir as últimas palavras de Marcus Tito e sentiu a raiva penetrar em sua pele.

– Ah, Kelvin! – exclamou Alana, aliviada com a chegada do druida.– Você não disse que Marva havia acordado?

– E havia – confirmou ele, tentando conter a ira. – Mas parece que caiu em torpor novamente.

– Que coisa!

Kelvin olhou para Marcus Tito de soslaio, sentindo-se mal ao perceber que o general o encarava friamente de volta. O romano não lhe tinha apreço e o demonstrava abertamente.

– Não tema, princesa – disse ele, disfarçadamente. – Ela vai despertar de novo.

– Assim espero.

Ainda sob o olhar intimidador de Marcus, Kelvin se afastou. Queria evitar, ao máximo, ficar perto dele. Foi para o lado de fora e aguardou, mantendo os ouvido atentos à conversa no interior da cabana.

– Vamos embora – sugeriu Marcus Tito. – Não podemos fazer nada para ajudá-la.

– Acho que seria melhor Kelvin ficar aqui até ela acordar.

– Eu não faria isso, se fosse você. Livre-se do druida, e talvez sua serva tenha uma chance.

– Kelvin não teria motivos para desejar a morte de Marva – contrapôs rapidamente, porém, com a convicção abalada.

Será que não? Na hora em que fez a afirmação, a pergunta surgiu em sua mente. Fazia tempo que ela andava apreensiva, desde que tivera aquele sonho esquisito com Marlon e Shayla. Tinha conhecimento da magia empreendida por Kelvin para envolver Marcus Tito, embora desconhecesse os artifícios de que ele se utilizara para chegar a um resultado satisfatório. E se isso envolvesse um ritual de sangue? Não seria assim tão absurdo. Em outros tempos, seria até estimulado, para agradar os deuses e subjugar o inimigo. Será que Kelvin pretendia matar Marva para saciar os deuses e, com isso, levá-los à vitória?

De repente, a lembrança da deusa negra surgiu do nada. Oyá... Podia ainda ouvir o nome da figura magnífica ecoando em sua cabeça. Não conhecia nada daquela aparição, contudo, sentia uma admiração e, por que não dizer, um carinho especial por ela. Quem sabe Marcus Tito não teria as respostas que ela tanto procurava e que Kelvin não soubera lhe dar?

– Você já ouviu falar em Oyá? – repetiu a ele a mesma pergunta que, meses antes, fizera ao druida.

– Oyá... Não creio. Por quê? Não me parece um nome bretão.

– Talvez não seja. Na verdade, estou convencida de que não é.

– Onde você ouviu esse nome, posso saber?

– Numa visão que eu tive. Uma deusa me apareceu na montanha, linda, negra, reluzindo como uma mina de cobre. Fiquei impressionada.

– Negra? – ela assentiu. – Bem, não sei que tipo de visão é essa, mas pode ser que venha da África.

– Foi o que imaginei.

– Não foi apenas um sonho?

– Não, foi real, tenho certeza. E havia um deus também, mas não tão majestoso, e não sei o seu nome.

– Pois nunca conheci deuses assim. No início de minha carreira, servi uma temporada na África Proconsular, que fica ao norte, mas não cheguei a me aventurar pelo interior. Há muitas tribos selvagens embrenhadas nas florestas, lugares cercados pelo mistério, onde ninguém jamais esteve.

– Que pena. Tinha esperança de que você pudesse me ajudar. Perguntei a Kelvin, mas ele também não sabe de nada.

– Kelvin não poderia mesmo saber, já que nunca saiu daqui. Ele é apenas um bruxo pretensioso, com ares de sacerdote divino. Você não devia dar tanto crédito às bobagens que ele fala.

Do lado de fora da cabana, Kelvin sentiu um gosto de fel amargando-lhe a boca. No dia em que os celtas expulsassem os romanos, cuidaria do general à sua maneira.

– Sente-se bem, Kelvin? – indagou uma das sentinelas, notando o ar contrariado do druida. – Precisa de alguma coisa?

– Não preciso de nada– rebateu, com raiva.– Deixe-me.

Espumando de ódio, Kelvin se afastou, buscando o refúgio da floresta. Era muita sorte Marcus Tito estar apaixonado pela princesa, contudo, não era garantia de nada. Kelvin não duvidava que o senso de dever do romano superasse o arrebatamento da paixão. E agora, entregue ao próprio coração, o general podia mudar de ideia e deixar Alana de lado.

Ao entrar na caverna, foi tomado pela surpresa. Uma pequena fogueira acesa no meio da cavidade que era seu aposento iluminava o rosto de seu amigo Kendra, que estudava atentamente os apetrechos e ervas espalhados pela pedra que lhe fazia às vezes de mesa de trabalho. O druida sentiu sua presença e levantou os olhos. Não sorriu, mas se aproximou e cumprimentou-o com um abraço silencioso.

– Preciso muito falar-lhe – comunicou Kendra, sem delongas.

– Eu sei. Lamento não ter podido ir a Icênia, mas se fosse, levantaria suspeitas. Cartimandua requer minha presença ao lado da princesa o tempo todo.

– E nosso plano? Está dando certo?

– Como esperado. Alana está aprendendo.

– E o romano? Não desconfia de nada?

– Marcus Tito não é estúpido e não gosta de mim, mas está apaixonado por Alana. Pelo menos por enquanto podemos contar com sua ajuda, e a princesa aprende rápido.

– Ótimo. Talvez precisemos dela mais cedo do que pensávamos.

– Como assim?

– Prasutagus encontra-se enfermo, você sabe, e sua morte é aguardada para qualquer momento.

– Eu sei.

– A rainha Boudica está em alerta. Sabe que os romanos, provavelmente, não respeitarão a vontade do rei.

– Tenho que concordar com ela. Graças à submissão de Prasutagus a Roma, os icenos conseguiram manter uma independência que Boudica jamais consentirá perder.

– Você sabe que, pelo acordo de rendição, nossos territórios deveriam ser anexados aos dos romanos após a morte do rei. Prasutagus, contudo, deixou as terras para serem partilhadas pelas suas duas filhas.– Ele fez uma pausa, pensativo, e prosseguiu: – Boudica não vai se conformar em ser obediente a Roma, independentemente das questões sucessórias. Se os romanos respeitarem a vontade de Prasutagus, Boudica sairá fortalecida. Se não, ela buscará vingança. Seja como for, a guerra é iminente. Eu diria, até, inevitável.

– Você sabe que nem todas as tribos se aliarão a ela. Muitas permanecerão fiéis a Roma, o que pode ser um problema.

– É por isso que ela precisa de aliados, e Brigância possui um forte exército. Acha que os soldados estão prontos para seguir as ordens da princesa?

– Talvez seja cedo demais. Ela ainda não está pronta.

– Você disse que ela aprende rápido.

– Uma coisa é lutar, outra é liderar. Alana não está preparada para liderar um exército inteiro. Não ainda.

– Ela tem que estar! Não preciso repetir que precisamos dos brigantes como aliados, e sem a princesa, nada conseguiremos.

– Muitos soldados são leais a Velocatus e, consequentemente, a Cartimandua. Não erguerão espadas nem lanças contra os romanos.

– É justamente por isso que precisamos de Alana! Enfraquecendo o exército de Velocatus, teremos mais chances de conquistar as cidades controladas pelos romanos.

– Não sei, Kendra. Tudo me parece prematuro demais. Ela precisa de um pouco mais de tempo.

– Nós não temos tempo, Kelvin! Ou Alana se junta a nós agora, ou teremos poucas chances de vencer. Boudica conta com essa aliança.

– Boudica odeia Cartimandua. É por isso que quer Alana ao seu lado.

– E o que isso importa? Lembre-se da promessa que nos fez. Boudica não vai perdoá-lo se você falhar com ela.

Kelvin sentiu um arrepio. A fama de Boudica corria as tribos celtas. Todos temiam a rainha guerreira, de aparência terrível e feroz.

– Está certo, Kendra – reconsiderou ele. – Boudica pode contar com a aliança de Alana.

– Excelente! E como fará para se livrar do romano? Boudica o quer morto.

– Boudica sabe de Marcus Tito?

– É claro que sabe! Assim como sabe que ele é um inimigo perigoso.

– E poderoso também. Matá-lo pode atrair a fúria de todo o exército romano sobre nós.

– E daí? Com a aliança de outras tribos, estaremos em vantagem numérica.

Kelvin sabia que não era bem assim que as coisas funcionavam. Ele também queria o general morto, contudo, tinha que usar de prudência. Além do mais, vantagem numérica não era garantia de vitória, pois ele sabia que, aos exércitos celtas, os quais, a rigor, nem poderiam ser chamados de exércitos, faltavam a ordem e a inteligência dos romanos, sempre disciplinados e ótimos estrategistas.

Por isso, não deu resposta imediata a Kendra, preferindo guardar seus receios para si mesmo. O druida era subserviente a Boudica e não aceitaria suas justificativas, principalmente porque a rainha dos icenos, apesar de inteligente, era também precipitada e impulsiva.

– Vou ver o que posso fazer – disse Kelvin, por fim.

Era o que Kendra queria ouvir, mas não o que ele tinha convicção em dizer. Mesmo assim, serviu para apaziguar as emoções de ambos. A partir dali, tudo seria diferente, Kelvin não tinha dúvidas. O inevitável estava a um passo de acontecer.

Capítulo 25

Os traços imponentes de guerreira feroz intimidavam qualquer um que se atrevesse a fixar seus olhos por muito tempo. Os longos cabelos de cachos ruivos desciam-lhe pelas espáduas, cobrindo-a como um manto natural de luz e fogo. Os olhos, da cor das florestas à noite, eram terríveis e ameaçadores, mesmo quando se fixavam na paz do horizonte. Mesmo assim, Boudica era uma idealista. Seu ideal se transformara em sonho quando o marido assinara o acordo de rendição com os romanos, mas, agora, estava a ponto de desaguar no leito da realidade.

– Ele está morto – afirmou com voz retumbante, que ressoou por todo o palácio. – E minhas filhas têm seus direitos.

– Exatamente – confirmou Kendra, que havia acabado de retornar de Brigância, de seu encontro com Kelvin. – Mas será que os romanos irão respeitar a vontade do rei?

– Eles não têm escolha. Minhas filhas são as legítimas herdeiras das terras de Prasutagus.

– E, na prática, nossa aliança com Roma ainda se manteria.

– Será mesmo, Kendra? Não será este o momento que tanto aguardávamos de reconquistar nossa liberdade e expulsar os romanos, de vez, de nossas terras?

– Não esperava outra decisão sua, minha rainha. Mas a prudência nos manda aguardar.

A conversa foi interrompida pela entrada de uma serva, que anunciou, assustada:

– Está aí um general romano, pedindo para falar-lhe.

O olhar de Boudica era de ira. Cerrou os punhos e sentou-se, pousando as mãos sobre o colo, para não delatar sua revolta. Controlando a raiva, mandou que o general entrasse. Era um homem relativamente jovem, porte altivo e arrogante. Cumprimentou-os com um aceno de cabeça e foi logo entrando no assunto:

– Me chamo Octávio Máximus e venho em nome de Cato Deciano, que, como devem saber, é o procurador da ilha da Britânia – Boudica e Kendra nada disseram. Não facilitariam para ele, que pigarreou e prosseguiu: – Chegou ao nosso conhecimento que o rei Prasutagus, leal amigo e aliado de Roma, acaba de falecer.

– É verdade – confirmou Boudica, sustentando o olhar de intimidação do general.

– Lamento por isso – falou polidamente e aguardou, mas, como Boudica nada dissesse, continuou: – O procurador espera que a rainha cumpra o acordo de rendição e submissão, transferindo as terras do rei para o domínio de Roma.

O olhar dela era terrível. Duas chispas verde-oliva que lançavam dardos ígneos e invisíveis, mas perfeitamente perceptíveis pelos sentidos do romano. Ele sentiu medo. Seus soldados aguardavam do lado de fora, e ele estava sozinho ali dentro, cercado por uma rainha furiosa, um druida inconfiável e, agora notava, dois guerreiros robustos armados de lanças, postados, cada um, de um lado da porta.

Ela se levantou da cadeira lentamente e se aproximou do general, que manteve os olhos fixos nos dela, sem demonstrar o medo que percorria suas veias.

– Diga ao procurador que não tenho negócios a tratar com ele – anunciou de forma pausada, porém, firme, até mesmo assustadora. – O testamento de meu marido é claro e não diz respeito a Roma.

– O procurador não vai gostar de saber disso.

– O procurador não governa a Britânia – interveio Kendra. – Nossos assuntos, se tivermos que lidar com alguém, serão tratados com o governador Suetônio Paulino.

– O governador encontra-se ausente, combatendo rebeldes druidas na ilha de Mona – rebateu o romano, com insolência, fitando Kendra com ostensiva hostilidade.

– Então, aguardaremos sua volta.

– Não – protestou Boudica, veementemente. – Não precisamos de nenhum romano para nos dizer como conduzir nossos assuntos.

– Devo lembrá-la de que o costume é a transferência das terras ao governo romano?– insistiu Octávio.

– Costume de quem? Certamente, não de nosso povo.

– Posso saber o que consta no testamento de seu marido?

– Isso não é assunto seu.

– É assunto de Roma.

– Muito bem – concordou ela, após enervantes cinco minutos, em que o encarou com ousadia e determinação: – É vontade de meu marido que as terras sejam passadas a nossas filhas e a mais ninguém.

O general sentiu o ar lhe faltar. No fundo, não esperava por aquilo. Respirou fundo, para ganhar ânimo, e retrucou, encolerizado:

– Compreende que isso é uma afronta a nossas tradições? – ela não respondeu. – O território deve ser anexado aos domínios de Roma e, assim, assegurar o acordo de rendição.

– E se eu não estiver disposta a manter esse acordo?

– Está disposta a iniciar uma guerra? É isso que pretende?

– O que pretendo, na verdade, é que Roma nos deixe em paz. Já não têm o que querem? Não recebem altos impostos por tudo o que é produzido pelas nossas tribos, em nossa própria terra? Isso não basta? Querem ainda tomar o que, por direito, pertence a minhas filhas?

– Pense bem, rainha – ele procurou contemporizar. – A paz vem sendo mantida há anos. Compreendo que, nesse momento, você esteja sensibilizada, corroída por uma dor que não a deixa raciocinar direito. Mas essa decisão não é a mais acertada e, seguramente, não é a melhor nem para Roma, nem para Icênia. Seu marido não ia querer isso.

– Meu marido foi um fraco.

– Ele foi inteligente, político, diplomático. Logo compreendeu que render-se era a melhor solução para poupar vidas, e foi o que, acertadamente, fez. Valerá a pena agora, anos depois, revoltar-se contra nós e desencadear um conflito sangrento, que você não poderá vencer?

– Isso é uma ameaça?

– É o que você quiser que seja. Uma ameaça, um aviso, um alerta, um pedido... Pense bem, reconsidere.

Ela olhou para Kendra discretamente e acrescentou com voz um pouco mais amena:

– Muito bem, general. Já fez suas considerações. Agora, preciso de tempo para pensar. Em breve, comunicarei minha decisão.

– Espero que decida de forma prudente e sábia, como sempre fez o rei Prasutagus.

Ela sorriu forçadamente, indicando-lhe o caminho da saída. Octávio acenou com ares de indulgência e saiu apressado. O que mais queria era afastar-se dali o quanto antes.

Boudica não conseguiu esperar nem um minuto para explodir. Pouco se importando se o general ouviria ou não suas palavras de revolta, bradou com o máximo de força que seus pulmões permitiram:

– Isso sim é uma afronta! Um acinte! Quem ele pensa que é, vindo aqui assim, para me dar ordens como se eu fosse sua subordinada?

– Não se iluda, rainha, pois é exatamente isso que os romanos pensam que somos.

– Isso tem que acabar, Kendra. Eu devia tê-lo enxotado tão logo ele entrou. Ou melhor, não deveria sequer tê-lo recebido. Mas você me olhou daquele jeito, como se estivesse me reprovando, e eu cedi. Por quê?

– Para ganharmos tempo.

– Tempo? – ela repetiu, pensando rapidamente. – Sim, tempo, você tem razão. Precisamos de tempo para reunir um exército, caso os romanos se recusem a reconhecer o testamento de Prasutagus. E essa seria uma boa razão para lhes declararmos guerra. Quantas tribos você acha que se uniriam a nós?

– Os trinovantes, com certeza. E talvez os carieltavos, os cantiacis e, quem sabe, os catuvelaunos. Mas o mais significativo, para nós, seria a aliança com os brigantes.

– Acha que a princesa Alana, realmente, se juntará a nós?

– Acabei de retornar de Brigância, e Kelvin me garantiu que sim.

– Isso seria uma traição à mãe dela, a rainha Cartimandua. Tenho medo de que Alana não nos seja totalmente leal.

– Há muito, uma conspiração vem sendo articulada entre os brigantes, e Alana tem conhecimento disso. Temos aliados entre os soldados, encarregados de convencer seus companheiros a seguir a princesa.

– Está seguro disso?

– Inteiramente. No momento certo, eles a seguirão.

– E quando será o momento certo?

– Vamos aguardar os acontecimentos.

Mas os acontecimentos seguiam a ordem do destino. A morte de Prasutagus já era esperada, e os romanos encontravam-se atentos. Octávio Máximo concedeu um tempo à rainha Boudica para, ele mesmo, ganhar tempo. Conhecia as intenções do procurador, porém, considerava inoportuna sua intromissão nos assuntos de estado. Por isso, despachou um mensageiro a Suetônio que, por sua vez, tão logo tomou conhecimento do assunto, deu ordens para que os generais se reunissem em Londinium, para montar uma estratégia de guerra e sufocar a revolta de Boudica, se possível, antes mesmo que começasse.

Capítulo 26

Tanto quanto Cartimandua, Boudica era uma rainha implacável, muito segura de seus propósitos e persistente em seus objetivos. As duas reinavam sobre tribos aliadas de Roma pela subjugação, e o que as diferenciava eram os motivos que haviam levado à submissão. Movida pela ganância e visando seus próprios interesses, Cartimandua se colocou servil, ao passo que Boudica demonstrava subserviência apenas por imposição do marido. À primeira, interessava manter a aliança com Roma, para assegurar os privilégios que obtivera em troca de sua lealdade. A segunda, porém, aguardava o momento oportuno para libertar-se da tirania e reassumir a posse e o direito do que lhe pertencia e a seu povo.

Os romanos, por óbvio, não eram cegos nem estúpidos. De longe, acompanhavam a movimentação das tribos e conheciam os verdadeiros aliados, prontamente identificando os focos do perigo. E Boudica era, para eles, uma ameaça perigosa e bastante real.

Diante do risco iminente, Marcus Tito caminhava de um lado a outro na tenda que mantinha no acampamento do exército romano. Segurava em mãos a carta de Caio Suetônio Paulino, governador da província, que se encontrava em campanha na ilha de Mona, com a missão de destruir bosques sagrados e santuários druidas.

Marcus parou na entrada da tenda e olhou para a tranquilidade do lado de fora. As árvores estavam quietas, os pássaros soltavam trinados esporádicos, em harmonia uns com os outros, e a brisa fresca espalhava o aroma adocicado das flores. Olhando aquela paisagem serena, não poderia dizer que, em algum lugar daquela província, os campos se manchavam de sangue e a morte governava o destino dos homens. Segurando o rolo de papiro que continha a indesejada mensagem, montou em seu cavalo e partiu em direção ao palácio de Alana.

O rei e a rainha encontravam-se no salão principal, conversando sobre o que pareciam ser estratégias de guerra. Ele pediu licença e entrou.

– General! – exclamou Cartimandua, fitando-o com ansiedade. – Aproxime-se. Temos assuntos urgentes a tratar.

– Sei o que vai me dizer – rebateu ele, não sem uma certa irritação. – Pelo visto, também estão a par da morte do rei Prasutagus.

– E das consequências que daí poderão advir para todos nós– acrescentou Velocatus.

– Prasutagus era aliado de Roma – prosseguiu Cartimandua –, mas Boudica nunca escondeu sua repulsa aos romanos.

– Por enquanto, nada podemos fazer – falou o general. – A ordem é aguardar os acontecimentos.

– Somos aliados de Roma – lembrou o rei. – Espero que o imperador saiba reconhecer nossa lealdade em caso de invasão.

– Não acredito que Boudica tenha interesse em Brigância – observou o general. – Ao menos por enquanto, creio que ela se voltará contra as tribos mais próximas.

– Mas general...

– Temos pessoas competentes cuidando de Boudica. – arrematou ele, com impaciência, e acrescentou: – E agora, se me dão licença, vim para ver Alana.

Marcus Tito encontrou a princesa na cabana de Marva, que exibia um semblante mais sereno e parecia respirar com mais facilidade. Sentada em uma cadeira ao lado da cama da moça, Alana observava Kelvin limpar seu ferimento, acompanhando, atentamente, cada movimento do druida. De tão absorta, não percebeu, a princípio, a chegada do general, contudo, Kelvin sentiu a agitação da energia no ambiente e logo notou, mesmo sem ver, uma presença estranha junto a si.

– Como ela está?– indagou Marcus, afagando a cabeça de Alana.

– Melhor – respondeu ela, virando-se para ele com um sorriso forçado.

– Ela vai sobreviver – esclareceu Kelvin secamente.

– Que bom.

– Veio me buscar para nosso treino diário? – indagou Alana, notando o mal-estar que Kelvin e Marcus reciprocamente sentiam.

– Se for de seu desejo...

– É claro que é! Kelvin tem tudo sob controle, não tem, Kelvin?

– Sim, princesa. Não se preocupe com nada. Pode ir.

Alana acompanhou o general com uma certa apreensão. A notícia da morte de Prasutagus já havia corrido todas as tribos, e era impossível que ele não soubesse de nada. Partiram em silêncio, algo incomum quando os dois se reuniam. Mas nem Alana queria falar, nem Marcus Tito parecia disposto a iniciar uma conversa.

O treino foi muito proveitoso, pois Alana demonstrava, cada vez mais, sua aptidão para as armas, algo que encantava e assustava Marcus ao mesmo tempo. Ao final, exaustos, beberam água e deitaram-se à sombra de uma árvore para descansar.

– Você foi muito bem hoje – elogiou ele, com seriedade. – Creio que já está pronta.

– Você acha? – animou-se ela. – Já posso lutar?

– Pode. Só nos resta saber contra quem.

O sorriso de animação despencou de seus lábios, deixando em seu lugar uma ruga de gravidade.

– É só jeito de falar – ela tentou desculpar-se.

– Não, não é. Não sei se é experiência ou pressentimento, mas sinto uma movimentação estranha no ar. Temo que, em breve, você se volte contra mim.

– Isso nunca vai acontecer, nunca! Haja o que houver, esteja eu onde estiver, lutando contra quem for, jamais erguerei a espada contra você.

– Não sei. No fundo, somos inimigos.

– Isso não é justo. Temos sentimentos um pelo outro. Ou não temos?

– De minha parte, sim. Muito mais do que eu gostaria.

– De minha, também. Você sabe disso. Gosto de você de verdade, mais até do que gostava de Marlon.

– Não precisa mentir para me agradar.

– Não estou mentindo.

Ele guardou silêncio, apreciando as flores miudinhas que a brisa sacudia nos galhos acima deles.

– O rei Prasutagus está morto – disse ele subitamente.

– Eu sei – ela achou melhor não mentir.

– Sua mãe está com medo. E o governador, preocupado.

– E o que significa isso? Marcus, o que está tentando me dizer?

– Que, talvez, seja hora de eu partir.

– Partir? – repetiu ela, assustada.

Ele não respondeu de imediato. Voltou a olhar para as flores, que continuavam a se balançar no mesmo ritmo. Estendeu o braço para o lado e alcançou a mão de Alana, que apertou com força, puxando-a para junto de si e deitando a cabeça dela em seu ombro.

– Já servi em vários lugares – contou ele, pensativo.– Iniciei minha carreira na África Proconsular, aos dezessete anos, e depois viajei para o leste, para Jerusalém, onde conheci Jesus.

– Jesus...?

– Já lhe falei dele. Jesus, um judeu, grande líder, que conquistou muitos adeptos por toda a Judeia. Infelizmente, foi crucificado.

– Por quê? O que ele fez de tão terrível?

– Naqueles dias, as pregações do Nazareno, como era chamado, irritaram muitos judeus importantes. Eu estava em Jerusalém quando o vi entrar na cidade, aclamado por toda população. Não sabia quem era e perguntei a um judeu, que acompanhava a comitiva. Em troca de alguns favores, ele me disse que o recém-chegado era o Nazareno, que se chamava Jesus e que estava ali para as festividades da Páscoa. Como eu já havia ouvido falar em Jesus, procurei um dos sacerdotes do templo e tentei lhe vender a informação.

– Você fez isso? – ele assentiu. – E o que aconteceu depois?

– Não sei. O homem não me deu muita atenção, já sabia quem era Jesus e o que ele fazia ali. Só sei que, pouco depois, ele foi crucificado, mas a história não acabou por aí. Mesmo morto, Jesus ainda tem influência, pois os cristãos, que são seus seguidores, se tornaram inimigos de Roma.

– Interessante. Mas o que isso tem a ver conosco?

– Tudo ou nada. Os cristãos perderam seu líder, mas não desistiram de suas ideias e, por isso, são perseguidos e mortos. Embora Roma não se envolva diretamente nessas perseguições, deu liberdade aos magistrados locais para sufocarem as aglomerações cristãs da forma que acharem mais conveniente. As punições vão desde simples proibição da prática dos cultos até execuções coletivas.

Ela silenciou, refletindo nas palavras dele, sentindo uma angústia que se espalhava pelo peito. Nada sabia sobre os cristãos, mas conhecia bem o poder opressivo dos romanos.

– Por que está me contando isso? – indagou, já sabendo a resposta.

– Porque temo que o mesmo se repita aqui. O imperador é implacável com os inimigos e não hesitará em punir os bretões ferozmente, em caso de uma rebelião. Tenha cuidado.

Naquele momento, tanto ela quanto ele tiveram certeza do que significava a morte de Prasutagus. Marcus, finalmente, admitira para si mesmo que preparara para a guerra uma revolucionária que poderia ser perigosa. Mais do que tudo, estava certo de que Alana deixaria Cartimandua para seguir Boudica, sujeitando-se a toda sorte de perigos e enfrentando a morte nos campos de batalha. E, ainda que sobrevivesse, ela era uma princesa, filha de uma rainha aliada de Roma que, deliberadamente, resolvera se voltar contra a própria mãe e o Império. Não haveria perdão para ela.

Para Alana, por sua vez, ficou claro que Marcus sempre soubera de suas intenções e, mesmo assim, não desistira de ensiná-la, o que demonstrava um amor verdadeiro.

– Nunca vou lutar contra você – reafirmou ela, após alguns poucos segundos de contida emoção.– Juro não por gratidão, mas pelo amor que tenho a você.

Ele meneou a cabeça e acrescentou com tristeza:

– No fundo, eu sempre soube o que você queria, mas enganei a mim mesmo, acreditando que esse momento nunca chegaria. Agora, porém, com a morte de Prasutagus e a recusa de Boudica em ceder suas terras a Roma, creio que se aproxima um tempo de guerras e morte.

– Você não pode ter certeza.

– Ah! Mas eu tenho. E creia-me, Boudica não poderá vencer.

Mais uma vez, ela silenciou. Olhava para ele com respeito e admiração, sentindo o coração doer ao pensar em separar-se dele.

– Você disse que talvez tenha que partir – lembrou ela.– Foi chamado de volta a Roma?

– Não. Devo seguir para Londinium.

– Por que Londinium?

– Porque é a capital de toda Britânia romana.

A menção de uma parte da terra dos celtas como uma capital romana deixou uma marca de repulsa em Alana. Mesmo sem querer provocar uma briga, não foi capaz de resistir e rebateu friamente:

– A Britânia, como vocês chamam, jamais será romana.

– Não se iluda, minha querida. A Britânia, como nós chamamos, há muito tempo é, e continuará sendo, uma província romana.

Estava ali a fronteira entre amor e dever, no limiar de algo que tanto Alana quanto Marcus jamais conseguiriam ultrapassar. Naquele momento, ambos compreenderam que a separação era inevitável, como única forma de manter, intactos, o dever de lealdade ao povo e o amor que sentiam um pelo outro. Eles só não eram inimigos porque se amavam, mas havia uma rivalidade de ideias e de posição política que ambos jamais seriam capazes de superar ou romper, ainda que isso lhes custasse um preço alto em felicidade e, quem sabe, a própria vida.

Capítulo 27

Foi com as lágrimas nos olhos que Alana se despediu de Marcus Tito. Uma semana depois, ele partiu para Londinium, carregando no coração uma enorme sensação de perda e o indescritível medo de nunca mais tornar a vê-la. Alana deixou-se ficar à janela de seu quarto, imaginando os passos que ele percorreria a caminho da capital e os perigos que, porventura, encontraria no caminho. Depois de muito tempo, suspirou profundamente e dirigiu-se para a cabana de Marva.

Entrou em silêncio e acercou-se do leito, onde outra serva dava a Marva um caldo fumegante e perfumado. Marva estava mais pálida do que nunca, os olhos afundados em feições lívidas e cadavéricas. Ao vê-la, a antipatia que sempre sentira por ela não retornou. Era estranho olhá-la e, em vez de repulsa, sentir compaixão e tristeza.

– Está melhor? – indagou ela, tomando a tigela das mãos da criada e dispensando-a, pondo-se, ela mesma, a servir a sopa a Marva.

Marva assentiu, e as lágrimas desceram em silêncio.

– Eu sinto muito – disse, a voz sumida, quase inaudível.

– Não foi culpa sua ter sido esfaqueada.

– Não. Sinto muito por todo o mal que lhe fiz.

– Do que está falando?– tornou Alana, com desconforto.

– Você sabe.

– Pode ser que sim, mas gostaria que você mesma me dissesse.

– Fiz o que sua mãe mandou – confessou ela, após alguns minutos de constrangimento.

Alana continuava a servir-lhe a sopa devagar e não se alterou com as palavras de Marva. Sabia bem o que estava por vir.

– E o que minha mãe mandou? – questionou Alana, fingindo ignorância.

– Que eu a vigiasse... E lhe desse conta de todos os seus passos.

– E você fez isso muito bem, não foi?

– Não tive escolha– admitiu, envergonhada.

– Acho que sempre temos escolha.

– Talvez. Mas não é nisso que pensamos quando recebemos ordens da rainha.

– Ordens e uma promessa de recompensa. Ou será que estou enganada?

– Não. Mas a recompensa é só uma compensação pelo medo e nos dá a ilusão de que temos uma opção. A verdade, porém, é que tudo está a serviço do medo.

– Está querendo me dizer que só aceitou me vigiar por medo de minha mãe, e que aproveitou para obter uma recompensa, como forma de compensação por esse medo?

– Não. Estou dizendo que eu tinha duas opções. Ou a vigiava e era recompensada, ou me recusava e era castigada. Diga-me, princesa, no meu lugar, que decisão tomaria?

– Entendo a sua posição, Marva, mas eu preferiria ser punida a trair minha princesa.

– Eu estava sendo leal à rainha. Por medo, mas leal.

Alana olhou para ela com uma certa desconfiança, embora conseguisse entender sua posição. Enfrentar a rainha não era algo fácil de se fazer, coisa que ela só conseguia porque era sua filha. Assim mesmo, fora duramente punida por causa de Marlon, mas a mãe jamais atentaria contra sua vida nem mandaria machucá-la.

– Minha mãe, provavelmente, espera que você se recupere e retome suas atividades ao meu lado.

– Ela me julga uma inútil, pois nunca consegui conquistar sua confiança. Duvido que ainda me queira a seu serviço.

– E você está me contando isso por quê? Se antes não confiava em você, agora, muito menos confio.

– Porque não vou mais servir aos propósitos da rainha. Sei que foi você quem me salvou a vida, e agora lhe tenho uma dívida de sangue.

– Você não tem dívida alguma comigo.

– Tenho sim. E quero pagar-lhe com lealdade.

– Não sei se posso confiar em você.

– Eu sei lutar. Meu pai é soldado no exército da rainha.

– E o que isso tem a ver comigo?

– Sei que você vem aprendendo o manejo da espada com o general romano. Posso lutar a seu lado, se você desejar.

– Lutar a meu lado contra quem?

– Contra quem quer que nos ataque. Não foi para defender Brigância que você aprendeu a guerrear?

Alana engoliu em seco. Podia até ser que, por gratidão, Marva estivesse disposta a trocar a lealdade à rainha por ela, mas ambas se encontravam em lados opostos. Não podia contar-lhe algo tão sigiloso, não confiava em Marva e duvidava que ela a apoiasse naquelas circunstâncias. Saber que haviam escolhido lados contrários, na certa, a levaria diretamente a Cartimandua, pois um segredo daquele porte poderia render-lhe muitos benefícios.

– Não pretendo lutar contra ninguém – afirmou Alana, pousando a tigela no chão, ao lado da cama. – E você precisa descansar.

– Não, princesa, eu já estou boa. A ferida cicatrizou, não sinto mais dores. Agora é só excesso de cuidados.

– Que seja. Obedeça-me.

Ela acomodou Marva embaixo das cobertas e, assim que saiu, encontrou Tristan parado do lado de fora, esperando-a.

– A rainha pede para falar-lhe – anunciou ele rapidamente.

– Diga-lhe que já vou.

– Tem que ser agora.

– Está bem – concordou de má vontade. – Vá na frente. Irei em seguida.

– Lamento, princesa, mas tenho ordens para escoltá-la.

Alana o encarou com irritação. Não tinha a menor intenção de falar com a mãe naquele momento, mas Tristan parecia disposto a cumprir a ordem que recebera e não partiria dali sem ela. Vendo-se sem saída, não teve outra opção, senão obedecer. Com ele a seu lado, encaminhou-se para a porta de entrada, mas logo percebeu que não era para ali que se dirigiam. Tristan ladeou a parede e deixou a proteção do palácio, tomando a direção da floresta.

– Aonde estamos indo? – indagou ela, desconfiada, mas ele não respondeu. – Não ao encontro de minha mãe, com certeza. Vamos Tristan, exijo que me diga aonde está me levando ou não darei nem mais um passo!

Ela parou, decidida a não mais prosseguir. Preparava-se mesmo para dar meia-volta e retornar ao palácio quando Kelvin surgiu do meio das árvores.

– Não se assuste, princesa – disse ele calmamente. – Fui eu que pedi a Tristan para buscá-la.

– Você? Como assim? Desde quando Tristan faz o que você manda? Não estou entendendo.

– Acompanhe-nos e entenderá.

– Mas Kelvin – sussurrou ela, bem próximo ao druida–, Tristan é homem de Velocatus. O que ele está fazendo aqui?

– O rei Prasutagus morreu – afirmou ele, com gravidade, parando subitamente e segurando-a pelos ombros. – Não temos mais tempo.

– Sei disso, mas não compreendo por que Tristan está conosco. Ou será que você me enganou e esteve esse tempo todo a serviço da rainha?

– Não, princesa. Foi Tristan quem a enganou.

Naquele momento, chegaram a uma clareira no meio da floresta, onde alguns milhares de guerreiros, armados de lanças e espadas, aguardavam. Em um primeiro momento, a reação de Alana foi de susto. Não sabia de onde haviam surgido tantos homens. Ao vê-la, eles depuseram as armas no chão e se ajoelharam, inclusive Tristan, que se postou diante dela, de cabeça baixa.

– O que significa isso?

– Este é o seu exército, Alana – revelou Kelvin. – Faz tempo que os homens aguardam um líder à altura de sua coragem. E esse líder é você.

– Mas... de onde surgiu tanta gente?

– De todos os cantos de nossa tribo. Grande parte, do nosso próprio exército, e muitos dos campos. Mas não se deixe enganar por isso. Podem ser agricultores, mas são também guerreiros.

– Não entendo, Tristan. Nunca tive contato com os soldados de Velocatus.

– Perdão, princesa, mas não somos soldados de Velocatus – contrapôs Tristan. – Nossa lealdade pertence a quem puder nos liderar na luta contra a tirania romana. Há anos aguardamos um líder.

– Se isso é verdade, você sabe disfarçar muito bem.

– Tristan sempre esteve ao nosso lado – confirmou Kelvin. – Só obedecia as ordens de Velocatus para não ser descoberto.

O olhar de Alana para Tristan era de incerteza e medo. Por mais que Kelvin parecesse acreditar nele, ela ainda não sabia o que pensar.

– Deixe-me contar o que realmente aconteceu com o rei Venúcio, seu pai – disse Tristan, agora de pé diante dela, encarando-a com humildade.

– Minha mãe sempre evita esse assunto, acusando-o de traidor e covarde. Diz que ele lhe declarou guerra por vingança, porque ela o trocou por Velocatus.

– Isso não é verdade. Quando Caracatus, tio de Marlon, veio procurá-lo, fugindo dos romanos, Venúcio deu-lhe guarida. Repugnava-lhe trair alguém de seu povo, ainda que isso importasse em desafio ao poderio de Roma. Caracatus fez com que o rei enxergasse a verdade, convenceu-o da necessidade de expulsar o invasor de nossa ilha. Mas sua mãe era, de fato, a verdadeira governante, muito influente em razão de seu nascimento nobre, e não estava disposta a enfrentar os romanos. Visando unicamente seus próprios interesses, assinou um tratado de paz, entregando-lhes Caracatus em troca de apoio e proteção militar. Foi o que lhe trouxe grande prestígio e riqueza.

– Isso, todo mundo já sabe. Mas e meu pai? Ele simplesmente, aceitou essa traição?

– O que ele poderia fazer? Como eu disse, o governo legítimo pertencia a Cartimandua, e não a Venúcio. Ao negar apoio a Roma, ele deixou de ser interessante para a rainha, que preferiu repeli-lo e colocar Velocatus, um mero escudeiro, no lugar do rei. – Ele fez uma pausa, como se rememorasse momentos dolorosos, respirou fundo e continuou:–

Esse escândalo abalou a casa de Cartimandua, que não era um palácio bonito como o que você vê agora. Muitos de nosso povo gostavam de Venúcio, que ainda conquistou a admiração de algumas rainhas e, consequentemente, obteve o apoio de outras tribos. Foi aí que ele quase conseguiu retomar o poder.

– Como?

– A atitude de Cartimandua foi vista como traição por muitos brigantes, que iniciaram uma revolta interna. Aproveitando-se disso, Venúcio conseguiu ajuda de outras tribos e investiu contra a rainha.

– E o nosso exército? De que lado ficou?

– Nós, seus soldados legítimos, encontrávamo-nos agora sob as ordens de Velocatus, e ninguém, inclusive, eu, se atreveu a desobedecê-las.

– Por que não?

– Por dever para com a rainha. Afinal, ela era a legítima governante, não Venúcio. Assim, muito embora a maioria de nós gostasse dele, foi obrigada a seguir as ordens de Velocatus em razão da posição de sua mãe, verdadeira rainha dos brigantes.

– E o que aconteceu depois?

– Cartimandua viu-se em uma posição extremamente delicada e perigosa. Invocando o acordo de paz, pediu ajuda aos romanos, que enviaram tropas para sufocar a revolta de Venúcio. Depois disso, ele não teve outra opção, senão fugir.

– Mas então, minha mãe não deixa de ter uma certa razão. Ele se acovardou e fugiu realmente.

– Fugir para não ser capturado não é covardia, é prudência – intercedeu Kelvin. – Seu pai não teve saída. Preso pelos romanos, provavelmente seria morto e não teria mais nenhuma utilidade. Vivo, onde quer que se encontre, pode reorganizar um exército e atacar novamente.

– Você sabe onde ele está?– Alana indagou.

– Não. Ninguém sabe.

– E o que eu tenho a ver com tudo isso?

– Você é nossa princesa, detentora do legítimo sangue real – afirmou Tristan. – Sua mãe pode ter traído o próprio povo, mas seu pai se manteve fiel aos brigantes. Você carrega a estirpe real e, como legítima herdeira do rei Velocatus, deve estar preparada para defender seus ideais.

– O que vocês querem de mim? – indagou Alana, após alguns segundos em que se manteve hesitante, sentindo o súbito peso da responsabilidade real desabar sobre seus ombros.

– Queremos que lidere nosso exército na guerra contra os romanos – falou Tristan, prontamente.

Alana não sabia o que dizer. Parada diante dos guerreiros, assustou-se com a cobrança de algo ao qual não sabia se poderia corresponder. Havia ainda muitas coisas a considerar, principalmente, a confiança.

– Como ter certeza de que posso confiar em vocês?– questionou ela, encarando Tristan com ar intimidador. – Primeiro, foram leais a meu pai. Depois trocaram essa lealdade pela minha mãe e Velocatus, e agora, após tantos anos, e sem que eu nunca soubesse de nada, pretendem transferir toda essa lealdade a mim. Pergunto-me a quem serão leais depois que eu me for ou que seus interesses mudarem.

– Confie em mim, princesa – pediu Kelvin, puxando-a para um canto. – Nunca lhe faltei até agora. Você conhece minhas intenções, sabe que eu não a entregaria nas mãos de traidores. Tristan e seus soldados querem o mesmo que nós.

– Não sei, Kelvin. Ele sempre obedeceu cegamente às ordens de Velocatus.

– Ele fez o que foi preciso para não levantar suspeitas.

– Ele me vigiava dia e noite! – lembrou ela, não sem uma certa raiva.

– Que escolha ele tinha? Se você se lembra bem, verá que ele procurava não interferir em nossos assuntos e, sempre que podia, se mantinha à distância.

Ela encarou Tristan, ainda em dúvida, embora ponderando as palavras de Kelvin. Percebendo que ela o observava, Tristan se aproximou.

– Compreendo suas desconfianças – disse ele. – Contudo, pense, considere, reflita. Por que haveríamos nós de inventar tudo isso? Com que objetivo fingiríamos desertar de Cartimandua? Por que nos juntaríamos a Boudica, correndo o risco de sermos descobertos e massacrados por ela? Ou será que você pensa que foi Cartimandua quem armou tudo isso, apenas para nos infiltrarmos nas terras de Boudica e destruir a rainha dos icenos?

– Ele tem razão, Alana – concordou Kelvin. – A política de sua mãe não é provocar o inimigo. Ela teme que Boudica se volte para o norte e nos ataque. Em vez de se infiltrar no exército iceno, Cartimandua espera a proteção de Roma.

Todos os soldados a olhavam com expectativa, ansiosos por um novo líder.

– Juro pelos deuses, princesa, que você tem a lealdade de todos nós – asseverou Tristan, apontando para os demais soldados. – Muitos de nossos guerreiros estão aqui.

Alana se perguntou se o pai de Marva estaria entre eles, mas não externou sua curiosidade. Não estava bem certa do que deveria fazer. Sentiu medo, insegurança. Marcus Tito não estava ali para encorajá-la, e ela temia tomar uma decisão precipitada e inconsequente.

– Não sei – Alana resistia. – Não sei se estou pronta.

– Todos os guerreiros acreditam que sim – insistiu Tristan. – Eles confiam em mim, mas não me seguirão. Seguirão a você, a quem o sangue real confere legitimidade para combater e governar. Nós a queremos como nossa rainha.

– Viva a rainha Alana! – gritou alguém, erguendo a espada.

– Viva!

De todos os cantos, soldados começaram a levantar armas, numa demonstração comovente de confiança e apoio. Envolvida pela aura de franqueza e lealdade dos guerreiros, Alana sentiu a desconfiança e o medo esmorecerem. A certeza de que eles falavam a verdade, de que lhe seriam leais até a morte, encheu-a de ânimo e coragem. Um arrepio de emoção tomou conta de seu corpo, trazendo a crença de que ela era a rainha deles, dos icenos corajosos e rebeldes que não se curvariam mais à tirania de Roma.

A espontânea demonstração de apreço e lealdade não apenas a comoveu, como a convenceu da sinceridade de palavras e gestos dos soldados. Algo em seu íntimo se abalou, se remexeu, como um fogo adormecido que, de uma hora para outra, é despertado das profundezas da terra. Seguindo a aclamação dos guerreiros, todo o corpo de Alana reagiu, fazendo percorrer, pelo seu sangue, a certeza de que tudo o que diziam era verdade.

Agora confiante de que se encontrava ali para guiar os guerreiros em direção à reconquista das terras celtas, Alana sacou a espada da cintura e empunhou-a com força, apontando-a em direção ao céu. Naquele momento, sentiu no próprio corpo o poder da deusa da guerra que, sem que ela visse, estava ali, indicando-lhe a direção de seu destino.

Capítulo 28

O emissário romano deixou o palácio de Boudica com pressa, temendo pela própria vida. A rainha o recebera com uma fúria selvagem que ele nunca antes havia visto em uma mulher. Dali, partiu diretamente para o acampamento, onde o procurador Cato Deciano aguardava uma resposta.

– Lamento, procurador, mas a rainha não quer ceder– avisou ele. – Insiste que as terras pertencem a suas filhas.

O olhar do procurador exibia uma certa satisfação. Apesar de os bretões serem guerreiros valorosos, a maioria havia se rendido ao governo romano sem maiores dificuldades. Muitos opuseram resistência e pagaram caro, outros, se submeteram sem qualquer reação. Investir contra uma rainha jovem e louca não seria de todo mau e lhe traria enorme prestígio. Afinal, o que queria era defender os interesses de Roma, cujo direito de anexar o território dos icenos era incontestável. Prasutagus não poderia ter disposto de forma diferente, e Boudica, muito menos, tinha direito de se apegar a um testamento sem valor legal algum diante do senhor legítimo de toda a Britânia, que era o imperador Nero.

Enquanto isso, Boudica demonstrava enorme preocupação. Por pouco não perfurara o coração do mensageiro com sua própria lança, só não o fazendo porque Kendra a impedira. Se houvesse feito isso, sabia que as consequências seriam devastadoras... Mas, pensando melhor, não tinha certeza se havia mesmo evitado a devastação iminente.

– O que você acha que eles farão, Kendra? – indagou a rainha, encarando-o com raiva e medo. – Tomarão, à força, o que não lhes pertence?

– Para os romanos, tudo lhes pertence. Até mesmo as nossas vidas...

Foi nesse momento que ouviram o som de cascos de cavalos se aproximando em disparada. Boudica susteve a respiração e olhou ao redor, procurando pelos soldados. Gritos do lado de fora, bem como o ruído do choque dos metais, lhe diziam que seus guerreiros já se encontravam a postos, prontos para defender sua rainha.

– Saia, Boudica! – foi a voz retumbante que chegou a seus ouvidos. – Em nome do procurador Cato Deciano, apareça!

Boudica não teve outro jeito, senão sair. Surgiu com ar imponente, altivo, os cabelos ruivos e cacheados refulgindo à luz do sol. Na mesma hora, seus soldados a cercaram, formando uma barreira de proteção. Ela os afastou com um gesto decidido, pisando o solo com altivez, sem demonstrar submissão ou medo.

– O que deseja? – perguntou, embora já soubesse a resposta.

– Sabe quem sou eu? – tornou o homem, ignorando a pergunta dela, e, ante seu olhar de indiferença, ele mesmo respondeu: – O procurador Cato Deciano em pessoa, e estou aqui para exigir o cumprimento da lei.

– Não temos nada a tratar com você – afirmou Kendra, surgindo de entre os guerreiros. – Qualquer contenda entre nós e os romanos deve ser dirimida pelo governador Caio Suetônio Paulino, que é o encarregado de resolver as questões legais.

– O governador está ausente – retrucou ele, com visível má vontade –, em campanha na ilha de Mona, para mostrar a vocês, druidas, qual o seu devido lugar. Mas eu sou o procurador da ilha, e é a mim que compete cuidar das questões financeiras do império.

– Creio que as palavras de Kendra foram bem claras – intercedeu Boudica. – Se tivéssemos algo a tratar, seria com o governador, não com você, cujo único objetivo é cobrar tributos para engordar os cofres dos presunçosos de Roma e, assim, conquistar glórias para seu próprio nome. Você é a vergonha do seu império!

Deciano quase explodiu de ódio, porém, conseguiu se conter. Estava muito perto de conseguir o que desejava e que Boudica intuíra tão bem. A glória lhe pertenceria, e Nero seria obrigado a reconhecer seu valor e conceder-lhe um posto mais elevado.

– Seu marido contraiu dívidas para com cidadãos influentes de Roma, e também estou aqui para cobrar o pagamento devido – prosseguiu ele, ar ainda mais arrogante.

Parado do alto de seu cavalo, Deciano continuava a encará-la. O olhar de ódio adquiriu uma indiferença fria, que ela não conseguiu decifrar. Os homens ao redor dela encontravam-se preparados para qualquer ataque, erguendo espadas, lanças e escudos para defendê-la e a seu território. A investida dos romanos, contudo, não aconteceu. Seguindo um movimento quase imperceptível, as tropas deram meia-volta e se retiraram, deixando a rainha e seus homens assombrados.

Mas Boudica errou ao crer que Deciano havia desistido. Em vez de atacá-la diretamente, ele se retirou sorrateiramente, de volta à proteção do acampamento, enquanto o exército, impiedosamente, investia contra as pessoas inocentes da tribo, espalhadas em cabanas e pequenos núcleos por toda a extensão do território iceno. Despreparados e desprevenidos, os aldeões sucumbiram rapidamente, e quando Boudica se deu conta do que estava acontecendo, era tarde demais. Os guerreiros enviados por ela não foram suficientes para sobrepujar a supremacia romana e pereceram ao lado do povo.

Desesperada, Boudica saltou sobre sua carruagem e partiu sozinha em direção ao acampamento romano, ignorando os protestos de Kendra e as súplicas de seus próprios soldados. Não foi difícil encontrar o local, descoberto por batedores icenos que haviam seguido o mensageiro poucos dias antes. Ela entrou no acampamento como um furacão repentino, levantando terra e assustando os que ali estavam. Alguns soldados tentaram parar a carruagem, mas teriam sido por ela atropelados e mortos, já que Boudica não estava disposta a se deter diante de nenhum obstáculo. Dando voltas pelo acampamento, gritava com toda a força da fúria:

– Apareça, procurador! Traidor, covarde! Não tem coragem suficiente para enfrentar guerreiros no campo de batalha e preferiu trucidar inocentes desprotegidos nos campos de trigo? Onde está, maldito?

Protegido por seus homens, Cato Deciano saiu de sua tenda. Posições invertidas, era ela quem agora fitava o romano do alto de sua carruagem, muito embora o poder se encontrasse com ele, não com ela.

– Eu avisei, Boudica – falou ele, confiante na proteção de seus soldados. – Considere-se culpada por tudo o que aconteceu a seu povo e pelo que ainda está por vir.

– Como foi capaz de cometer tamanha atrocidade? Meu povo é inocente! Você mandou matar as pessoas e saquear a vila, para quê? Para impor uma vontade à qual jamais cederei?

– Ainda insiste em continuar com essa teimosia? Não foi suficiente punir o povo, que você diz inocente? Quantos inocentes mais você quer que eu castigue, até que você reconheça o que é de Roma por direito? Ceda o território e tudo se acabará aqui.

– Jamais! – bradou ela, saltando da carruagem com a lança em riste.

Na mesma hora, foi cercada pelos soldados romanos, que a subjugaram e desarmaram. Sua lança foi partida e atirada aos pés do procurador, que chutou os pedaços com desprezo. Posta de joelhos diante dele, Boudica esperneava o quanto podia, inutilmente lutando para se soltar. Os soldados eram mais fortes e a forçaram à submissão, embora não com muita facilidade. Antes de ser amarrada, ela distribuiu socos, pontapés e, sentindo-se presa e contida, mordeu quantas mãos seus dentes lograram alcançar.

A fúria de Boudica era descomunal. Um dos soldados, seguindo as ordens de Deciano, esbofeteou-a várias vezes, enquanto outro chutava seu ventre. Depois de espancada, os homens a levantaram bruscamente e a amarraram a um estaca, propositadamente fincada no meio do acampamento. Rasgaram suas roupas, e ali, ela foi açoitada. A violência dos romanos, em lugar de causar-lhe dor, alimentava, cada vez mais, o seu ódio. Boudica já não sofria com os golpes. A cada chibatada, redobravam a ira e o desejo de vingança.

Quando, por fim, encerraram-se as chicotadas, Boudica pensou que nada mais poderiam fazer para aumentar a revolta e a humilhação que experimentara naquele momento. Sentia que os sentidos se perdiam em meio à violência e teria desejado morrer, não fosse a certeza de que tinha que se vingar. Quando a consciência, momentaneamente, lhe fugiu, atiraram-lhe um balde de água gelada nas faces, fazendo-a despertar e olhar adiante.

Foi com terror que viu mais soldados chegarem. Vinham a cavalo, quase arrastando pessoas feitas prisioneiras, algumas, membros da própria família real. Mais atrás, duas figuras femininas amarradas pelas mãos, que os seguiam contra a vontade, porém, submissas. Eram duas crianças, meninas assustadas, de dez e doze anos.

– O que significa isso? – questionou Boudica, agora, realmente, aterrorizada. – Quem pensam que são para pôr as mãos em minhas filhas?

– No momento, sou a autoridade máxima desta ilha– bradou Deciano, quase engasgando na própria soberba. – E estes são prisioneiros que, a partir de hoje, se tornarão escravos de Roma.

– Como ousa? – rugiu ela, debatendo-se debaixo das amarras. – Essas são minhas filhas! E meus parentes! Exijo que os solte imediatamente.

– Você não exige nada! Você obedece. Se não por bem, pela imposição das armas. Foi a sua escolha, Boudica. Agora, lamente por ela e aprenda, de uma vez por todas, a colocar-se no único lugar que é seu por direito, que é o de subjugação a Roma.

Ao cruzar os braços, o procurador deu consentimento para que os soldados prosseguissem com sua selvageria. As duas meninas foram trazidas para a frente da comitiva e atiradas ao chão. Eram tão pequenas, tão frágeis, apenas duas crianças que nada entendiam de política nem de guerra. Mesmo assim, conheceram a brutalidade da pior maneira possível.

Sob os protestos de angústia de Boudica, iniciou-se o terrível flagelo. As meninas tiveram as roupas rasgadas e, inteiramente nuas, foram atiradas de um lado a outro, passando pelas mãos dos homens presentes, que se organizaram em círculo. Entre risadas de escárnio e aplausos de excitação, as meninas foram deitadas sobre estrados de madeira e violentadas pelos soldados, que faziam fila para experimentar um pouco do sangue real da Britânia.

A tudo, Boudica foi obrigada a assistir. As meninas choravam e gritavam, padecendo sob as garras dos homens, que as possuíam com violência e força excessivas. Toda a bravura da rainha se esvaiu diante da cena bestial. As lágrimas que ela verteu, aos poucos, secaram nos próprios olhos, conduzindo o sofrimento pelos caminhos da revolta e da vingança.

Cato Deciano não estava mais ali. Ao perceber o excesso de truculência com que os soldados tratavam as princesas, retirou-se para sua tenda, temendo uma feroz advertência de Caio Suetônio. Agora, porém, o mal já estava feito e não havia mais como remediá-lo. Depois de muito tempo, quando os gritos silenciaram e a humilhação tomou conta do espírito dos prisioneiros, o procurador ordenou que soltassem a rainha e as princesas, enquanto que os demais membros da família real seriam levados a Roma, como escravos.

– Espero que tenha aprendido a lição – disse Deciano, com arrogância.

Boudica não conseguiu responder. Não tinha mais forças nem ânimo para reagir. Só o que queria era estreitar suas filhas e fazê-las esquecer a violência e a humilhação. Queria que as meninas esquecessem, mas não ela. Boudica jamais permitiria que aquelas atrocidades morressem em sua lembrança. Ao contrário, queria-as bem vivas, porque seriam elas que, a todo momento, alimentariam a fornalha da vingança.

Capítulo 29

Boudica e as filhas foram colocadas em sua carruagem e levadas de volta ao palácio. Pelo caminho, ela ia observando as casas queimadas, as plantações destruídas, os corpos espalhados pelo chão, as crianças chorando a perda dos pais. Abraçada às meninas, a rainha sentia o ódio recrudescendo em seu peito, ditando as regras de sua conduta dali em diante. O povo massacrado seria vingado, seus parentes escravizados seriam vingados, suas filhas violadas seriam vingadas. Se havia alguma coisa que motivasse Boudica a viver era apenas aquilo: a vingança.

A pequenina construção que ela se havia acostumado a chamar de palácio encontrava-se praticamente destruída. A maioria de seus guerreiros estava morta ou ferida. A carruagem foi deixada na entrada, com o que restava da família real. À custa de muito esforço, Boudica conseguiu se mover. Saltou da carruagem e ajudou as filhas a descer também. As meninas estavam alquebradas, os corpos doloridos pela violência, uma tristeza infinita espelhada no olhar.

– Não se lamentem – disse Boudica, abraçando-as. – Aprendam a transformar a dor em ódio. Juntas, vingaremos essa afronta e retomaremos o que é nosso.

– Como, mãe? – indagou a mais velha.

– Vamos expulsar os romanos de nossas terras. E aqueles que se opuserem a nós serão mortos sem piedade, sem termos de negociação. Não fazemos prisioneiros. Aos romanos, apenas a morte!

Aos poucos, alguns servos apareceram. Ouvindo a voz da rainha, saíram de seus esconderijos para ajudá-la. Kendra surgiu com eles. Estava machucado, um olho sangrando, mas com força suficiente para ampará-la e às meninas.

– Graças aos deuses, vocês estão bem – avaliou ele, notando as vestes em trapos das garotas e intuindo o que lhes havia acontecido. – Pensávamos que haviam sido mortas pelos romanos.

– A morte teria sido melhor do que a humilhação – assegurou Boudica.

– Não diga isso, rainha. Mortas, não têm valia. Mas onde há vida prossegue a esperança.

– A vingança, você quer dizer. Ouça o que lhe digo, Kendra. Ocuparei todos os dias de minha vida a me vingar dos romanos. O que eles fizeram ao nosso povo, a minha família e a minhas filhas não vai passar impunemente. Terei minha vingança e os expulsarei daqui, não sem antes acabar com a vida de Cato Deciano. Quero que ele sofra dez vezes mais do que minhas filhas e eu sofremos. Quero que pague por ter levado minha família como escrava para Roma. Quero que ele sinta na pele a dor que causou a cada um dos icenos que mandou destruir. Não vou sossegar até que ele seja destroçado, e vou lhe causar tanta dor, que ele vai implorar para que eu o mate de uma vez. Mas só vou fazer isso quando minhas filhas disserem que estão satisfeitas, que está completa sua vingança e que ele já não serve para mais nada.

As duas meninas haviam sido levadas para seus aposentos, onde foram tratadas por curandeiros eficientes. Já Boudica recusou qualquer tipo de tratamento. Não queria que unguentos e poções apagassem a memória de suas feridas, porque era com elas que manteria viva a chama da vingança. A dor devia permanecer o máximo possível, para que ela nunca esquecesse o motivo de seu ódio pelos romanos.

– Aconteceu o que estava previsto – constatou Kendra. – A guerra contra os romanos, que era uma ameaça iminente, tornou-se inevitável.

– Como posso combater sem um exército? Meus soldados estão mortos...

– Mas você pode contar com seus aliados. Tenho certeza de que os trinovantes não hesitarão em segui-la. E tribos menores, como os carieltavos e os cantiacis, também se aliarão a nós. Sem contar os brigantes.

– Não confio na filha de Cartimandua, já disse.

– A princesa Alana odeia os romanos, principalmente pelo que fizeram a Marlon, sobrinho de Caracatus, que Cartimandua entregou a Roma, como você sabe.

– O que tem o sobrinho de Caracatus com a princesa dos brigantes?

– Eles foram apaixonados, iam fugir juntos, até que Cartimandua descobriu e mandou matar o rapaz. A partir daí, Alana se voltou contra a mãe e, instruída por Kelvin, passou a desejar morte aos romanos.

Vingança. Esse era o motivo mais poderoso que ela conhecia para se revoltar contra alguém.

– Muito bem. Traga essa princesa aqui. Quero ver do que ela é capaz.

– Ela está pronta para a guerra, e o exército brigante, que lhe jurou lealdade, é numeroso e bem treinado.

– Despache um mensageiro agora mesmo a Brigância, informando à princesa o que aconteceu aqui. Diga-lhe que aguardo sua chegada, assim como espero que ela também jure lealdade a mim.

– Tenho certeza de que ela fará isso.

Assim foi feito. Kendra enviou o soldado mais ligeiro aos brigantes, com a recomendação de procurar Kelvin, que saberia o que fazer. O druida recebeu o mensageiro em sua caverna e o despachou de volta, com a informação de que Alana se juntaria a Boudica tão logo as circunstâncias permitissem. Ela já estava pronta, apenas à espera do momento certo para partir. Kelvin encontrou-a passeando pela floresta, juntamente com Marva, totalmente recuperada de seus ferimentos.

– Chegou a hora – anunciou ele, baixinho, em seu ouvido. – A rainha Boudica pede que você vá ao seu encontro.

Alana estacou alarmada, tentando coordenar a infinidade de pensamentos que se amontoava em sua mente.

– Princesa! – chamou Marva, notando o estado de apatia da outra. – Aconteceu alguma coisa?

– Volte para o palácio – ordenou Alana. – Imediatamente!

A serva não contestou. Rodou nos calcanhares e, mesmo contrariada, obedeceu. Todavia, não foi para o castelo, ocultando-se em meio à vegetação para escutar.

– A tribo dos icenos foi praticamente devastada pelos romanos – prosseguiu Kelvin, narrando, em detalhes, o ataque comandado por Cato Deciano.

Uma enorme consternação tomou conta do coração de Alana. Jamais poderia imaginar tamanhas covardia e crueldade por parte dos soldados romanos.

– Diga-me, Kelvin – tornou ela, curiosa. – Marcus Tito não estaria entre esses soldados, estaria?

– Não sei, princesa – admitiu ele, preocupado. – Embora acredite que não.

– Por quê?

– Marcus Tito está em Londinium, a mando do governador Suetônio, e não creio que abandonasse seu posto para atender o chamado do procurador.

– Se eu me juntar a Boudica, será que terei que lutar contra ele?

– Esse risco já era esperado, mas você não pode desistir agora.

– Eu sei, não vou desistir. Tenho um exército para comandar. Quero, porém, que você se lembre da promessa que me fez. Marcus Tito não pode ser ferido.

– Não me esquecerei dessa promessa, Alana, mas não posso falar por Boudica.

– Ela terá que me prometer também. Do contrário, não terá o meu apoio.

– Diga isso a ela, mas faça-o o quanto antes. O tempo urge!

– E o que direi à minha mãe?

– Não diga nada. Cartimandua não vai, simplesmente, assistir à única filha e herdeira abandonar o palácio para se juntar aos rebeldes, contra os quais ela mesma lutou.

– Mas eu não posso ir para a guerra sem lhe dizer nada. Ao contrário, quero que ela saiba que estou partindo e por quê.

– Você não devia...

– Mas vou, e ninguém vai me impedir.

Era preciso agir com rapidez e cautela. Dali, Alana foi diretamente procurar Tristan e transmitir-lhe suas ordens, as primeiras como líder guerreira.

– Reúna os homens – falou, voz firme e autoritária. – Vamos partir ao amanhecer.

– Para Icênia?

– Sim. Boudica nos aguarda e precisa de nós.

– Como quiser, minha rainha.

– Não me chame de rainha. Sou Alana, uma guerreira, líder do exército dos brigantes, e é assim que desejo ser lembrada.

– Como quiser, princesa. Mas não há como nos esquecermos de que você será nossa princesa, e é esse título que lhe confere legitimidade para nos liderar.

– Está bem, que seja. Mas não sou sua rainha ainda, lembre-se disso. Não quero usurpar o lugar de minha mãe.

Decidida a contar tudo à mãe, Alana voltou ao palácio, mas só o faria às primeiras horas do dia, para não correr o risco de ser por ela impedida.

Capítulo 30

Tão logo o sol raiou, Alana entrou nos aposentos da rainha, que dormia nos braços de Velocatus. Ela sacudiu a mãe pelos ombros, despertando-a, ao mesmo tempo que ao marido.

– Alana! – exclamou Cartimandua, sonolenta. – O que está fazendo aqui? Aconteceu alguma coisa?

– Desperte, mãe, porque tenho algo importante a lhe dizer.

– O que foi que houve? – indagou Velocatus, grogue de sono e de cerveja.

– Eu vou partir – revelou Alana, com uma imponência e uma segurança jamais vistas.

– Partir para onde? – tornou Cartimandua, esfregando os olhos, tentando entender o que estava acontecendo.

– Para onde precisam de mim – disse simplesmente. – Vou lutar ao lado de Boudica.

– Está louca? – rugiu o rei, subitamente desperto. – Quer nos destruir a todos?

– Você perdeu a cabeça, Alana? Não sei exatamente quais são os planos de Boudica, mas se ela nos atacar...

– Não creio que seja essa sua intenção. Boudica vai fazer frente aos romanos, não aos de seu próprio povo.

– Mas nós somos aliados dos romanos!

– Talvez seja chegado o momento de reconsiderar essa aliança.

– O que deu em você, Alana? Pensei que, após a morte de Marlon, essas ideias houvessem ficado esquecidas.

– Pois se enganou. Você pode ter matado Marlon, mas não os seus ideais. Não vou mais tolerar ser escrava de nenhum romano.

– E Marcus Tito? Você não o ama?

– Marcus Tito é general romano, portanto, meu inimigo.

– Não acredito que você esteja falando sério! Se lutar contra ele, você vai perder.

– Não pretendo lutar contra ele – admitiu, fraquejando um pouco em seu tom decidido. – Mas não posso deixar que meus sentimentos pessoais interfiram naquilo que devo fazer.

– Isso é uma infantilidade – contrapôs Velocatus, um sorriso de deboche no rosto. – Não se assuste, Cartimandua, é só uma menina querendo brincar de guerra.

– Se pensa que estou brincando, então, prepare-se para uma surpresa.

– Velocatus tem razão – concordou a mãe. – Guerra é coisa séria, feita para guerreiros, não para princesas.

– O que uma garotinha inexperiente pensa que pode contra um exército inteiro? – acrescentou o rei, fazendo pouco dela. – Você, uma criança sozinha, não terá a menor chance contra soldados romanos bem treinados.

– Não sou inexperiente, muito menos estou sozinha – e, empunhando a espada, prosseguiu com orgulho: – Aprendi a manejar o aço, a atacar e me defender. E tenho um exército inteiro sob meu comando.

– Como assim? – Cartimandua surpreendeu-se. – O que você quer dizer com isso?

– Exatamente o que eu disse. Tenho o comando de um exército, milhares de homens que me seguirão aonde eu for e que só obedecerão a mim.

Atirando para longe a manta que os encobria, Velocatus deu um salto da cama, correndo para fora aos gritos:

– Tristan! Tristan! – O soldado não demorou a aparecer, e o rei ordenou, furioso: – Leve essa menina insolente daqui agora mesmo! Ela ficará confinada a seu quarto até segunda ordem.

Tristan, porém, não se mexeu, deixando o rei ainda mais irritado.

– Você não ouviu o que eu disse? – vociferou. – Mandei tirar Alana daqui!

– Está perdendo seu tempo e seu fôlego – avisou Alana, chegando por detrás do rei. – Tristan não é mais seu escravo. É capitão do meu exército.

– O quê? – disse o rei, entre espantado e mortificado. – Está me traindo, Tristan?

– Não – respondeu o outro secamente. – Apenas escolhi um lado, e esse lado não é o seu.

– Não acredito! Isso é, sim, uma traição!

– Tristan, volte imediatamente para seu posto! – esbravejou a rainha, aproximando-se deles. – Isso é uma ordem!

– Lamento, mas só obedeço às ordens da princesa.

– Você vai-se permitir manipular por uma criança? – contrapôs Velocatus, cada vez mais irado. – Perdeu o senso e os brios, homem?

– Sinto muito. Não queria que fosse assim, mas não posso mais servir a quem não serve o povo.

– Insolente! – bradou o rei, erguendo a mão para bater em Tristan, que aparou o golpe e retrucou com firmeza:

– O senhor não me dá mais ordens. Muito menos tem o direito de levantar o punho contra mim.

– Soldados! – gritou a rainha. – Homens!

– Não adianta, rainha, pois ninguém atenderá seu chamado – alertou Tristan. – A maioria de nós é leal à princesa, e quem não é está preso.

– Não acredito! Isso é uma revolta, uma insubordinação!

– Entenda como quiser – arrematou Alana. – A partir de agora, não lhe devo mais nenhuma satisfação. Estou partindo e vim apenas me despedir, como um último ato de consideração à minha mãe. Adeus.

Ela deu as costas aos reis, fazendo sinal para que Tristan seguisse com ela. Desceu as escadas a passos firmes e já se encontrava à saída quando ouviu a voz da mãe, chamando-a em desespero:

– Alana! Espere! O que será de nós? Você vai erguer armas contra os brigantes, contra sua própria mãe?

– Parto para lutar contra os romanos, mas não hesitarei em enfrentar quem quer que se atravesse em meu caminho para tentar me impedir de alcançar este objetivo.

Disse isso secamente, sem virar-se, e continuou a caminhar. Os reis desceram correndo atrás dela, surpreendendo-se ao se depararem com milhares de soldados armados do lado de fora. Ambos estacaram, impressionados, Cartimandua sufocando com as lágrimas mal contidas. Uma carruagem aguardava em frente ao exército, na qual Alana subiu com altivez, segurando as rédeas dos cavalos, que conduziria sozinha. Tristan se postou à sua direita, ao passo que Kelvin já se encontrava montado, à esquerda.

A um gesto da princesa, a tropa deu meia-volta, abrindo espaço para que ela passasse. Alana conduziu a carruagem pela estrada, ladeada por Tristan e Kelvin e seguida pelo seu poderoso exército. Cartimandua e Velocatus foram deixados para trás, remoendo a própria confusão, retorcendo-se de raiva e medo.

Logo aos primeiros movimentos, Alana ouviu seu nome partindo do meio da multidão de homens. Olhou ao redor, buscando a voz feminina que a chamava. Não demorou muito, e Marva sobressaiu-se entre os guerreiros. A maioria do exército era composta de homens, mas havia também algumas mulheres, já que seu povo não partilhava da suposição romana de inferioridade de seu sexo. Alana, porém, não esperava encontrar Marva entre elas.

Ela parou a carruagem, e todos pararam também. Marva se aproximou, segurando uma lança e um escudo.

– O que está fazendo aqui? – Alana quis saber.

– Quero segui-la, princesa.

– Não precisa. É perigoso.

– Tanto para mim, quanto para você, quanto para todos. Mas eu também sou uma guerreira. Não lhe disse?

– E seu pai? – tornou Alana, olhando ao redor.

– Ele não está entre nós – admitiu, um pouco contrariada. – Manteve-se leal a Velocatus.

– Perdão, princesa – intercedeu Kelvin, que ouvira toda a conversa. – Acha prudente confiar na filha de um soldado leal ao rei e à rainha? Ela pode nos trair.

– Eu jamais faria isso – objetou Marva, com veemência. – Desde que a princesa salvou minha vida, espero a oportunidade de provar-lhe o quanto lhe sou grata. Daria minha vida por ela.

– O que acha, Tristan? – Alana perguntou a seu capitão.

– O pai de Marva é um hábil e valoroso guerreiro. Eu mesmo presenciei os momentos em que ele lhe ensinou a lutar. Posso lhe garantir que ela é muito habilidosa no uso da lança.

– Não é a isso que me refiro. Quero saber se ela é leal.

– Quanto a isso, nada posso dizer, pois não conheço seus ideais.

– Por favor, princesa, acredite em mim – insistiu Marva. – Como poderia eu traí-la, seguindo-a para tão longe de casa, arriscando minha própria vida? Tenho certeza de que uma possível traição seria punida com a morte. Você me livrou da morte uma vez. Por que eu arriscaria minha vida novamente, não fosse minha eterna gratidão?

O que ela dizia fazia sentido. E, no fundo, Alana acreditava em suas palavras. A seu lado, Tristan permanecia impassível, embora ela percebesse, em seu olhar, uma sombra de admiração e respeito.

– Está bem – concordou Alana, por fim. – Vou lhe dar uma chance, Marva. Só espero que não me arrependa depois.

– Não vai se arrepender, princesa, eu juro.

– Muito bem. Suba aqui, ao meu lado. Seu lugar será na carruagem, junto a mim.

Sem conseguir esconder a felicidade, Marva subiu na carruagem, disposta a fazer de tudo para mostrar à princesa o quanto se tornara leal.

A comitiva prosseguiu viagem, rumo à Icênia, e Alana mal via a hora de conhecer Boudica pessoalmente. A sorte havia sido traçada pelo destino, e tudo o que Alana queria era expulsar os romanos e devolver a Britânia às tribos celtas. Pensando nisso, seu coração se apertou, pois a imagem de Marcus Tito surgiu de repente, lembrando-a de que haveria possíveis obstáculos, muito maiores do que o exército inimigo, que ela precisaria vencer.

Capítulo 31

O encontro com Boudica aconteceu em meio ao caos e à revolta. A rainha encontrava-se abatida, alternando entre o ódio e a angústia. Jamais se esqueceria dos momentos de violência praticados contra suas filhas, que fora obrigada a presenciar.

A comitiva de Alana foi recebida por Kendra, que agora usava um tapa-olho, para ocultar a vista perfurada pela espada de um romano. Os druidas se saudaram amistosamente, e Kendra apresentou Alana a Boudica, que a recebeu com uma certa frieza. Acostumada a expor suas ideias sem hesitar, foi logo dizendo:

– Uma menina? Esperava encontrar uma guerreira, e vocês me trazem uma criança?

– Lamento que pense assim, Boudica – rebateu Alana, indignada. – Sou uma princesa e sei lutar melhor do que muitos de seus homens.

– Não duvido. Na cama também se travam muitas batalhas.

Houve algumas risadas esparsas, a maioria em tom nervoso, algumas poucas para agradar a rainha.

– Em minha cama, a vitória é sempre do prazer – devolveu Alana, em tom sarcástico. – O mesmo não acontece com a guerra, onde será difícil me derrotar, pois aprendi técnicas que apenas os romanos conhecem.

– Ah, é? E quantas batalhas você já lutou?

– Nenhuma – e antes que o risinho irônico de Boudica se transformasse em deboche, Alana acrescentou: – E você?

Tampouco Boudica havia participado de uma guerra. Desde que se casara com Prasutagus, viviam em paz com Roma, apesar de ela discordar da política do marido, questionando, inclusive, algumas de suas decisões.

– Que técnicas são essas que você diz ter aprendido com os romanos?– indagou Boudica, como se de nada soubesse.

– Táticas de luta, do manuseio da espada. Posso demonstrar, se quiser.

– Minha rainha, tenho certeza de que a princesa Alana é mais do que qualificada para lutar ao seu lado – intercedeu Kendra.

– Não duvido – concordou Boudica. – Mas que romano foi esse, que lhe ensinou essas técnicas tão especiais?

– Um general.

– Por que um general faria isso?

– Porque eu o seduzi.

– E ele nunca questionou seus motivos?

– Ele não sabia quais eram meus motivos – assegurou Alana, revelando a irritação.

– Pode ser que não, contudo, você formou laços com ele.

– Os laços que formei com ele não interferem na lealdade que tenho ao nosso povo.

– Isso é o que você diz.

– Não entendo aonde a rainha quer chegar – interveio Kelvin. – Pensei que tudo já houvesse sido esclarecido por Kendra.

– E foi – assentiu Kendra, buscando o auxílio da rainha.

– É claro que foi – confirmou ela. – Mas vocês, na certa, hão de compreender minhas dúvidas. Afinal, como se não bastasse a princesa ser filha de Cartimandua, foi instruída por um general romano. São muitas aproximações com o inimigo, que me levam a questionar suas verdadeiras intenções.

– Disse-o bem, Boudica – admitiu Alana, com altivez. – Sou filha de Cartimandua, não a própria Cartimandua. Minha mãe e eu temos ideias opostas. E fui treinada por um romano, mas não devo fidelidade a ele. Afinal, estando nossa tribo sob a proteção de Roma, é natural o contato com os romanos, o que, por si só, não me transforma em sua aliada.

– Cartimandua mandou matar o noivo da própria filha – lembrou Kendra.

– Um rebelde, partidário de nossos ideais – complementou Kelvin. – Um homem que foi assassinado porque não compactuava com a submissão ao inimigo.

– Isso só reforça a lealdade de Cartimandua aos romanos – afirmou Boudica.

– Mas também comprova a lealdade de Alana ao povo celta – ponderou Kelvin, esfregando as mãos ansiosamente.

Boudica o encarou em dúvida, mas reconhecia o bom senso no que ele dizia. Após alguns instantes, olhou para Alana e considerou:

– Meu ódio pelos romanos não me torna cega à iminência da traição. Não vou negar que sua aliança é bem vinda, contudo, preciso me certificar de sua lealdade ao povo celta.

– Compreendo seu receio, mas pense bem. Por que acha que eu abandonaria minha própria tribo para aliar-me à sua, não fossem nossos interesses em comum? Ou será que pensa que eu arriscaria tudo o que tenho para atraiçoar uma rainha que não representa ameaça para os brigantes?

– É isso que você acha? Que não sou ameaça?

– Pelo que Kelvin me disse, sua revolta não é contra nosso próprio povo, mas contra os romanos.

– Dos quais sua mãe é fiel súdita, o que a coloca ao lado deles e, consequentemente, contra nós. Sendo assim, é nossa inimiga também.

– Minha mãe não é a causa de seus infortúnios – protestou Alana, temendo pela segurança de sua tribo. – Não foi para combater os brigantes que me dispus a aliar-me a você.

– Boudica, por favor, não vamos começar tudo de novo – suplicou Kendra, antes que a rainha se manifestasse. – A princesa Alana é nossa aliada. Rompeu relações com a própria mãe e veio de Brigância até aqui, conduzindo numeroso exército, para lutar ao seu lado, contra a tirania romana. E depois, tenho a palavra de Kelvin, que é druida, assim como eu. Não será isso motivo suficiente para confiarmos nela?

– Vocês estão fazendo parecer que eu estou implorando um lugar em seu exército, para lutar contra os romanos – ponderou Alana. – Mas foi Kelvin quem me convenceu, e a verdade é que tive que abrir mão de muita coisa para estar aqui. Se o fiz, foi por minha vontade, porque acredito em nosso ideal de liberdade e justiça. Mas Cartimandua é minha mãe, e eu a amo. Posso não concordar com seu modo de governar Brigância e me revoltar contra a forma como se aliou aos romanos, contudo, ela continua sendo minha mãe. Ainda que saiamos vitoriosos dessa guerra e expulsemos o inimigo de volta ao mar, ela sempre será minha mãe.

– E isso significa... – quis saber a rainha.

– Significa que, apesar de trair minha mãe, nunca deixarei de amá-la, e mesmo que tenha que lutar contra ela, jamais permitirei que lhe façam mal.

– Por sua mãe, você se voltaria contra mim?

– Não, mas essa é uma exigência que lhe faço.

– Você não é ninguém para me exigir nada.

– Sou uma princesa e lidero um exército. Então, perdoe-me a franqueza, Boudica, mas sou alguém, sim. E se você não estiver de acordo com isso, retiro-me agora mesmo, com meu exército de dez mil homens, de volta a minhas terras.

– Não faça isso, Alana! – horrorizou-se Kelvin. – Pelos deuses, mantenha a calma.

Dez mil homens era um número considerável de guerreiros, dos quais Boudica não poderia abrir mão. Era o que o olhar de Kendra dizia, suplicando-lhe que superasse suas desconfianças e impedisse Alana de partir.

– Sim, vamos todos manter a calma – concordou a rainha, forçadamente assumindo um tom mais ameno. – Princesa Alana, peço que me perdoe. Com certeza, saberá entender minha dor, a dor de uma mãe que foi obrigada a testemunhar a desgraça de suas filhas.

Alana não respondeu. Já estava farta daquela rainha prepotente e desconfiada. Não tivesse se desentendido com a mãe, não aceitaria as desculpas de Boudica e retornaria a Brigância imediatamente. Mas ela rompera com Cartimandua, e agora, não tinha mais para onde ir. Podia sair à procura do pai, porém, não sabia onde ele estava nem se a aceitaria. Sem contar que era responsável não apenas por ela, mas pelos milhares de guerreiros que haviam abandonado suas próprias vidas para segui-la. Não podia condená-los ao desterro nem permitir que fossem punidos por traição.

– Eu entendo – disse ela, mantendo a postura de dignidade e altivez. – Mas quero uma definição. Se quer que eu fique, terá que confiar em mim e me prometer que poupará a vida de Cartimandua. Se não, partirei em paz com meu exército e me manterei afastada.

Boudica não tinha saída. Ou aceitava suas condições, ou perdia o exército de Alana. Por isso, guardou dentro de si a suspeita e retrucou com mal disfarçada arrogância:

– Perdoe-me por ser cautelosa, mas confio em você, princesa Alana. Não tome meus questionamentos como desconfiança, pura e simplesmente. Eu precisava conhecê-la, para bem avaliar suas intenções.

– Muito bem! – exultou Kendra, às pressas. – Se chegamos a um acordo, vamos brindar. Que seja uma aliança forte, duradoura e vitoriosa.

Brindaram, embora ainda permanecesse no ar o clima de desconfiança mútua.

Capítulo 32

O massacre e os saques autorizados por Deciano haviam deixado os icenos indignados, à beira da revolução. A elite havia sido escravizada, os campos, devastados, o povo, sobrepujado e humilhado. A lembrança das crianças correndo por entre as árvores, chorando a perda dos pais, martelava na mente de Boudica, que as associava ao suplício infligido a suas próprias filhas. Tanta desgraça, tanta destruição, tudo para alimentar a cobiça do invasor, à custa do sangue iceno. Pois bem. Eles agora experimentariam a sanha de Boudica, e não havia nada que a impedisse de concretizar sua vingança.

Ao lado de Kendra, ela entrou no bosque sagrado, ainda não tocado por mãos romanas. Caminhando por entre as árvores, tentava adivinhar o que o governador Suetônio estaria fazendo com os bosques da ilha de Mona, e um calafrio percorreu-lhe a espinha. Era revoltante, uma afronta que ela não podia permitir que se repetisse ali.

Ela e o druida realizaram o ritual secreto, longe das vistas e do conhecimento de qualquer outra pessoa, inclusive, de Kelvin. Sua condição de sacerdote não era suficiente para que a rainha lhe franqueasse a participação na ritualística, não quando Kendra ainda podia conduzi-la e sendo, ela mesma, uma poderosa sacerdotisa. Tão logo encerradas as orações e oferendas, o druida deteve a rainha, que se preparava para retornar ao palácio.

– Espere, Boudica – pediu, segurando-a pelo braço.

Boudica o encarou com ar de questionamento, enquanto ele retirava de dentro da túnica um pequenino frasco de vidro e o estendia para ela.

– O que é isso? – ela indagou, mesmo sabendo o que era.

– Uma garantia, para o caso de você e suas filhas serem novamente capturadas pelos romanos. Se isso acontecer, eles não pouparão esforços para lhes infligir toda sorte de tormentos.

O olhar da rainha permaneceu pousado no frasquinho por alguns poucos instantes. Sua vontade era de atirá-lo longe, pois ele representava a dúvida, a incerteza, a aceitação da possibilidade da derrota, algo que ela repudiava com horror. Mesmo assim, a prudência acendeu um alerta em sua mente. Jamais permitiria que os romanos torturassem a ela e a suas filhas novamente.

Sem dizer nada, apanhou o frasquinho e o guardou debaixo da túnica, bem apertado na cintura. Depois, retornou ao palácio, onde o povo se amontoava, gritando palavras ofensivas e de revolta. Muitos camponeses seguravam foices e lanças improvisadas, prontos para atacar a horda inimiga e matar tantos quantos pudessem.

Do outro lado, os exércitos se aglomeravam. Os trinovantes haviam-se juntado aos homens de Boudica e de Alana, bem como algumas tribos menores. Juntos, formavam um exército considerável de homens e mulheres.

Boudica sentia o fremir daqueles corações valentes, dominados pela fúria incontida da vingança. O povo, que sempre a idolatrara, esperava apenas um sinal para dar início à batalha. De dentro do palácio, surgiram suas filhas, ainda exibindo as marcas da brutalidade romana. Ladeada pelas meninas, Boudica subiu em sua carruagem, de onde encarou seus guerreiros, procurando transmitir-lhes segurança e coragem.

O primeiro alvo da rainha era a cidade da Camuloduno, escolhida não ao acaso. Ali havia sido erguida a primeira colônia romana, à custa do assassinato da população local e da usurpação de suas terras, ofertadas como prêmio a soldados veteranos, para que colonizassem a região e vivessem suas aposentadorias com tranquilidade.

– Povo de Icênia – iniciou Boudica, olhar penetrante e intimidador. – Estamos aqui reunidos, hoje, para defender nossas terras, nossas vidas e nossa honra contra a tirania do invasor, do inimigo comum de todas as tribos celtas. A fim de permitir que os romanos vivam na ostentação, no luxo e na fartura, somos obrigados a trabalhar à exaustão para pagar os exorbitantes tributos cobrados pelo uso da terra que sempre nos pertenceu. Nossas crianças passam fome, nossas colheitas são confiscadas, nossos jovens guerreiros são capturados e escravizados, obrigados a lutar em favor daqueles a quem mais odeiam. Por quê? Eu lhes pergunto. Por que temos que nos submeter a essa infâmia, quando somos nós os legítimos proprietários de tudo o que há nesta terra?

Gritos de aprovação sobressaíram de todos os lados:

– Muito bem!

– Fora, romanos!

– Morte à corja de assassinos!

Apenas com um gesto de mãos, Boudica conteve as manifestações de apoio, pinceladas pelo ódio e o desejo de vingança.

Procurando alcançar, com o olhar, um a um dos presentes, apertou a lança contra a coxa e prosseguiu:

– Aqui, entre nós, encontram-se muitos aliados. A princesa Alana, da tribo dos brigantes, juntou-se a nós, trazendo um exército de mais de dez mil homens e mulheres. Além disso...

– A rainha dos brigantes não é nossa aliada! – lembrou um dos soldados.

– É aliada dos romanos – afirmou um outro.

– Como podemos confiar em sua filha? – indagou mais alguém.

Antes que Boudica tivesse a chance de responder, Alana se adiantou, montada em majestoso cavalo, pelo qual havia trocado a carruagem. Linda, altiva e decidida, ergueu a mão e começou a falar:

– Se minha mãe é leal a Roma, pensem no risco que corro ao abandonar sua proteção para me aliar à rainha dos icenos em uma guerra contra o invasor romano, cujas consequências podem ser não apenas minha exclusão da sucessão real, como também, a perda da própria vida, minha e de meus soldados, se não na batalha, por traição – fez-se uma movimentação nervosa, com a concordância de algumas pessoas e a discordância de outras. – O povo brigante não é aliado de sua rainha. Não há, entre nós, nenhum representante da rainha Cartimandua. Ela, minha mãe, a essa hora, deve estar me amaldiçoando e torcendo pelo meu fracasso e até pela minha morte. Portanto, não se iludam aqueles que pensam que os brigantes se voltaram contra os romanos. Eles não se voltaram. Continuam os mesmos escravos de sempre, um povo passivo, acostumado à servidão e ao conformismo pela opressão de minha mãe. E não pensem que falo *minha mãe* com orgulho. Relato uma condição que é minha de nascença, sobre a qual não tenho nenhum domínio nem escolha. Mas ser filha de Cartimandua não significa ser submissa a seus ideais, muito menos a sua vontade. Neste momento, se me reuni aos icenos e às tribos vizinhas para lutar contra os romanos, é porque acredito que nós, celtas, somos donos e herdeiros destas terras, e todos temos o direito de ser livres e de desfrutar do que adquirimos por nosso próprio esforço. Meu ódio ao invasor é igual ao de vocês, o que quero é o mesmo que vocês: expulsar, de vez, essa malta maligna de romanos que se julgam donos pelo direito de conquista, de espoliação e de assassínio. Hoje, ao lado de Boudica e de todos vocês, eu digo **não** à tirania e **sim** à liberdade! Juntos, venceremos essa guerra!

Naquele momento, ninguém mais duvidou das intenções de Alana. Seu discurso fora aprovado pela integralidade dos presentes, inclusive, por Boudica, que reconheceu na princesa a líder nata, aliada poderosa na guerra que ela iria vencer.

– Povo celta! – bradou Boudica, erguendo a lança. – Partamos juntos para Camuloduno, e que a deusa Andraste nos acompanhe!

Após convocar a deusa icena da guerra, Boudica partiu em sua carruagem, com Alana e outros comandantes, nobres de nascença, a cavalo, seguida por uma imensidão de guerreiros a pé. Por onde passava, o exército angariava mais e mais seguidores, em sua maioria, camponeses dispostos a dar a vida na luta contra os romanos.

A cidade não era guarnecida por muros e parecia tranquila quando Boudica chegou. Desprevenidos, os veteranos aposentados e os habitantes locais não estavam preparados para um conflito armado. Somente tarde demais, os soldados perceberam o que estava acontecendo. Boudica e seu exército investiram contra a colônia com fúria incontrolável, matando, indistintamente, quantos se atravessassem em seu caminho.

Foi uma carnificina. O ódio havia dominado inteiramente os corações celtas e, naquele momento, só o que importava era destruir o inimigo, independentemente de sua condição ou idade. Cidadãos de Roma precisavam ser eliminados, e isso incluía o ataque a mulheres, anciãos e crianças, e nem mesmo os animais de estimação foram poupados. Os homens que ali viviam, embora soldados romanos, eram velhos que já haviam perdido muito da habilidade com a espada e não tiveram nenhuma chance contra os guerreiros ferozes e assustadores de Boudica.

Alana compreendia a revolta dos companheiros, contudo, matar crianças e pessoas indefesas ia contra sua natureza e seus princípios. Por isso, limitava-se a combater os soldados, embora seus próprios guerreiros não lhe seguissem o exemplo, desferindo golpes enfurecidos por todos os lados.

Mesmo a Nona Legião Hispânica, encarregada de proteger a cidade, não conseguiu conter o avanço celta e perdeu a maioria de seus homens. Um emissário foi enviado a Londinium, em busca de reforços, mas o governador Suetônio Paulino ainda se encontrava em campanha e, com as legiões ausentes, o procurador Cato Deciano enviou apenas duzentos homens, que nada puderam fazer contra os milhares de guerreiros celtas. A cidade foi dizimada.

Os que puderam refugiaram-se no templo erguido para adoração do Imperador Cláudio. Não podiam ter escolhido lugar pior. Aquele era um local sagrado para os romanos, logo, um símbolo da tirania de Roma, que, por isso mesmo, devia ser destruído. Refugiados entre suas paredes, encontravam-se vários homens velhos, que para lá acorreram com suas famílias. Sob o comando de Boudica, os soldados acenderam tochas e cercaram o monumento. Foi nessa hora que Alana resolveu intervir:

– O que está fazendo, Boudica? Vai atear fogo no templo, com pessoas inocentes lá dentro?

– Não existem romanos inocentes– rebateu ela, irada.

– Mas são apenas velhos, mulheres e crianças indefesas.

– E para que nos servem? Ao contrário dos romanos, não é nosso costume fazer prisioneiros para depois torná-los escravos.

– Liberte-os. Eles não são ameaça.

– Eles são romanos. Só a sua existência já constitui uma ameaça.

– Não faça isso, eu lhe suplico. Não seja tão cruel quanto eles.

– Você pensa que me importo? Pensa que me compadeço da sorte de romanos, pequeninos ou grandes? Tenho deles tanta compaixão quanto a que demonstram pelas nossas crianças, que choram de dor, de tristeza e de fome.

– Eu entendo e não lhe tiro a razão, mas...

– Se não me tira a razão, afaste-se. Já está decidido. E confesso que estou decepcionada. Cheguei mesmo a pensar que você poderia ocupar o meu lugar como líder de todo o exército, mas agora vejo que me enganei. Você é fraca, e a fraqueza não se harmoniza com a liderança. – Deu um empurrão em Alana e ordenou aos guerreiros: – Queimem.

Talvez Alana fosse a única de seu povo a lamentar a sorte do inimigo. Compaixão não era comum entre os seus, e ela mesma se sentia estranha e diferente ao experimentar aquele sentimento. De onde estava, assistiu, entre o horror e o fascínio, as chamas se agigantarem até engolir o templo romano. Os gritos de desespero que partiam de seu interior eram horripilantes. As pessoas se atiravam contra a porta, cerrada pelo lado de fora, sem conseguir sair, enquanto o choro das crianças ia, aos poucos, diminuindo.

Com lágrimas presas nos olhos, Alana olhou ao redor. Todos, à exceção dela mesma, exibiam um ar de satisfação mórbida que a petrificou. Paralisada, buscou o olhar de Kelvin, que parecia exultar diante da cena grotesca. Como que sentindo o chamado da princesa, o druida voltou-se para ela. Logo, estava ao seu lado.

– O que houve? – ele quis saber, notando o ar de abatimento dela.

– Você não vê? Boudica mandou queimar todas essas pessoas inocentes.

– São inimigos – tornou ele baixinho, como se estivesse se justificando.

– Você compactua com ela! – indignou-se. – Kelvin, não foi para isso que quis lutar.

– E para que foi, então?

– Para expulsar os romanos de nosso território, não para matar velhos e crianças.

– Que ingenuidade a sua, Alana. A única maneira de expulsar os romanos é acabando com a sua existência. Ou você pensa que eles vão, por vontade própria, levantar suas defesas e partir? Somente a morte nos libertará de sua presença.

– Pelos deuses, Kelvin, há crianças lá dentro!

– Não, minha cara. O que há lá dentro são apenas romanos.

Ele não insistiu mais, preferindo afastar-se. Alana tinha ainda muito o que aprender. Compadecer-se de algum romano, ainda que de uma criança, não agradaria Boudica, como, de fato, não agradou. Ao permitir que a princesa fosse instruída por Marcus Tito, Kelvin se esquecera de que o general não lhe ensinaria a odiar seus compatriotas.

O ódio, porém, não encontrava abrigo no coração de Alana, não da forma como Boudica esperava. É claro que ela odiava os romanos, mas o que conduzia seus atos era o desejo de reconquistar a liberdade, não a sede de vingança.

Capítulo 33

Alana andava de um lado a outro do acampamento, refletindo sobre os acontecimentos das últimas horas. A cidade de Camuloduno havia sido arrasada, as ruas se tingiram de sangue, ninguém fora deixado vivo. Ela compreendia a necessidade de Boudica ser implacável, contudo, não compactuava com a violência desnecessária, a força desmedida, a crueldade insana. Matar soldados inimigos era uma coisa. Mutilar e torturar eram outras bem diferentes e estava muito além daquilo em que Alana acreditava como ideal de justiça e liberdade. Era simples brutalidade.

Para sua surpresa, Alana viu Boudica se aproximar. Parecia até que havia pintado o corpo, pois seu rosto e seus membros se encontravam rubros do sangue inimigo. Ela chegou desarmada, caminhando sem pressa, os olhos ainda reluzindo o brilho da vitória.

– Você pensa que sou um monstro, não é mesmo? – ela foi logo indagando, assim que percebeu que Alana notou sua aproximação.– Pensa que sinto prazer em trucidar pessoas?

– É o que parece– respondeu Alana, em tom desafiador.

– Não vou negar que me regozijei ao ver os romanos perecendo pelas nossas armas, mas você se engana se acha que foi por pura crueldade– a princesa olhava para ela, sem dizer nada.– Não era nada disso que eu desejava. Só queria viver em paz em minha terra, com minhas filhas e meu povo. Se Cato Deciano não houvesse mandado nos atacar, tudo isso teria sido evitado.

– Eu sei. Não questiono isso, e foi por esse motivo que me aliei a você. Sei do desprezo dos romanos pelas nossas tribos. Mesmo aquelas que se tornaram aliadas são apenas toleradas pelo imperador, desde que paguem os tributos corretamente. Temos que pagar pela nossa liberdade, para que não sejamos escravizados e para que possamos sobreviver com o mínimo que eles querem nos dar.

– Se concorda comigo, então, não devia lamentar a morte de qualquer romano, ainda que não seja um soldado.

– Matar velhos, mulheres e crianças, na minha visão, é um ato de covardia. Que honra há em trucidar aqueles que não podem se defender?

– Não estou em busca de honra – rebateu rispidamente.– Meu sangue exige vingança. E desde quando os romanos se importam com nosso velhos, nossas mulheres e nossas crianças? Muitos morrem de fome ou são escravizados. Nossas mulheres são violentadas, as crianças são brutalizadas. Eu mesma fui testemunha da crueldade deles. Trago nas costas as marcas da violência, e minhas filhas jamais se esquecerão da dor e da humilhação a que foram duramente submetidas. Não será isso uma covardia?

– É claro que é. Mas temos que combater os reais responsáveis por essa e outras selvagerias, que são os homens, os soldados, os guerreiros.

– Todos são iguais por serem romanos. O desprezo que uma mulher sente por nós não é diferente daquele que sente seu marido. A única diferença é que as mulheres romanas não aprendem a lutar, mas não duvide de que podem nos fazer ingerir veneno, se julgarem conveniente. Os velhos, um dia, foram bravos guerreiros, que ergueram a espada para nos assassinar. E as crianças darão prosseguimento aos atos de seus pais, alimentadas pelo desprezo que eles nunca deixarão de sentir por nós.

Era uma lógica irrefutável, que Alana não tinha como contestar. Mas talvez a lógica não tivesse nada a ver com o que ela sentia. O que incomodava Alana não era a razão, que pertencia, inteiramente, a Boudica, mas um sentimento difícil de encontrar naquela medida, que era a compaixão. Sem argumentos para rebater as razões de Boudica, Alana a encarou e declarou com a mais profunda sinceridade:

– Não podemos ser iguais a eles.

– Não. Temos que ser mais implacáveis. Só pela força bruta é que eles nos respeitarão e temerão. Só assim deixarão as nossas terras para sempre, e só então, poderemos voltar a viver em paz. – Boudica fez uma pausa, refletindo nas próprias palavras, e tornou com mais serenidade: – Se você tivesse vivido o que eu vivi, pensaria de forma diferente. Mas você é muito jovem, e o máximo de crueldade que presenciou talvez tenha sido a morte de seu amado. Você não faz ideia do horror que é ser obrigada a assistir, impotente, ao estupro de suas filhas ainda crianças. E, por mais que você seja uma princesa, não tem noção do que é a responsabilidade de governar a tribo e da dor de ver as pessoas que acreditam em você, que confiam na sua ajuda, padecerem não pela sua omissão, mas pela incapacidade de as defender e ajudar. Sua mãe é uma rainha dissimulada, que só pensa em si. Eu posso ser cruel, mas o que faço é pelo bem do meu povo.

Alana não disse nada. Não havia mais o que dizer. Compreendia e aceitava as justificativas de Boudica, mas seu coração ainda se condoía com a carnificina exagerada.

– Você e seu exército lutaram bravamente – continuou a rainha.– Fiquei impressionada com sua habilidade para manejar a espada. Pelo visto, o tal general romano a instruiu muito bem, e seus guerreiros provaram ser valentes e bons lutadores. Sou grata a você por ter-se aliado a nós. Seu concurso foi muito útil e decisivo na vitória de hoje.

– Obrigada.

– Espero que você continue a nos honrar com a sua lealdade.

– Quanto a isso, não há o que temer.

– Eu sei. E agora, descanse. Amanhã, partiremos para Londinium.

Boudica já havia se afastado quando Alana a chamou de volta:

– Espere. Há algo mais que preciso lhe falar.– A rainha se virou para ela com uma certa curiosidade, e Alana, que buscava as palavras certas para revelar o que pretendia, disse com cautela:– Tenho um pedido a lhe fazer.

– Que pedido?

Ela estava insegura, mas não era hora de se entregar ao medo. Encarando Boudica diretamente nos olhos, anunciou, sem conseguir evitar um pouco de hesitação:

– O general romano que me ensinou... Marcus Tito...

– O que tem ele?

– Ele está em Londinium. Não quero que nada lhe aconteça – afirmou, dessa vez, com determinação.

– Por quê?– retrucou Boudica, sem aparentar surpresa.

– Foi ele quem me ensinou tudo o que sei. Não quero que ele me veja como traidora.

– Você não precisa ser traidora. Só não faça nada a ele. Deixe comigo, que me encarrego de acabar com a vida dele.

– Você não entendeu. Não quero participar de nenhum ato de guerra contra ele, pessoalmente.

– Parece que você é que não entendeu. Quem vai participar desse *ato de guerra* serão os meus guerreiros, não os seus.

– Você está zombando de mim, Boudica – rebateu, com irritação. – Usa as palavras de forma a modificar a verdade, mas a verdade está no resultado que você busca alcançar, a qualquer preço. E a verdade é que você quer Marcus Tito morto, independentemente de quem o irá matar.

– Eu podia mandar matá-la por defender um romano – rugiu Boudica, espumando de raiva ante a petulância da outra.

– Pois faça isso e aguente as consequências. Ou você pensa que meus guerreiros continuarão a servi-la, sabendo que você mandou assassinar a princesa deles? Assim como você é adorada pelo seu povo, eu também sou adorada pelo meu. E não se iluda. Se eu morrer pelas suas mãos, todos eles se voltarão contra você, e, em vez de lutar contra os romanos, você terá que combater os soldados de sua própria gente, causando divisão e enfraquecimento em seu exército.

Se pudesse, Boudica teria matado Alana naquele momento. Nunca sentira tanto ódio de alguém como sentia daquela menina atrevida e muito segura de si. Bem que Kendra a havia alertado sobre aquela possibilidade. Avisado por Kelvin, o druida lhe contara sobre a preocupação da princesa, aconselhando-a a usar daquele subterfúgio para confundi-la e assegurar sua presença a seu lado. Alana, porém, não era tola nem ingênua, e isso era algo com que nem Kendra, nem ela contavam.

– Farei como me pede – retrucou Boudica, com frieza aparente. – Mas cuidado com as armadilhas da paixão. Elas enredam e costumam ser fatais.

– Não estou apaixonada por Marcus Tito – objetou Alana, de pronto.

– Ah, está sim. Negue o quanto quiser, mas, no fundo, você sabe que o ama, e esse amor causará sua ruína.

– Isso é uma ameaça?

– Sou uma rainha, não preciso ameaçar ninguém. Entenda como o conselho de uma mulher mais velha e experiente.

– Não preciso de seus conselhos, e o que sinto por Marcus Tito é problema meu.

– Pelo visto, já está mudando de ideia e aceitando a paixão. Mas será melhor esquecer esse romano, para não sofrer duplamente, seja por vê-lo morrer em combate, seja por perceber que ele não corresponde aos seus sentimentos.

– Isso não é verdade.

– Você pode pensar que Marcus Tito a ama, mas ele usou você e, provavelmente, já a esqueceu. Você foi apenas um brinquedo em sua cama, uma boneca animada brincando de guerreira, nada mais. Hoje, você deve ter sumido nas lembranças dele, ou então, virou objeto de galhofa, uma conquista de que ele pode se gabar nas tabernas que os romanos mandaram construir para seu deleite, enquanto se diverte com outras mulheres.

– Cale-se! Você não o conhece, não sabe o que está dizendo.

– Sei muito bem o que digo. Todos os romanos são iguais em seu desprezo, e esse seu general não teria por que ser diferente.

– Pense como quiser – revidou Alana, presa de indescritível raiva. – Apenas mantenha a sua palavra de garantir que nenhum mal acontecerá a ele.

– Será feito como você me pediu, já disse. Mas depois, não diga que não a avisei.

Não havia mais nada a ser dito, e Boudica rodou nos calcanhares, afastando-se de Alana o mais rápido que podia. Como era ingênua aquela menina! De que adiantava lhe prometer que nenhum mal aconteceria ao general, se ninguém o conhecia? Como distinguir, no campo de batalha, um homem que, na aparência, não diferia em nada dos demais soldados romanos? E a tola nem sequer havia pensado nisso. Mas essa seria sua desculpa para permitir que o general fosse morto. Um engano, ocasionado pela falta de conhecimento de seus homens.

Não que ela tivesse Marcus Tito como alvo direto e prioritário. Não o conhecia, nada sabia a respeito dele, não tinha, pessoalmente, nada contra ele, a não ser o fato de que era um romano. Só isso já era suficiente para desejá-lo morto. E se ele morresse, seria apenas por esse motivo. Pensando bem, já não seria exatamente assim. O motivo agora seria acrescido de outro: uma pequena lição para a princesa, para que ela aprendesse que um celta jamais se mistura com um romano.

Capítulo 34

O conflito que Alana vivia a deixava angustiada, confusa, sem saber ao certo que decisão tomar. Boudica lhe prometera que nenhum mal faria a Marcus Tito, mas será que podia confiar nela? Com essa dúvida, partiu em busca de Kelvin, a quem pouco vira desde a invasão de Camuloduno. Encontrou-o em confabulação com Kendra e alguns outros druidas, e ele foi ao seu encontro tão logo a viu.

– Algum problema, princesa?

– Não sei. É o que quero que você me diga.

– Como assim? Até agora, não vejo problema algum. Saímos vitoriosos, graças, em grande parte, a você.

– Estou preocupada com Marcus Tito – ela acabou dizendo, deixando de lado os rodeios. – Boudica me prometeu não fazer nada contra ele, mas não confio nela.

– Pois devia. Boudica é uma rainha guerreira e honrada. Se lhe deu sua palavra, não faltaria com ela.

– Gostaria de ter a sua certeza.

– E eu gostaria que você se preocupasse menos com o romano.

– Por que diz isso agora? Não se esqueça de que, para obter o meu apoio, você mesmo me assegurou que nenhum mal lhe sobreviria.

– As coisas agora não estão sob meu controle e não dependem mais de mim. Não posso intervir nas decisões de Boudica.

Alana deixou a companhia de Kelvin arrasada. Estava sozinha, sem aliado algum em sua luta para defender Marcus Tito. Se pudesse ir ao encontro dele sem trair o seu povo, ela o faria. Não podia, porém, pôr em risco os planos de Boudica. Encontrava-se dividida entre o amor por um homem e a lealdade a sua gente.

No dia seguinte, as tropas de Boudica partiram em direção a Londinium. Pelo caminho, muitos se uniram a eles, engrossando, ainda mais, o exército revolucionário. O número crescia de forma tão vertiginosa, que Alana chegou a se questionar se seus homens fariam falta em combate. Sentiu medo, porque, se Boudica chegasse à conclusão de que poderia prescindir deles, talvez não se preocupasse tanto em manter sua promessa.

Uma surpresa os aguardava no caminho. Alguns destacamentos da Nona Legião encontravam-se no sul da Britânia, para onde se dirigia a tropa de Boudica. Vendo os romanos marchando a seu encontro, espadas e escudos em punho, a fúria dos revoltosos redobrou e, ao comando de sua rainha, investiram contra os soldados com tanta selvageria, que eles não tiveram a menor chance de se defender. À exceção de um pequeno grupo de cavalaria, que conseguiu fugir, foram todos dizimados.

– Avante! – bradou Boudica, erguendo a lança, que pingava sangue. – Para Londinium e para o fim da tirania romana!

O povo parecia enlouquecido. Boudica comandava o exército do alto de sua carruagem, tendo ao lado as filhas que, como a mãe, exibiam, no olhar, a sanha assassina da vingança. Em nenhum momento, Alana se arrependeu do que fazia. Lutava em uma guerra legítima, contra o inimigo que se arrogara nos direitos de conquistador, matando e espoliando sua gente. A exemplo de Boudica, erguia a espada para matar e mutilar, envolvida pelo calor da batalha, pelo instinto de sobrevivência e pela fúria desordenada do entrevero. Evitava, porém, as atrocidades, a tortura, a morte impiedosa e, sobretudo, a crueldade dirigida contra inocentes.

– A princesa está pensativa – disse Marva, galopando ao lado de Alana.

– Não é nada – respondeu ela, tentando disfarçar o olhar taciturno.

– Você não aprova os atos da rainha, não é?

– Por que diz isso?

– Noto sua contrariedade quando ela manda matar os que não são soldados.

– Eles não têm culpa de nada – justificou-se.

– Eles são romanos.

– Você pensa como todo mundo, eu entendo. Só que eu não sou assim. Não vejo mérito em matar pessoas inocentes e desarmadas.

– Talvez a questão não seja de mérito, mas de justiça.

– Mesmo assim. A justiça está em combater o agressor, não em assassinar crianças.

– Ainda que eu não entenda a sua lógica, tenho para com você uma dívida de gratidão. Jamais desobedecerei suas ordens e sou capaz de dar minha vida para defender a sua.

– Não precisa chegar a tanto. Basta seguir o meu exemplo.

– Como Kelvin? – ironizou. Ele parece mais próximo dos icenos do que de nós.

– Kelvin possui interesses próprios e já se esqueceu de todas as promessas que me fez.

– Mas eu não. Reafirmo aqui a promessa de segui-la e obedecer-lhe, ainda que isso me custe a vida.

Alana não respondeu. Toda a desconfiança que sentira de Marva no passado se diluíra na sinceridade posta em suas palavras. Naquele momento, tinha certeza de que podia confiar nela. Alana deu-lhe um sorriso de encorajamento e se voltou para a frente, acompanhando a caminhada vagarosa do exército. Ela mesma havia trocado a carruagem pelo cavalo, dada a praticidade e a rapidez do animal. Contudo, como a maior parte dos guerreiros se encontrava a pé, os cavalos não podiam disparar à frente, sendo necessário conter-lhes o trote.

Aquecida pelo calor do sol e embalada pela marcha monótona, Alana não conseguiu evitar que as pálpebras descessem sobre seus olhos. Enquanto seu corpo sacolejava ritmadamente, ao sabor das passadas do cavalo, ela adormeceu, mas era como se continuasse acordada. Mesmo adormecida, continuou vendo os soldados em marcha desencontrada, mas estranhou o fato de que, de uma hora para outra, o número de homens e mulheres parecia haver crescido substancialmente, sem que ninguém mais houvesse se juntado a eles.

Tentando entender de onde provinham aquelas pessoas, Alana olhou ao redor. Só então compreendeu a procedência daquela gente ainda mais enfurecida. Bem a seu lado, montado em um cavalo de aparência sinistra, seguia um homem de aspecto ainda mais assustador. Ela abriu a boca para chamá-lo, mas ele se voltou para ela na mesma hora, levando-a quase a cair.

– Marlon! – exclamou, petrificada. – Você, aqui? Mas você está morto!

Mesmo antes de ele responder, ela compreendeu. Devia ter adormecido e desvendado o mundo dos mortos, de onde surgiram todos aqueles guerreiros a mais.

– Você já entendeu, Alana. Essa guerra também é nossa, e o desejo de combater o inimigo não se perde com a morte. Ainda lutamos pela liberdade de nosso povo.

– Mas como isso é possível? Vocês são espíritos, não podem atingir os vivos.

– Mas podemos incentivar nosso próprio exército e, algumas vezes, confundir os romanos. Pode ser que isso não seja suficiente para decidir uma guerra, mas ajuda os nossos e atrapalha bastante o inimigo.

Ela o encarou, entre a dúvida e a perplexidade, enquanto pedacinhos da memória se encaixavam aos poucos.

– Agora me lembro – comentou, pensativa. – Já nos encontramos antes, naquele lugar de sombras. Mas você está com uma aparência ainda mais terrível. O que aconteceu com você?

O rosto de Marlon estava praticamente irreconhecível, distorcido pelo ódio, corroído pela vingança, mutilado pela crueldade. Ele havia modelado, em seu semblante, a aspereza da revolta e da perversidade que contaminavam sua alma.

– Eu sou do jeito que sempre fui – respondeu ele, encarando-a com uma vermelhidão de sangue nos olhos fundos. – Quando vivo, a capa do corpo físico dissimulava meu verdadeiro eu. Morto, demonstro minha real essência.

– Você está tentando me dizer que esse ar tenebroso é da sua natureza? É assim que você é na verdade? Um homem pavoroso, que reflete, na aparência, a crueldade da própria alma?

Ele não respondeu de imediato. Havia uma certa tristeza em seu olhar, um lampejo de dúvida e medo, que ele logo afastou, recuperando a arrogância.

– Sou o que sou. Conquistei o comando no submundo dos mortos e me tornei líder de todo este exército de sombras, invisível aos olhos dos vivos.

– Como você conseguiu isso, posso saber?

– Por mérito próprio. Quando tenho um objetivo, não hesito em alcançá-lo. Nada me detém. Nem medo, nem misericórdia, nem piedade. Nem o amor, nem as lembranças do que fui, nem a alegria, nem a esperança. Só o que me importa é o poder, que eu conquistei e do qual não pretendo abrir mão. Sou feroz com meus inimigos, implacável com traidores, cruel, sim, porque a crueldade é necessária para quem quer manter o poder. Compaixão é fraqueza, e sua rainha sabe disso muito bem. O que me alimenta é um ódio insaciável, que me faz agir sem qualquer temor, que me torna irascível e praticamente indestrutível. Ninguém consegue se opor a mim. – Fez uma pausa, experimentando, com um certo prazer, o horror que causara em Alana, e prosseguiu: – No começo, logo que deixei a vida corpórea, não foi fácil. Tive que lutar contra muitos espíritos que, como eu, queriam dominar aquela parcela do submundo. Pensei que não fosse conseguir, mas quando prendi Shayla, entendi tudo. A princípio, eu não sabia bem como a havia acorrentado a mim, mas depois, percebi que eu havia conseguido dominá-la só com a força do meu pensamento. Foi então que descobri que o pensamento é tudo. É através dele, do poder que nele concentro, da força que ele externa, que consigo tudo o que quero no meu mundo de sombras. E só não consigo no seu porque me falta a carne. Mas não faz mal. Através de mim, muitos feitos serão realizados, e a glória dos vivos será também a minha glória, porque eu sou o construtor dessa história.

– Marlon! – tornou ela, aterrorizada. – Não reconheço mais você.

– Você já me disse isso uma vez, Alana – zombou. – E não é para me reconhecer mesmo, porque não sou mais aquele homem. Se agora sou uma decepção para você, nada posso fazer além de lamentar.

– O que você quer de mim, Marlon? – retrucou, sentindo a indignação sobrepor-se ao horror. – Veio aqui apenas para me atormentar?

– Gosto de você, Alana, sempre gostei. Por isso, vim lhe fazer uma proposta.

– Uma proposta?

– Alie-se a mim. Estou disposto a dividir com você o poder que assumi no submundo das trevas.

– Você enlouqueceu. Eu estou viva, Marlon. Ou você pretende me matar?

– Estamos em guerra. A morte segue cada passo do guerreiro.

– E você vai dar um jeito de provocar a minha morte?– ele não respondeu.– Se eu tiver que morrer, será pela vontade de Morrigan, não pela sua. E jamais me aliarei ao ser desprezível, maléfico e ambicioso em que você, por vontade própria, se transformou.

– Você não está sendo sensata. O que lhe ofereço não é pouca coisa.

– O poder o tornou cego, e você se entregou a uma ilusão perigosa. Não conte comigo para alimentar sua loucura. Não quero o mesmo que você, não procuro poder nem pretendo me impor pelo medo e a força. Só o que quero é liberdade, coisa que, pelo visto, você não tem.

– Como pode dizer isso, se faço o que quero?

– Engano seu. Você se encontra aprisionado à sua própria loucura, à ilusão de superioridade e prestígio que esse falso poder lhe deu. Não quero compactuar com isso.

– Está sendo tola e ingênua, Alana. Eu posso muitas coisas, que você também poderá. Juntos, reinaremos sobre a terra das sombras, com escravos para satisfazer nossos desejos e trabalhar para nós.

– Trabalhar para nós? – repetiu ela, incrédula.

– Enquanto houver magos dedicados à magia obscura, nós seremos pagos para realizar seus desejos. Sendo reis, temos escravos para fazer o serviço, e nós apenas recolhemos a recompensa. Com o tempo, eu a ensinarei a extrair o substrato dos elementos, e ficaremos com a melhor parte. O resto, podemos deixar para os servos. Com isso, ampliaremos a nossa força, nossa energia estará sempre alimentada da sensação de vida que o sangue, acima de tudo, pode nos proporcionar. Não lhe parece bom?

Ela o fitou com perplexidade, mal acreditando naquelas palavras funestas. Marlon parecia um demônio mandado à sua presença para desvirtuá-la de seus propósitos de liberdade e justiça. Mas não, ela não se permitiria envolver.

– Deixe-me em paz, Marlon – rebateu ela, com firmeza, sobrepondo suas virtudes ao orgulho dele. – Volte para o seu submundo, envolva-se nas suas sombras, afogue-se sozinho na sua ilusão. Não tenho nenhuma proximidade com seus propósitos e prefiro nunca mais tornar a vê-lo.

– Você não sabe o que está dizendo – retrucou ele, transfigurado por uma raiva súbita e enfiando as garras pontiagudas no braço dela. – Estou tentando ser condescendente, mas a verdade é que você me pertence. Foi você que me atirou aqui, logo, nada mais justo do que juntar-se a mim.

– Não pertenço a você nem a ninguém. Lamento que você esteja morto e que minha mãe tenha ordenado sua execução, mas essa decisão foi dela, não minha.

– Você é a culpada por isso!

– Durante muito tempo, acreditei que sim. Mas agora, vendo o monstro em que você se transformou, considero-me liberada dessa culpa. Você se revelou cruel e interesseiro, um déspota arrogante, sem qualquer noção de civilidade ou compaixão. E não fui eu que transformei você nisso, pois não poderia transmitir-lhe coisas que eu mesma não possuo. Essa é a sua real essência, segundo suas próprias palavras. Não tenho nada a ver com isso.

Ela puxou o braço com força, libertando-se da influência dele. Naquele momento, uma aura negra envolveu o coração de Marlon, disparando pequeninos raios turvos em direção a Alana. Para surpresa de ambos, os raios se dissolviam tão logo alcançavam o corpo fluídico dela. A diferença de sutileza energética entre ambos impedia a penetração de energias densas, fato desconhecido de Alana, mas logo compreendido por Marlon.

– Maldita! – rugiu ele. – Você é minha Alana, minha! Vamos ver se vai ter essa resistência quando seu corpo de carne apodrecer na terra esquecida e não lhe restar nada além do desespero e do medo. Quem estará lá para recolher sua alma serei eu, e mais ninguém.

– Nunca, Marlon...

Alana despertou com suas próprias palavras, mas, na verdade, o que ouvia eram os gritos de guerra dos soldados, que corriam de forma selvagem. Haviam chegado a Londinium.

Capítulo 35

Para guerreiros sedentos de vingança e violência, a entrada em Londinium foi uma decepção. Havia muito, Cato Deciano abandonara a cidade, acovardado diante da fúria bretã. O governador Suetônio Paulino, que havia retornado de Mona, convencido de que não poderia defendê-la, seguiu o mesmo caminho, levando com ele a nobreza romana e os soldados que ainda não haviam debandado, abandonando a população à própria sorte.

Boudica e seu exército adentraram a cidade aos gritos, empunhando espadas e lanças, atingindo qualquer coisa que se movesse diante de seus olhos. Sem qualquer defesa, os habitantes não tiveram a menor chance. Os homens foram trucidados, as mulheres, violentadas, torturadas e depois assassinadas. As crianças morriam antes mesmo de saber o que estava acontecendo.

A tudo isso, Alana assistiu com indignação, começando a sentir mais revolta da rainha do que do inimigo, a quem chamavam de opressor. Questionava, naquele momento, quem estaria oprimindo quem. A truculência de seu próprio povo não lhe parecia muito diferente da crueldade romana. Sabia, porém, que era a única a pensar e sentir daquela forma. Os guerreiros ao redor se compraziam em matar, estuprar e saquear, sentindo tanto mais prazer quanto mais fosse o sofrimento infligido aos romanos.

Nessa investida, Alana pouco fez. Limitava-se a combater um ou outro soldado que ainda permanecia nos arredores, fosse por dever de tentar defender os indefensáveis cidadãos, fosse porque não quisera deixar a família e os amigos para trás. Ao presenciar as agressões gratuitas a pessoas indefesas, Alana tentava intervir, contudo, era ridicularizada pelos guerreiros das tribos aliadas a Boudica e ignorada pela maioria de seu próprio exército. Naquele momento, com tristeza, percebeu que muitos a haviam abandonado, corrompendo a lealdade jurada a sua princesa ao optarem por se entregar ao ódio feroz e irracional de Boudica.

A única que permanecia a seu lado, seguindo suas ordens à risca, era Marva, que a acompanhava por toda parte, defendendo-a sempre que necessário. Por mais de uma vez lhe salvara a vida, nos momentos em que ela, distraída com a dor do excesso de violência, deixava o olhar perdido vagar pelos corpos chacinados, sobre cujo sangue ia deixando suas pegadas.

– Princesa, vamos nos reunir aos demais soldados – chamou Marva, notando que se afastavam muito da concentração do exército.

Certa de que não podia intervir no morticínio desenfreado, Alana recolheu a espada à cintura, voltando as costas para os pequenos focos de violência espalhados pela cidade. Quando um ou outro soldado romano investia contra elas, lutavam bravamente, e Alana não se detinha na hora de usar o aço para liquidar o inimigo.

Em um desses conflitos individuais, Alana sentiu a familiaridade de uma presença. Na mesma hora, um fio gélido percorreu-lhe a espinha, e seus ouvidos, aguçados pelo som do choque de metais, distinguiu, com clareza, os gritos de guerra do combatente romano. Ela estacou instantaneamente e segurou o braço de Marva, quando esta empunhou a lança para atingir o soldado inimigo.

– Não – foi a palavra quase inaudível, sussurrada entre a ansiedade e o medo.

Marva deteve o ataque e fitou a princesa, que mantinha os olhos grudados no combate que se desenrolava cada vez mais perto de seus sentidos, à medida que se aproximavam. Ainda segurando o braço de Marva, Alana parou, acompanhando o embate das espadas com uma espécie de fascínio mórbido. O guerreiro celta a olhou de relance, lançando-lhe uma súplica muda de auxílio, mas ela estava paralisada. Não socorreu o homem nem permitiu que Marva o fizesse.

Rapidamente, o romano encerrou o combate, cravando a espada no coração do adversário. Percebendo a proximidade física do inimigo, o vencedor voltou-se para elas, ainda empunhando a arma, pronto para atacar novamente. Mas ele nada fez. Ao deparar-se com as duas mulheres, susteve o golpe e deixou cair o braço ao longo do corpo, embora não soltasse a espada.

– Alana – murmurou Marcus Tito, sem saber se podia correr para ela.– Você está aqui.

Ela não teve a mesma dúvida. Soltou Marva e atirou-se nos braços dele, ignorando seus ferimentos e a espada que ele mantinha apertada junto à coxa.

– Você está vivo– disse ela, sem se preocupar em esconder a emoção.– Mas por que está aqui? Por que não fugiu com o governador e sua comitiva?

– Você pensa que não foi essa a minha vontade? De correr para me salvar? Mas eu não pude. O desejo de ver você foi maior do que o medo da morte. Arrisquei tudo porque sabia que a encontraria entre os soldados de Boudica.

– Você sabia que eu estaria aqui?

– Por que pensa que sou ingênuo, Alana? Eu sempre soube que você queria aprender a lutar por algum motivo, e não era para se defender de salteadores. Eu sabia que era apenas questão de tempo até você se voltar contra nós. E quando ouvi falar da morte de Prasutagus e da rebeldia de Boudica, tive certeza de que você se aliaria a ela.

– Não está zangado?

– Não. Por que estaria? Você defende a Bretanha, assim como eu defendo Roma. Somos inimigos, Alana, ou, pelo menos, deveríamos ser. Mas eu jamais conseguiria lutar contra você.

– Sei disso. E essa é também minha promessa.

Ele fez uma pausa para alisar o rosto sujo e manchado de sangue dela, até que acrescentou, sem ocultar o orgulho:

– Acho que o mérito, em parte, é também meu, não é? Graças a mim, você se tornou uma grande guerreira.

– É verdade.

– Princesa – chamou Marva, surpresa com a intimidade dos dois. – Temos que ir.

Ela concordou e, segurando a mão livre dele, declarou:

– Eu também procurava notícias suas, e agora que sei que está vivo, tenho que lhe pedir que vá embora. É perigoso ficar aqui.

– Não posso partir – disse ele. – As saídas da cidade estão fechadas. Sei que encontrarei a morte, sabia disso quando escolhi ficar.

– Não. Eu não permitirei.

Sem que Alana percebesse, o silêncio da morte foi-se alastrando pela cidade. Nas ruas ao redor, nada se ouvia, nem mesmo o grito de seus guerreiros. Foi então que ela percebeu que o breve ataque a Londinium havia terminado. A cidade fora tomada e, provavelmente, ninguém além dos celtas ainda vivia. Marcus Tito devia ser a única exceção.

– Princesa – ela ouviu a voz de Tristan atrás dela. – A rainha Boudica me pediu para reunir os soldados. Vamos partir para Verulamium.

Tristan reconheceu Marcus Tito na mesma hora. Sabia do envolvimento da princesa com o general e temeu mais por ela do que por ele. Boudica interpretaria o sentimento como traição, e a desconfiança podia ser perigosa.

– Princesa – ele repetiu. – Temos que ir. E o romano precisa fugir ou se esconder. Não é seguro caminhar pelas ruas. Se Boudica os vir juntos, não sei o que será capaz de fazer.

Alana ia contestar, mas não teve tempo. Uma gritaria surgiu por detrás de Tristan, e logo uma multidão de soldados celtas se acercou deles. Mais atrás, surgiu Boudica, acompanhada das filhas. Não foi preciso muito para a rainha entender a situação. O gesto protetor de Alana falou por si mesmo. O general atrás dela deu um passo à frente, invertendo as posições, para proteger sua amada.

– Posso saber o que significa isso? – indagou Boudica, a voz retumbante e aterradora. – Por que esse romano ainda está vivo?

Ao ouvirem isso, os guerreiros das tribos avançaram na direção dos dois, prontos para trucidar o general. Tristan, contudo, deu um salto à frente e se postou ao lado dele, seguido por Marva, embora a atitude de ambos fosse clara no sentido de que a cobertura que davam era endereçada a sua princesa, e não ao homem inimigo.

– Você me fez uma promessa, Boudica – lembrou Alana, falando alto e encarando-a com fúria. – Minha lealdade em troca da vida do general Marcus Tito.

Um burburinho de perplexidade ergueu-se entre os soldados, que nada sabiam daquele acordo. Todos encaravam

Boudica, à espera do desmentido ou, ao menos, de uma explicação razoável.

– Então esse é o general romano, o inimigo por quem você tolamente se apaixonou – constatou Boudica, olhar frio e intimidador. – Quer mesmo que eu mantenha minha palavra, ainda que contra a vontade de todo o povo aqui reunido? Acha que posso conter o sangue dos guerreiros, que ferve com o ardor da vingança?

– Solte seus cães raivosos sobre mim – rugiu Marcus Tito, tomando a dianteira novamente. – Estou pronto para morrer, mas tenha certeza de que muitos dos seus homens morrerão comigo.

– Não duvido disso – retrucou Boudica, encarando-o com ódio. – Sei bem da coragem romana, mas ela de nada lhe servirá depois de morto. E creia-me, general, você vai morrer.

– Você prometeu, Boudica!– insistiu Alana, esforçando-se para que o desespero não suplantasse a ousadia.– Inimigo ou não, você deu a sua palavra de que o pouparia. E quem poderá confiar em uma rainha que não mantém suas promessas e para quem a palavra empenhada não tem valor algum?

– Um romano não é digno de promessas! – gritou um soldado. – É o inimigo e tem que morrer!

– Sim! Morte ao romano, e viva nossa rainha!

– Quero crer que Boudica é uma rainha honrada e de palavra! – bradou Alana, quase súplice, embora sem deixar transparecer. – Porque, se não pode manter sua promessa, não vejo por que eu deva manter a minha.

– Você está me ameaçando? – tornou Boudica, irada.

– Não. Estou apenas lembrando-a de nosso acordo. Quer matar o general? Pois mate. Faça isso e me considerarei livre da promessa que lhe fiz. Retirarei meu exército, e você pode rumar para Verulamium com alguns milhares de homens a menos.

– Acha mesmo que pode me intimidar? Pensa que seus soldados a seguiriam? Ou que eles fariam falta em meu exército? Se pensa mesmo assim, então, ou é muito tola, ou muito ingênua.

Diante do impasse, as duas guerreiras aguardaram, cada uma temendo tomar a iniciativa e perder. Boudica, porém, estava segura da reação de seus soldados. Além do ódio aos romanos, não tinham o costume de fazer prisioneiros. Alana, por sua vez, não tinha a mesma certeza. Seus homens, agora contaminados pela febre da vingança e seduzidos pelo prazer do sangue, talvez houvessem transferido o foco de sua lealdade e já não a seguissem mais.

Quando alguns guerreiros de Boudica se adiantaram, prontos para atacar não apenas o general, mas a própria princesa, Tristan ergueu sua espada e, cobrindo-a com seu próprio corpo, bradou convicto:

– Somos um povo só, mas não hesitarei em defender minha princesa com a vida, se isso for necessário. Nossa lealdade é para com Alana, e somente a ela os guerreiros brigantes irão obedecer.

A espada desceu para a posição de ataque, e o gesto de Tristan foi seguido pela quase integralidade de seus guerreiros. A maioria dos brigantes ainda se mantinha leal a Alana e acorreu para junto dela, assumindo posição de ataque em defesa de sua princesa. Eram muitos, um número tão expressivo que desfalcaria, significativamente, o contingente de Boudica.

A rainha teve vontade de esganar Alana. Sentia mais ódio dela do que do general romano, que apenas seguia as ordens de seu imperador. A princesa, porém, sobrepunha a paixão à fidelidade, preferindo poupar a vida do inimigo amante a entregá-lo à justiça de sua própria gente. A ira, contudo, não foi suficiente para tirar-lhe a razão. Se perdesse o exército de Alana, talvez não tivesse o mesmo sucesso em Verulamium, seu próximo alvo.

– Muito bem – assentiu Boudica, remoendo a raiva internamente. – Se é o que ela quer, deixem-no ir.

– Não! – gritaram várias pessoas.

Diversos protestos levantaram-se entre os guerreiros, mas Boudica os conteve com um gesto soberano, que ninguém ousou desafiar. Os revoltosos, apesar de nada satisfeitos, silenciaram, em obediência a sua rainha.

– Leve-o daqui – ordenou Boudica, dirigindo-se a Alana, desejando poder exilá-la com ele. – E espero nunca mais nos encontrarmos, romano, pois, da próxima vez, talvez eu não seja tão condescendente.

– Não peço a sua condescendência – rebateu Marcus Tito, irritado. – Não quero nem espero nada de uma rainha bárbara feito você. E, da próxima vez que nos encontrarmos, será você quem encontrará a morte.

– Saia daqui– rugiu ela, notando a agitação entre seus guerreiros–, ou não responderei pela sua segurança.

– Vamos, Marcus – implorou Alana, puxando-o contra a vontade dele. – Se sente alguma coisa por mim, vá embora.

Ela saiu quase arrastando o general, seguida de perto por Tristan e mais alguns homens, prontos para defendê-la.

– Venha comigo – pediu ele, enquanto se dirigia à saída da cidade. – Podemos ir juntos para Roma.

– Não posso. Amo você, mas esta é a minha terra, este é o meu povo.

– Você não está segura com Boudica. Ela a odeia e poderá matá-la.

– Não tenho medo.

– Mas eu, sim.

– Por favor, Marcus, não me peça isso. Eu jamais poderia conviver com a minha consciência, sabendo que traí meu próprio povo. Satisfaço-me em saber que você ficará bem.

– E você, Alana? Vai ficar bem?

– Meus soldados estão do meu lado. Você mesmo viu. Eles saberão me defender. E agora, vá. Por todos os deuses romanos que você venera, vá!

Marcus Tito montou em seu cavalo, segurando a mão de Alana com força. Não queria soltá-la, não queria perdê-la novamente.

– Pelos deuses, general, parta agora – pediu Tristan, angustiado. – Se ama a princesa como diz, vá embora. Sua presença aqui é uma ameaça à segurança dela.

Apesar de contrariado, Marcus Tito soltou a mão de Alana. Era como se deixasse ir a única coisa boa que conquistara na vida e cuja importância só agora conseguia mensurar. Ele a beijou longamente, sentindo nos lábios dela o sal das lágrimas que escorriam dos olhos de ambos.

– Ainda vamos nos ver novamente– afirmou ele, alisando o rosto dela com os dedos sujos de sangue.

Em seguida, esporeou o cavalo e partiu a galope, deixando para trás uma cidade em chamas.

Capítulo 36

As notícias se espalhavam por toda a Britânia com a rapidez de um tornado. Muitas outras tribos, esperançosas de vencer o invasor, aliavam-se ao exército de Boudica. Por onde ela passava, conquistava aliados, recrutava soldados, forçando alguns homens mais fortes a juntar-se a seus guerreiros. Os que se recusavam, ou eram escarnecidos e humilhados, ou mortos pelos soldados mais inflamados, que os acusavam de traidores e covardes.

Entre os brigantes, o alvoroço era geral. A cada vitória de Boudica, Cartimandua se sobressaltava, sentindo a iminência de um ataque a sua tribo. Revoltava-se contra a temeridade dos atos da rainha icena, que punha em risco a sobrevivência do povo celta e a paz que ela e outras tribos, aliadas de Roma, haviam conquistado ao longo dos anos. Pior do que tudo eram as notícias de que a princesa brigante, filha da rainha Cartimandua, lutava ao lado da feroz Boudica.

– Não creio que Alana se volte contra nós– Velocatus tentava encorajar.– E Boudica está mais ao sul. Estamos seguros aqui.

– Quero muito ter a sua certeza, mas a prudência insiste em desmentir suas palavras.

– Temos aliados. Roma não permitirá um ataque à nossa tribo .

– Não sei se você percebeu, mas Roma está perdendo esta guerra. E depois que as legiões invasoras forem todas dizimadas, que soldados restarão para nos defender? Nessa hora, contra quem você acha que Boudica irá se voltar?

– Nem tudo está perdido. Ainda temos nosso próprio exército, e algumas tribos se aliarão a nós.

– Nosso exército está desfalcado, e as outras tribos estão preocupadas com sua própria segurança, assim como nós estamos preocupados com a nossa. A maioria de nossos soldados nos traiu, os romanos nos abandonaram e estamos praticamente sozinhos.

– No dia em que eu puder, matarei Tristan com minhas próprias mãos. E Marva também terá o que merece.

– O que você fez com o pai dela?

– Mandei executá-lo, como você ordenou.

– Muito bem. Servirá de exemplo para quem pensar em me trair...

– Embora ele mesmo não a tenha traído. A filha dele fez o que a sua também fez.

– Minha filha é uma princesa. A dele não é ninguém.

– Tem razão.

Cartimandua fez uma pausa, estendendo o olhar sobre o horizonte cinzento. O fogo bruxuleava nos archotes, interrompendo o silêncio com estalidos sinistros.

– Todos me abandonaram – prosseguiu ela, como se não falasse para ninguém. – Kelvin nos atraiçoou, nossos druidas se dispersaram.

– Não precisamos deles.

– Precisamos sim, e muito. Como você espera sobreviver sem a intercessão de nossos sacerdotes? A quem os deuses irão escutar?

– Algumas sacerdotisas ainda estão do nosso lado. Elas poderão cuidar das oferendas aos deuses e dos demais assuntos. Não se desespere por causa disso.

– Nosso mundo está ruindo. A ira de Boudica se voltará contra mim, e nada nem ninguém poderá impedi-la de me torturar e me matar.

– Não pense nisso. E não se esqueça de que Alana está com ela.

– Alana mudou de lado. É nossa inimiga agora.

– Não creio que ela permita que lhe façam algum mal. Ainda é sua filha...

– Uma filha que me odiava em segredo, principalmente depois que mandei matar o amante rebelde. Alana nunca me perdoou pela morte de Marlon.

– Tire essas coisas da cabeça. Não permitirei que nenhum exército inimigo cruze nossas fronteiras. Eu a amo, Cartimandua, e lutarei com todas as minhas armas para defendê-la, ainda que isso implique em sacrificar minha própria vida.

Pela primeira vez em muitos anos, Cartimandua sentiu um leve enternecimento. Ela se aproximou do marido, atirando-se em seus braços com um tremor de medo. Sentiu a solidão invadir cada pedacinho de seu corpo, tornando-o frio e desesperançado. Foi um momento de fraqueza ao qual ela se entregou sem resistir. Permitiu que as lágrimas visitassem seus olhos e se precipitassem pelas faces envelhecidas pelas tribulações dos últimos tempos. E, mesmo sem querer, seus pensamentos voaram até Alana.

Foi como se Alana sentisse a angústia da mãe. Subitamente, a imagem de Cartimandua se desenhou em seus pensamentos, levando-a a questionar-se sobre o que faria Boudica se conseguisse, realmente, expulsar os romanos da Britânia. Uma vez reconquistadas as tribos do sul, seria natural que ela se voltasse para o norte, para reunir aliados e destruir inimigos.

– Em que está pensando, princesa? – veio a voz de Marva ao lado dela. Do outro lado, Tristan a acompanhava em silêncio.

– Pergunto-me como estarão as coisas em Brigância – respondeu calmamente.

– Deve estar tudo na mesma. A rainha Boudica não tem planos para sua mãe.

– Será que não?

– Você já pensou nisso, princesa? – Tristan resolveu participar da conversa. – Já considerou a possibilidade de Boudica atacar Cartimandua?

– Sim, mas não quero me ocupar disso neste momento. É prematuro e pode ser que não aconteça de verdade. De qualquer forma, temos um trato. Ainda que Boudica se volte contra os brigantes, ela me garantiu poupar a vida de minha mãe.

– Assim como garantiu poupar o general romano?

– Ela o libertou, não foi?

– Mais por medo do que por fidelidade. Se nossos homens não houvessem se interposto entre vocês, não sei se o resultado teria sido o mesmo.

– Talvez. De qualquer forma, não tenho escolha. No momento em que optei por me aliar a Boudica, assumi todos esses riscos.

– Está arrependida?

– Não. Acredito no propósito de Boudica. Ela pode ser impiedosa e sanguinária, mas é corajosa e obstinada.

– Tem razão.

– Assim como cada um de nós, ela também tem seus motivos para odiar os romanos.

– Você diz que os odeia, no entanto, defende mulheres e crianças, intercedeu por Marcus Tito e quer proteger sua mãe.

– É diferente, Tristan. Guerra é uma coisa, covardia é outra. Gratidão e amor são outras ainda mais complexas.

– Cuidado, princesa. Esses sentimentos podem ser a sua ruína.

– Eu sei.

– Boudica não compartilha deles. Ela não vê covardia em qualquer ato de vingança, não tem gratidão por ninguém e só ama as filhas.

– Minha lança sempre estará do seu lado, princesa – interveio Marva.– Não me importo de morrer por você.

– Não quero que ninguém morra por mim. Como princesa, coloco a segurança e a vida de meu povo em primeiro lugar. Sou eu que tenho que morrer por vocês, não o contrário.

– Nós somos substituíveis – ponderou Tristan. – Você é a única em quem nosso povo confia para governá-lo.

– Por ora, não falemos mais nisso. Vamos nos concentrar na batalha que está próxima. Se os deuses estiverem do nosso lado, tudo sairá conforme esperamos.

Os três continuaram a cavalgar em silêncio. Mais à frente, Boudica seguia em sua carruagem, acompanhada das filhas. A seu lado, os mais nobres iam a cavalo. Atrás dela, uma multidão de homens e mulheres marchava a pé, todos munidos de espadas, lanças, foices, facões e qualquer outro instrumento que fizesse as vezes de artefato de guerra. Na retaguarda, várias carroças participavam do séquito, algumas carregando famílias inteiras, ávidas por testemunhar mais uma vitória dos celtas sobre o invasor romano.

Olhando ao redor, Alana sentiu um estranho arrepio. O exército de Boudica se transformara numa comitiva mista de guerreiros, camponeses e aldeões. Alguns druidas também se juntaram a eles, formando um agrupamento à parte, aparentemente ocupado com assuntos reservados aos mais altos iniciados, dos quais nem ela nem Boudica eram convidadas a participar.

Estreitando a vista, Alana identificou Kelvin entre eles. Parecia muito envolvido na conversa com Kendra, observado atentamente pelos demais. Desde que aquela guerra sangrenta se iniciara, Kelvin parecia haver se esquecido da existência dela, mais preocupado em dividir impressões com seus pares do que em aconselhar sua princesa. Intimamente, Alana se perguntava se ele a havia traído, se agora defenderia os interesses de Boudica em vez dos dela. Não sabia o que pensar.

– Estamos nos aproximando de Verulamium – comentou Tristan, empertigando-se em seu cavalo.

Ao levantar os olhos, Alana divisou os contornos da cidade, onde a maioria de seus habitantes era formada por celtas, que cooperavam com os romanos em troca da própria sobrevivência. Na mesma hora, ela ouviu o grito de guerra de Boudica, e o bando indisciplinado caiu sobre a cidade com fúria incontida. Em momentos como aquele, Alana se esquecia das divergências com a rainha, concentrando-se no objetivo maior de vencer mais uma batalha, e entregava-se, por inteiro, ao calor da luta.

Manejando a espada com rara habilidade, atirou-se sobre o inimigo com a mesma fúria de seus compatriotas, com o único propósito de vencer. A resistência dos habitantes não foi muito significativa. Alguns soldados romanos tentaram defender a população, acompanhados dos próprios celtas que ali viviam, considerados traidores por toda a corporação de Boudica, inclusive, a própria Alana. Assim, ela não teve receio nem hesitou em matar tantos quantos podia, evitando, apenas, investir contra pessoas desarmadas, como velhos, crianças e mulheres.

A preocupação de Alana com os indefesos não foi suficiente para salvá-los, pois Boudica ordenou que nenhuma vida fosse poupada. Já habituada ao modo de agir da rainha, Alana não opôs qualquer objeção, o que seria inútil e só serviria para acirrar ainda mais a cizânia já instaurada entre elas. Preferiu, contudo, não participar da chacina.

Com olhos tristes, afastou-se do local em que os últimos sobreviventes, na maioria, mulheres e crianças, eram trucidados pelos guerreiros da rainha. Espalhados pela cidade, os soldados se transformaram em saqueadores, pilhando e espoliando tudo quanto podiam alcançar. Seus próprios homens participavam do morticínio e da pilhagem, o que lhe causava um mal-estar indescritível. Alana não compreendia por que ela era a única a não se comprazer com tamanha violência. Mesmo Tristan e Marva se sentiam encorajados a saquear as casas dos inimigos, o que, em última análise, era um comportamento normal entre todo o povo celta, independentemente da tribo a que pertencesse.

Apenas ela, Alana, sentia as coisas de forma diferente.

Capítulo 37

Horrorizado diante da situação caótica em que as colônias romanas foram colocadas pela atuação truculenta de Boudica, o governador Suetônio Paulino tomou as devidas providências. Enviou emissários por toda a ilha, convocando os comandantes para juntarem legiões e tropas auxiliares, a fim de formaram um exército único, forte o suficiente para deter o avanço da rainha icena.

Marcus Tito encontrava-se entre eles. Todas as divisões romanas disponíveis na Britânia haviam sido convocadas e atenderam ao chamado do governador, alertadas de que o que se encontrava em risco era a própria sobrevivência do império nas terras britânicas. Se perdessem aquela revolta, seriam dizimados ou obrigados a fugir covardemente.

Em número, o exército reunido pelo governador era muito inferior ao de Boudica. Havia algo, porém, que dava a ele a quase certeza da vitória. Boudica comandava homens e mulheres indisciplinados, que se atiravam sobre o inimigo de forma desordenada, desferindo golpes a esmo, sem qualquer estratégia de ataque e, muito menos, de defesa. Confiantes em sua superioridade numérica, os guerreiros bretões não possuíam nada além de ódio, armas e coragem.

Os romanos, ao contrário, contavam com a inexorável disciplina imposta a soldados organizados e bem treinados no manejo de armas superiores e nas táticas de combate. Sua inteligência, ademais, era bem direcionada, levando-os a adotar estratégias racionais bastante elaboradas, que compensavam a desvantagem quantitativa com uma movimentação militar precisa, metódica e, por isso mesmo, muitas vezes, infalível.

Elaborado o plano de ataque, as tropas se dirigiram ao campo de batalha escolhido por Suetônio Paulino, para onde, ele esperava, o exército de Boudica seria atraído. O local era um desfiladeiro estreito, tendo à frente uma ampla planície e, atrás, uma floresta densa e impenetrável. Estrategicamente posicionado, o exército romano aguardou.

Tão logo soube que o governador havia enfileirado suas tropas à beira de uma planície, Boudica não hesitou. Seus batedores a informaram de que o efetivo inimigo parecia ridículo, diante da grandiosidade do exército celta, portanto, ela não teve dúvidas em partir diretamente para lá. Do alto de sua carruagem, sempre ao lado das duas filhas, a rainha deu ordens para avançar. Pelo caminho, muitas outras tribos iam seguindo-a, engrossando a caravana de carroças carregadas de equipamentos e suprimentos, além daquelas que conduziam as famílias dos guerreiros, que assistiriam, envoltos em glória, mais uma arrasadora vitória de Boudica.

Como sempre, Alana acompanhava o séquito em silêncio, perdida nos próprios pensamentos. Identificou uma sensação ruim no ar, uma aura estranha de perda e morte.

– Vá chamar Kelvin – disse para Marva, subitamente. – Diga-lhe que quero falar com ele agora.

Imediatamente, ela obedeceu. Demorou alguns minutos até que Kelvin aparecesse, mas ele surgiu ao lado dela, encarando-a com gravidade.

– Mandou me chamar, princesa? – indagou, mal conseguindo ocultar a impaciência.

– Quero que você me diga quais são os presságios – ordenou ela friamente, ignorando o mau humor do druida.

– Não entendi sua pergunta.

– Entendeu muito bem. Ou será que, nas suas magias, os deuses não lhe informaram o que nos aguarda à frente?

– Os deuses estão certos da nossa vitória – afirmou, rabugento.

A certeza da vitória, na verdade, vinha da mente excessivamente confiante de Kelvin. Até ali, não haviam perdido nenhuma batalha, e ele considerou desnecessário consultar o oráculo a cada nova investida. Sabia, pelas experiências até ali vividas, que não tinham chance de perder.

– Tem certeza? – ele assentiu, agora um pouco em dúvida. – Porque me parece que algo não vai bem.

– A que, exatamente, você se refere?

– A nada e a tudo. Não sei explicar. É só uma sensação ruim, um vazio de morte...

– A morte acompanha o guerreiro em toda batalha. Não é uma sensação estranha, mas muito comum em momentos como este que estamos vivendo.

– Não é bem isso, Kelvin. É que, olhando para todas essas pessoas, sinto medo. Boudica não devia ter convocado as famílias dos soldados para reunir-se a nós. Isso não está certo.

– Todos querem testemunhar nossa vitória.

– E se isso não acontecer? E se não vencermos?

– Impossível.

– Como você pode ter tanta certeza?

– Consultei os deuses – mentiu novamente. – E os presságios são inteiramente a nosso favor. Não temos como perder nem essa batalha, nem as demais que a ela se seguirão. Não acredita?

A dúvida no semblante de Alana era tão expressiva, que Kelvin se preocupou. E se ela estivesse prevendo, ou sendo alertada pelos deuses, da possibilidade de uma derrota? Se não puderam falar com ele, talvez a houvessem utilizado para aquele propósito. Após refletir nessa possibilidade por alguns escassos segundos, decidiu que aquela ideia era, por si só, um delírio, uma blasfêmia. Alana era princesa e guerreira, não sacerdotisa, logo, os deuses não lhe atribuiriam nenhum dom de premonição ou de aviso. O que ela sentia era medo, talvez fruto do cansaço, nada mais do que isso.

– Não sei em que acreditar – respondeu Alana, voltando os olhos para a multidão que os acompanhava. – Receio que Boudica esteja abrindo a guarda. Você reparou que muitos soldados caminham sem levar suas armas? Eles as colocaram nas carroças, junto com os suprimentos e o resto da equipagem.

– É claro que eles estarão de posse delas quando a luta se avizinhar. Você está se preocupando à toa, Alana. Somos numericamente mais fortes.

– Há mulheres e crianças aqui – prosseguiu ela, alheia às explicações de Kelvin. – Pessoas desarmadas, despreparadas para o combate, nos acompanham como se estivéssemos a caminho de um festejo na tribo vizinha.

– E a vitória não é motivo para festejar?

– Não podemos nos intitular vitoriosos antes mesmo de lutar. E se algo der errado?

– Nada vai dar errado. Sossegue, princesa, os deuses vão nos proteger e nos agraciar com mais esse triunfo.

Ela não respondeu. Encarou-o com desgosto, depois tornou a olhar para as carroças festivas, sentindo o coração se oprimir cada vez mais. Pensando que a conversa havia terminado, Kelvin puxou a rédea do cavalo, pronto para afastar-se de Alana.

– Aonde você vai? – ela quis saber.

– Juntar-me aos outros druidas.

– Os outros druidas são icenos. Você deveria cavalgar junto a mim, que sou sua princesa.

– Neste momento, não há nem icenos, nem brigantes, nem carieltavos, nem trinovantes... O que há são tribos celtas unidas pela mesma raiz e pelo mesmo propósito.

– Está bem – retrucou ela, irritada.– Vá.

Quando o druida se afastou, os pensamentos de Alana voaram até Marcus Tito. Não sabia onde ele se encontrava nem se estava vivo ou morto. O local armado para o combate já estava próximo, e ela imaginou que Marcus, muito provavelmente, estaria entre os combatentes inimigos.

Marcus Tito não apenas se achava entre eles, como pensava insistentemente em Alana. A estratégia elaborada por Suetônio Paulino não tinha como dar errado. Ele estava atraindo os bretões para a morte, para um morticínio inevitável. E, por mais que aceitasse o dever de lutar para defender o império do qual nobremente fazia parte, precisava encontrar um jeito de afastar Alana da carnificina que ali se delineava.

Em outras circunstâncias, ele deixaria as coisas como estavam, e talvez Alana permanecesse como algo bom em suas lembranças. Só que, depois de tudo o que haviam vivido juntos, ele não podia fingir que ela era uma pessoa qualquer. Não era.

Pensando em sua trajetória até ali, maldisse o dia em que aceitara o encargo de sair de Roma para conter uma pequena rebelião na inóspita Britânia. Pensou que sua ação seria rápida e, tão logo normalizasse a situação, voltaria imediatamente para casa. Ele conseguiu dispersar os rebeldes, contudo, deixou-se seduzir pelas atenções a ele dispensadas por Cartimandua e decidiu estender um pouco mais sua estada.

Movido pela curiosidade, resolveu ficar e conhecer um pouco mais da cultura bárbara dos bretões. Paralelamente, introduziu alguns de seus costumes, reforçando outros já instaurados. Assistiu à melhora das condições da casa da rainha e sua transformação na pequena estrutura que passaram a chamar de palácio. Ia a jantares que ela oferecia, orgulhoso por ver que, a seu pedido, haviam substituído a cerveja pelo vinho, ao menos em sua presença. Tudo isso exacerbou sua altivez, seu sentimento de superioridade e o desprezo comedido que aquela gente lhe causava. Até que conheceu Alana.

Agora, sabia que não poderia partir sem ela. Precisava dar um jeito de tirá-la dali e levá-la para Roma, onde imploraria clemência ao Senado. Tinha que ser rápido e certeiro, pois sabia do massacre que estava prestes a acontecer.

Esse foi o motivo pelo qual ele tomou a dianteira na disposição das tropas. Queria ser o primeiro a avançar sobre o inimigo, na esperança de encontrar Alana e afastá-la dali, ainda que precisasse usar de força física. Agora posicionado da maneira que desejava, fixou os olhos no horizonte e, rogando a proteção de Marte, aguardou.

Capítulo 38

Não tardou muito para que o exército de Boudica se tornasse visível. Visto de longe, parecia uma horda de miseráveis furiosos, assustadora e selvagem, um bando de bárbaros desconjuntados disparando frontalmente em um ataque suicida. Marcus Tito sentiu medo. Não por ele ou pela aparência aterradora do inimigo, mas pelas consequências que poderiam advir para Alana.

Do lado de Boudica, a vitória era tida como certa. O efetivo militar dos romanos pareceu ridículo aos olhos da rainha. A seu lado, os comandantes aliados, tão certos do êxito quanto ela, delineavam nos lábios um sorriso irônico e perverso. As carroças com a equipagem foram posicionadas atrás, aleatoriamente distribuídas em semicírculo, de onde as famílias dos guerreiros poderiam assistir a mais uma vitória arrasadora das tribos unidas.

Um frenesi incontido se espalhou pelos guerreiros, que agitavam lanças e espadas, emitindo gritos de guerra pavorosos e eufóricos. Queriam avançar, atacar, trucidar o que eles traduziram como o invasor insensato, que os desafiava com uma tropa insignificante de homens paralisados pelo terror. Não viam ali os soldados. A seus olhos, o que viam eram cadáveres enfileirados, vestidos para a guerra.

Apenas Alana desconfiou do alinhamento metódico da pequena tropa romana. Ela sabia que os romanos podiam ser qualquer coisa, menos covardes. Muito menos imbecis ou idiotas. Logo, não acreditava que aqueles soldados permanecessem estáticos por estupidez nem que temessem o ataque de Boudica. Não estavam ali parados esperando morrer. Pareciam aguardar o momento de matar. A rainha, por demais confiante e alheia a qualquer indício de prudência, falava apressada e acaloradamente, muito preocupada com o discurso inflamado com o qual procurava encorajar seus guerreiros.

– Que Oyá nos ajude – murmurou Alana baixinho, invocando o concurso da deusa africana, em lugar das divindades celtas.

Alana não sabia por que o nome de Oyá surgira em sua mente. Boudica recorria a Andraste, e o povo dos brigantes costumava apelar para Morrigan, mas ninguém nunca se havia voltado para qualquer deidade estrangeira. O espectro de ébano se tornou visível na distância, diáfano como uma nuvem fina que mal consegue ocultar o sol. Pairava alguns metros acima do solo, apontando, com a espada pequena e curva, o campo de batalha à sua frente. Tiras avermelhadas se desprendiam de seu corpo, transformando-se em pequeninos flocos de cobre que cobriam toda a terra ao redor.

Maravilhada, Alana não conseguia despregar os olhos da surpreendente figura. Pensou se mais alguém a estaria vendo e concluiu que não, pois a única reação que sentia entre os soldados era o clamor da guerra chamando por eles. Por um momento, Alana achou que a deusa estaria ali para lhe transmitir uma mensagem de coragem, tranquilizando-a com o prêmio da vitória iminente. Mas a impressão durou apenas uns poucos segundos. Com um movimento ligeiro, preciso, gracioso até, Oyá se virou para ela e abaixou os braços, recolhendo os feixes de cobre que se espargiam de seu corpo. Havia lágrimas em seus olhos, duas cintilantes gotas que Alana percebeu porque o sol incidia sobre elas, fazendo-as reluzir de uma forma intensa, quase ofuscante. Era uma miragem, ela sabia, um agouro que deixava transparecer a sensação de derrota e a certeza da morte.

Ela se voltou para Boudica. Queria dizer-lhe para conter o ataque, mas não teve tempo. Na mesma hora que seus lábios se moveram para falar, os soldados se movimentaram para atacar. Os comandantes incitaram os cavalos, disparando pela planície aos gritos, e Boudica juntou-se a eles em sua carruagem, ladeada pelas filhas convertidas em guerreiras.

O alinhamento das tropas determinado por Suetônio Paulino não tinha nada de insensato. O local fora cuidadosamente escolhido por sua posição estratégica. Com a floresta na retaguarda, o governador sabia ser impossível qualquer ataque por trás. As montanhas ao redor também impediam a chegada pelos lados, a não ser que os bretões se atirassem do alto dos penhascos, o que não era crível. Restava apenas a planície dianteira, que inviabilizava qualquer tentativa de emboscada e, como esperado, atraiu o exército dos icenos, forçando-o a um ataque frontal, logo visível.

Através da planície, a massa de guerreiros enfurecidos deslizou sem se deter, atirando-se, de forma desordenada e selvagem, no estreito desfiladeiro que os comprimia e, ao mesmo tempo, protegia os flancos dos romanos. Assim que penetraram na garganta estreita, foram recebidos pelas espadas romanas, dando início a um embate que, a princípio, estimulou os bretões, confiantes na repetição de suas vitórias.

Entre os romanos, Marcus Tito desferia golpes estudados e bem direcionados, investigando detidamente o rosto de cada pessoa que o enfrentava, à procura de Alana. Por fim, avistou-a, cavalgando próximo à carruagem de Boudica. As duas o viram na mesma hora. A princesa sentiu uma pontada de medo, mas a rainha icena experimentou o sabor da vingança.

Desfazendo-se dos guerreiros que tentavam atingi-lo, Marcus correu na direção de Alana. Concentrado nela, descuidou-se da segurança e não percebeu a ordem que Boudica transmitia a um de seus soldados. Alana, contudo, ouviu o que ela disse. Rompendo o frágil acordo que havia entre as duas, mandou que matassem o general.

O golpe foi direto e ligeiro. Aproveitando-se da distração do romano, cujos olhos haviam se fixado em Alana, o guerreiro de Boudica o atingiu com a lança, perfurando profundamente seu abdome. Estimulado pela surpresa, Marcus tentou devolver o ataque, mas o bretão já se havia afastado, e ele, soltando a espada, tombou para a frente, primeiro de joelhos, depois, desabando com estrondo de cara no chão.

Ao ver o general atingido, o primeiro impulso de Alana foi largar tudo e ir ao encontro dele. Depois, pensou em revidar e matar Boudica, mas esta já havia recuado com a carruagem, aparentemente perplexa com o que via adiante. Rapidamente, Alana intuiu a desgraça que estava por vir. Enquanto corria na direção de Marcus Tito, sabia que o ataque não iria muito longe. Mesmo assim, conseguiu alcançá-lo, seguida de perto por Tristan e Marva, que tentavam protegê-la da melhor forma.

– Temos que recuar, princesa – disse Tristan, erguendo a espada em sua defesa.

– Não – protestou Alana, com vigor. – Vamos, Tristan, ajude-me a tirá-lo daqui.

Enquanto Marva lutava com os romanos que se aproximavam, Tristan arrastou o general para fora do desfiladeiro, deitando-o perto das rochas que davam início às montanhas. Deixou Alana com ele e voltou para ajudar Marva a proteger sua princesa.

– Marcus – chamou ela, em lágrimas. – Por quê?

Ele mal conseguiu abrir os olhos. A visão já se encontrava turva, enevoada pelas sombras da morte, mas, mesmo assim, ele a reconheceu. Alisou o rosto dela com dedos ensanguentados e tossiu, forçando a voz a sobressair do estertor agonizante.

– Por amor... – concluiu para, em seguida, morrer.

Alana abraçou-se a ele em prantos, amaldiçoando Boudica pelo ato pérfido. Subitamente, todo o ideal de liberdade e justiça pelo qual vinha lutando perdeu o sentido.

– Princesa, temos que ir – Tristan implorou, indicando o desenrolar da batalha.

Foi então que Alana entendeu o eco de gravidade na voz dele. Posicionada fora da linha de combate, ela assistiu aos guerreiros celtas se adiantarem de modo temerário e descuidado. À medida que avançavam, acabavam imprensados pelos soldados romanos que, apesar de poucos, eram disciplinados e treinados. Logo uma chuva de dardos caiu sobre os bretões, que, despreparados, não tiveram nem tempo de erguer os escudos para se proteger. Em meio à confusão que se instaurou, os romanos, favorecidos pela superioridade de armas, escudos e armaduras, fizeram uma formação em forma de cunha e atacaram, enquanto mais soldados surgiam das laterais, fechando o cerco ao redor dos rebeldes. A inferioridade numérica rapidamente foi suplantada pela superioridade estratégica, disciplinar, e a derrota celta era questão de muito pouco tempo.

Quando os bretões perceberam o que estava acontecendo, era tarde demais. Desesperados, sem ter como se movimentar para reagir, viram seus companheiros caírem um a um, atingidos pelas lanças e espadas dos romanos. Certos de que não teriam como resistir ao contra-ataque brutal, tentaram recuar e escapar pela planície, mas o caminho encontrava-se bloqueado pelas carroças dos familiares, que as haviam abandonado e fugiam apavorados.

Forçada a soltar o corpo de Marcus Tito, Alana foi praticamente arrastada por Tristan e Marva. Fora do desfiladeiro, não foram alcançados pelas espadas romanas e, ladeando as carroças, encontraram montaria disponível. Cavalgando em meio a árvores e arbustos, saíram da zona de conflito, onde os romanos se concentravam, matando soldados, mulheres e crianças, não poupando sequer os animais, devolvendo, em igual moeda, os morticínios praticados contra os cidadãos de Roma.

Por fim, o conflito se encerrou, com algumas centenas de baixas dos romanos, contra milhares de bretões chacinados. A revolta de Boudica, apesar dos transtornos que quase levaram o imperador Nero a se retirar da Britânia, finalmente cedera à inteligência romana.

Capítulo 39

Foi preciso muito poder de persuasão para convencer Alana de que a permanência deles no campo de batalha seria inútil. Tão logo se viu fora do alcance das espadas romanas, quis voltar, para surpreender o inimigo em novo ataque. Tristan, contudo, segurou a rédea de seu cavalo e ponderou:

– Não adianta, princesa. Nós perdemos.

– Ainda não compreendo como isso foi possível – comentou Marva. – Estávamos em maior número.

– Foi possível pela nossa indisciplina – argumentou Alana. – Os romanos são bem treinados e agem com a cabeça fria, não impulsionados pelo calor da emoção.

– O que faremos agora? Não podemos retornar a Brigância.

– Não retornaremos. Mas preciso dar um jeito de voltar àquela planície. Tenho que descobrir o que foi feito de Boudica.

– A rainha bateu em retirada – contou Tristan. – Tentou recuar com os guerreiros e, assim que se deu conta de que havia perdido a guerra, saiu em disparada.

– Sei para onde ela foi – disse Alana, olhando adiante. – E é para lá que vou também. Temos assuntos pendentes a resolver.

– Acha que é prudente? Ela deve estar furiosa, e você sabe que não é de poupar os inimigos. E talvez, neste momento, você seja uma inimiga.

– Não tenho medo de Boudica.

– Pois devia. É uma rainha implacável.

– Acha que não sei disso? Mais do que implacável, é traiçoeira. Não posso esquecer a forma covarde como me traiu. Mas vocês não precisam vir comigo. Estão liberados de seu dever de lealdade. Procurem uma tribo mais ao norte, onde o nome de Boudica ainda não despertou a ira dos romanos.

– Não, princesa– objetou Tristan.– Jurei segui-la e é o que farei.

– Eu também– acrescentou Marva.

– Têm certeza?– eles assentiram, e ela não insistiu, sabendo que seria inútil tentar demovê-los daquela decisão. – Muito bem, que seja. Se formos rápido, talvez cheguemos ao palácio de Boudica junto com ela.

Sem mais o que dizer, os três deram rédea aos cavalos e se puseram a galope, em direção à tribo dos icenos. Quando lá chegaram, já era noite fechada, e o que encontraram foi uma cidade praticamente deserta, com alguns poucos aldeões se escondendo em suas cabanas. A maioria do povo havia abandonado suas casas para seguir a comitiva da rainha, e praticamente ninguém havia retornado. Da carruagem, nem sinal, contudo, Alana sabia que ela a teria parado em algum lugar fora das vistas de quem chegasse.

– Fiquem aqui – ordenou ela. – E escondam-se. Não quero colocá-los em risco.

Os dois conduziram os cavalos para o meio das árvores, e Alana penetrou na pequena construção que Boudica chamava de palácio, mergulhada em trevas sinistras. Não precisou procurar muito, pois a rainha encontrava-se no aposento principal, mergulhada na escuridão de seus próprios pensamentos. Ouvindo ruídos na entrada, apanhou a lança com surpreendente rapidez e, mesmo na semiescuridão imposta pela única tocha acesa, apontou-a diretamente para Alana.

– Você! – exclamou, admirada. – Pensei que estivesse morta.

– Pois pensou errado. Assim como você, consegui escapar.

– Vá embora daqui. Nossa aliança acabou. Não temos mais pelo que lutar.

– Você me deve...

– Não lhe devo nada! – cortou a rainha bruscamente.

– Você deu ordens para matar Marcus Tito. Não adianta mentir. Eu mesma vi.

– Quem foi que disse que preciso mentir? Dei a ordem porque ele era o inimigo, e nós não poupamos inimigos.

– Você prometeu!

– Cumpri a promessa da primeira vez que ele caiu em nossas mãos. Não o libertei em Verulamium? Ali, encerrou-se nosso trato.

– Esse é um subterfúgio deveras astucioso, digno da sua perfídia.

– Quem será a traidora nessa história, Alana? Eu, que mandei matar um general inimigo, ou você, que se apaixonou por ele?

– Não se trata de paixão, e sim de dignidade, coisa que, pelo visto, você não tem.

– Não venha me falar de dignidade. Você é muito infantil e imatura para perceber o alcance dessa palavra. A dignidade, para mim, está no esforço que eu empreguei para expulsar o invasor, pois apenas isso me interessa. Foi o meu sangue e o de minhas filhas que verti no acampamento romano, apenas um prenúncio de todo o sangue que ainda seria derramado pelos homens e as mulheres que bravamente lutaram pela libertação de nosso povo.

– Não questiono isso. Eu mesma não participei dessa luta?

– Mas sempre me recriminando, se queixando, se julgando superior porque aprendeu a ter compaixão pelo inimigo. Quem foi que lhe ensinou isso? O general, na certa, não foi. Experimentei bem a compaixão dos romanos e posso lhe garantir que não é muito melhor do que a nossa.

– Nós tínhamos um trato, Boudica. Meus guerreiros a seguiram porque eu assim ordenei. Podia ter-me retirado dessa guerra, e eles me acompanhariam. Mas não. Permanecemos todos ao seu lado.

– E de que adiantou? Todos os exércitos foram dizimados. Não sobrou nada.

– Isso não justifica a sua atitude.

– Basta, Alana! Não aguento mais as suas reclamações. Primeiro, choramingou pela mamãezinha traidora, depois, lamentou a morte de mulheres e crianças romanas, e agora, vive a lamuriar-se porque eu mandei matar um general que nada representa para nós além do inimigo. Não compreendo por que você se volta contra mim, que só quis a liberdade do nosso povo.

– Não estou me voltando contra você. Vim apenas cobrar a promessa que me fez.

– Você não tem esse direito. Eu nem sequer mandei chamá-la. Você desceu da terra dos brigantes para se aliar a mim por vontade própria. Não lhe pedi nada. Foi você quem me ofereceu ajuda.

– Ajuda que você prontamente aceitou.

– Porque acreditei que seus propósitos eram iguais aos meus.

– E eram.

– Mas você impôs várias condições, todas elas favorecendo o inimigo. A traidora da sua mãe, aliada de Roma, é inimiga; as mulheres e crianças romanas são inimigas; o legionário é inimigo. Será que, com isso, você também não se tornou inimiga?

– Como pode dizer uma coisa dessas? O tempo todo lutei a seu lado, não hesitei em matar nenhum soldado romano que caiu na mira da minha espada. Só quis poupar os inocentes, preservar quem me ensinou tudo o que sei para lutar nesta guerra... e você não pode querer me acusar de me preocupar com minha própria mãe!

– Chega dessa conversa idiota. Aproveite a oportunidade que lhe estou dando e suma daqui. Nunca mais quero vê-la nem ouvir falar de você.

– Não, Boudica, isso não pode ficar assim. Exijo uma reparação.

– Você não exige nada, e não há reparação possível para o que já está consumado. Ou você pensa que foi a que mais sofreu com tudo isso? Já se deu conta de que o meu povo praticamente não existe mais? Pensa que não lamento as vidas celtas perdidas, os órfãos, os campos devastados pela desolação? Quanto nos custará reerguer nossas terras? Pagaremos um preço alto em vidas e escravidão para compensar os romanos dos prejuízos que lhes causamos. Acha que nada disso me importa? Que não me dói reconhecer que padecemos por nada? Não lutei por glórias, Alana, lutei pela liberdade. Só o que queria era que voltássemos a ser livres.

Disse a última frase com tanta angústia, que o coração de Alana se condoeu. Boudica não estava totalmente errada. O mais duro em tudo aquilo era reconhecer que tantas vidas haviam sido perdidas à toa, e que tudo continuaria como sempre fora, talvez até pior, pois o preço cobrado pelos romanos reverteria em mais miséria para seu povo.

– Talvez você tenha razão – concordou Alana, a voz mais amena. – Compreendo sua frustração, contudo, ainda me é difícil aceitar que você me traiu...

– Chega, pelos deuses! – gritou Boudica, tapando os ouvidos com irritação. – Não aguento mais você, não suporto sequer ouvir a sua voz! Dei-lhe a chance de desaparecer com suas lamúrias e de superar a necessidade da desforra, mas você insiste em cobranças sentimentais e egoístas. A escolha é sua, Alana, mas não pretendo dar a você nova oportunidade de vingança!

A reação de Boudica foi mais rápida do que a percepção de Alana. Com um movimento preciso, ela apanhou a lança que tinha largado no chão e atirou-a na direção da princesa, que somente muito tarde percebeu o que ela havia feito. A lança trespassou seu coração de forma certeira, com a precisão própria de uma guerreira à altura de Boudica.

O último suspiro de Alana quase não foi percebido, porque ela tombou no chão tão rapidamente quanto o voo da lança, e nem teve tempo de sentir a aspereza da terra sob seu corpo. Morreu antes mesmo de concluir a queda.

Ao se dar conta do que havia feito, Boudica se desesperou. Nenhum dos seus planos de vingança incluía matar aliados celtas. E ela reconhecia que Alana, apesar de suas tolas fraquezas, lutara a seu lado com rara habilidade e inquestionável bravura. Mas ela era uma rainha irascível e impetuosa, pouco dada a ponderações. Agia por impulso, mais pelo instinto do que pela razão.

Sem poder suportar a dor da derrota, que lhe impusera mais aquela desgraça, Boudica chamou suas filhas. As meninas entraram assustadas no aposento, fitando, com espanto, o corpo sem vida de Alana.

– Tudo se acabou para nós – disse ela, com profunda tristeza, ao mesmo tempo que retirava da cintura o frasquinho de veneno que Kendra lhe dera para evitar que ela fosse feita prisioneira pelo inimigo. – A morte é agora nossa única chance de libertação.

Com os dedos trêmulos, ela fez as meninas beberem do líquido amargo. Sem compreender bem as palavras da mãe, desconhecendo que partiam ao encontro da morte, engoliram tudo sem reclamar. Em seguida, Boudica esvaziou o frasco em sua boca. Naquele momento, aquela era a única solução digna para o conflito que se encerrava. Dentro em pouco, os romanos bateriam à sua porta, e a punição que infligiriam a elas seria insuportável, muito pior do que os breves instantes de dor que precederiam a morte.

Entre espasmos e soluços, aos poucos, os sinais vitais das três foram cessando. No silêncio que se seguiu, apenas o crepitar do fogo se espalhava pelo ambiente. Não havia mais vida ali, nem esperança, nem dor. Somente quatro corpos estendidos no chão, cada qual com sua história, interrompida naquele momento, porém, inacabada. Nada mais restava da revolução que, por pouco, não expulsara de vez os romanos da Britânia.

Capítulo 40

A primeira coisa que Alana viu quando abriu os olhos foi a luz suave do fim de tarde penetrando pela janela, incidindo diretamente sobre seu rosto. Ela piscou algumas vezes, sentindo a lentidão das pálpebras descendo sobre a vista cansada. Com algum esforço, virou a cabeça para os lados, procurando identificar objetos e pessoas. Não havia ninguém ali, nem nada lhe era familiar.

Sem fazer a menor ideia de onde estava, tentou se levantar, mas o corpo dolorido a derrubou de volta na cama. Tornou a fechar os olhos, esperando que o sonho estranho se dissipasse. Quando, mais uma vez, os abriu, as brumas do devaneio ainda estavam lá. Aos poucos a mente foi retomando a noção da realidade, trazendo para junto dela as lembranças dos episódios mais recentes.

Lembrou-se da guerra, da emboscada, de Marcus Tito, de Boudica, da lança e da dor. Ao pensar nisso, uma pontada esquisita atravessou seu coração, por onde corria um filete de sangue. Notando o ferimento, Alana se sobressaltou, esforçando-se, com muito custo, para se lembrar, com exatidão, do que havia acontecido. Ensaiou um grito, para chamar Kelvin, mas a garganta recusou-se a obedecer, e em vez de um chamado, o que ela ouviu de si mesma foi um gemido indiscernível, nada parecido com palavras.

Desanimada, desistiu e deixou-se ficar na cama, cuja maciez extrema ela estranhou. Fixando os olhos nas paredes brancas do ambiente, deu-se conta de que o local em que se encontrava era-lhe totalmente estranho, muito diferente das cabanas celtas e dos pequeninos castelos que os romanos lhes haviam ensinado a erguer. E uma caverna, com certeza, não era.

Do lado de fora, o sol descia no horizonte, mergulhando o mundo em uma escuridão tenebrosa. Havia nuvens no céu, encobrindo as estrelas e barrando a claridade natural da lua.

As mãos calejadas pousaram sobre o coração, sentindo a aspereza do sangue coagulado. Ela afastou as bandagens que cobriam o ferimento e experimentou a extensão do corte. Parecia profundo e largo, um rombo extenso em seu peito. O toque trazia a dor, de forma que ela ajeitou de volta o curativo e afastou as mãos, fitando o teto de pedra. Sem ter a menor ideia de onde estava, fechou os olhos novamente, pedindo aos deuses que a ajudassem.

– Você não está mais lá – foi a voz que respondeu a suas preces.

Assustada, Alana arregalou os olhos, assombrada com a figura delgada que se debruçava sobre ela.

– Shayla!– exclamou, surpresa.– Como é possível? Estou naquele sonho novamente?

– Isso não é um sonho. É a sua realidade agora.

– Como assim? Há pouco, estava no palácio de Boudica, e acho que ela me acertou com uma lança.

A ferida reabriu e começou a borbulhar, atraindo a atenção de Shayla, que se aproximou e trocou as bandagens.

– Você precisa ficar quieta – ralhou Shayla, com ternura –, ou esse talho não vai se fechar.

– Não entendo, Shayla. Que lugar é esse? Como chegamos aqui?

Shayla deu um suspiro de resignação e sentou-se ao lado de Alana. Envolveu uma das mãos da princesa entre as suas, alisando-a carinhosamente. De vez em quando, uma lágrima saltava de seus olhos, e ela a enxugava com a ponta dos dedos, rapidamente, para que Alana não visse. Por fim, acabou por revelar:

– Você está morta, Alana. Boudica a matou.

Alana não respondeu. Em seu íntimo, imaginava algo semelhante, embora não entendesse muito bem como podia estar morta e viva ao mesmo tempo. Era uma sensação esquisita, como se estivesse agora experienciando o conhecimento antigo de seu povo.

– Você ainda não me respondeu onde estamos.

– Estamos em uma casa no mundo invisível, que fica em uma espécie de cidade espiritual.

– Não entendi. Onde, exatamente, fica isso? E como pode ser invisível?

– Não sei direito. Só sei que não é no mundo dos vivos.

Alana franziu as sobrancelhas, claramente intrigada, e retrucou com interesse:

– E como foi que você conseguiu me trazer até aqui?

– Seu corpo está leve agora, e eu tive ajuda.

– Ajuda de quem?

Ela fez um breve silêncio, imaginando como descrever a maravilhosa aparição, até que revelou, da melhor forma que pôde:

– Primeiro, veio uma deusa diferente e maravilhosa, com pele cor de carvão, que eu nunca havia visto.

– Oyá...– murmurou Alana, sem que Shayla ouvisse.

– Era linda, toda vestida de vermelho, cintilando sobre seu corpo caído, espalhando sobre ele umas gotinhas transparentes e brilhantes, que fez vocês reluzirem como se fossem raios de sol.

– Vocês?

– Sim. Ela parecia preocupada não apenas com você, mas com Boudica e as filhas também. Não sei o que aconteceu com elas, porque a deusa chamou outro deus, que falou comigo e me deu ordens para trazer você.

– Um deus? Foi ele quem ajudou você a me trazer?

– Foi. Na verdade, ele me falou que não é um deus, mas confesso que estou em dúvida. Disse que seu nome é Mazi e que foi seu irmão em outra vida.

– Meu irmão? Como pode ser isso?

– Não sei bem, mas garanto que ele vai lhe explicar.

– E a deusa? Por acaso foi minha mãe?

– Acho que não. Ela nunca falou uma só palavra, mas Mazi me disse que ela se chama Oyá e que acompanha você há muitas vidas.

– Sim, conheço Oyá, mas não entendo qual a ligação de tudo isso. Para mim, é tudo muito estranho e novo.

– Para mim também, mas a verdade é que, se não fosse por eles, não estaríamos aqui.

– Como assim? Onde estaríamos?

– Não sei bem. Só sei que Marlon estava esperando para levá-la com ele.

– Marlon?– repetiu, atônita.

– Sim. Ou pensa que ele desistiu de você? Marlon agora é outra pessoa, uma criatura importante lá no mundo perdido dos mortos, de onde você me libertou, lembra?

– Lembro... E agora que você tocou nesse assunto, lembro também que Marlon me visitou em sonho. Disse-me coisas estranhas.

– Marlon a teria encontrado primeiro e a teria levado para as profundezas que ele habita. Foi muita sorte Oyá e Mazi terem aparecido, sabe?

Alana estava muda de assombro. Não podia imaginar que, durante os minutos que se seguiram a sua morte, tanta coisa houvesse acontecido em um mundo invisível.

– E Marcus Tito? O que foi feito dele?

– Isso eu não sei. Ninguém me falou.

– E Tristan, Marva e os outros?

– Tristan e Marva ficaram muito tristes com a sua morte, mas fizeram como você sugeriu e foram para o norte. Estão juntos, provavelmente, entre os carvécios. E, embora você não tenha perguntado, Kelvin também morreu, bem como seu amigo Kendra e todos os druidas que participaram dos conflitos. Não se encontram aqui. Imagino que tenham se juntado a Marlon.

– É bem provável. E de minha mãe? Você tem notícias?

– É claro que ela lamentou a sua morte, mas tudo continua igual entre os brigantes.

Alana fez uma pausa, refletindo sobre as novidades trazidas por Shayla. Quando tornou a falar, foi em tom de imensa curiosidade:

– Quanto tempo faz, Shayla? Há quanto tempo estou aqui?

– Hum... Deixe ver... Nós perdemos um pouco a noção do tempo aqui, sabe? Mas se eu tivesse que arriscar, diria um mês, mais ou menos.

– Um mês? – espantou-se. – Faz um mês que estou dormindo?

– Sim, e Mazi cuidou de você esse tempo todo. Graças a ele, seu ferimento está quase cicatrizando.

– Como posso ter esse ferimento, se meu corpo já não é mais de carne?

– Pelo que ele me explicou, a morte nos transforma em uma coisa chamada energia, que é uma espécie de força invisível. Essa energia precisa de um corpo para se apresentar e ser reconhecida, e é por isso que mantemos a aparência de quando estávamos vivos. Mesmo com a morte, conservamos as mesmas características que possuíamos em vida, bem como algumas lesões mais profundas, cujos resquícios permanecem, já que ainda somos muito primitivos e ignorantes para nos curarmos sozinhos.

– Pensei que, depois de mortos, todas as feridas desaparecessem.

– Eu sabia que não era bem assim, porque ainda tenho marcas do que me aconteceu...– calou-se, apertando o coração, onde Alana a havia apunhalado.– Não quero lhe trazer lembranças dolorosas. Isso já passou.

– Temos isso em comum, não é, Shayla? Você e eu fomos mortas por um corte no coração.

– Não pense mais nisso, princesa. Mazi me disse que tudo acontece como tem que acontecer.

– Pelo visto, você e Mazi se tornaram muito amigos.

– É verdade. Gosto dele e das coisas que diz. Me dão conforto e alegria.

– E onde ele está? Quero muito falar com ele.

– Mazi é assim mesmo. Vem e vai como o vento que sopra sem destino. Daqui a pouco, ele aparece. Agora descanse. Você precisa se recuperar.

A conversa havia mesmo desgastado Alana um pouco. Sentindo um cansaço reconfortante, ela se deixou ficar na cama macia. Em poucos instantes, adormeceu.

Capítulo 41

Quando Alana tornou a despertar, o que viu foi um rosto negro e sério voltado para ela. Tratando-se de um desconhecido, deveria se assustar, contudo, a verdade é que havia algo não apenas familiar naquele semblante, mas também amistoso e sereno. Olhando rapidamente em volta, Alana percebeu que o ambiente permanecia o mesmo, embora uma claridade límpida lhe indicasse que talvez estivessem no início da manhã.

– Você é o Mazi?– indagou ela, olhando, com curiosidade, o traje colorido que envolvia seu corpo.

– Sim – foi a resposta breve.

– Eu me lembro do seu rosto...

– Já nos encontramos antes.

– Naquele dia, na montanha. Você veio antes de Oyá.

Ele sorriu amistosamente e indagou com amorosidade:

– Como se sente?

– Estou bem, acho.

– A ferida já está praticamente cicatrizada– observou ele, ajeitando as bandagens no coração de Alana. – E agora que você despertou, sua mente está em condições de compreender que esse sangue e o corte de onde ele provém são apenas uma impressão, meros reflexos do ferimento que foi produzido em seu corpo físico.

– Você fala difícil, Mazi. Quer dizer que eu posso me curar, se quiser, porque aqui as feridas não existem de verdade. É isso?

– Exatamente.

– Shayla já havia me explicado.

– Ela ainda está em processo de cura. Seu coração também sangrava quando a encontrei, mas o que resta agora é uma pequena cicatriz, que ela não conseguiu ainda dissolver. Resíduos da lembrança dos acontecimentos que causaram sua morte.

– Não precisa me lembrar – tornou ela, acabrunhada. – Sei que a culpa foi minha.

– Não foi minha intenção lembrá-la de episódios dolorosos. Quanto à culpa, você precisa aceitar o que fez e se perdoar, porque Shayla não lhe guarda nenhum ressentimento.

– Eu sei. Já conversamos sobre isso.

– Ótimo.

– E quanto a você? Por que veio me ajudar? Qual o seu interesse em mim?

– Shayla não lhe contou? Você não sabe que fomos irmãos?

– Ela me disse, mas não compreendo. Quando fomos irmãos?

– Quando vivemos juntos na África, de onde fugimos após nossa aldeia ser atacada por uma tribo inimiga. Não se lembra?

Mazi passou a mão na testa de Alana, ativando o centro de memória de suas vidas passadas. Aos poucos, as imagens foram-se delineando em sua mente, e ela se lembrou de tudo. Afinal, não acontecera havia tanto tempo assim, e os fatos ainda se encontravam muito presentes em suas lembranças.

– Nnenia! – exclamou ela, revirando os olhos, como se uma vida inteira se desenrolasse rapidamente à sua frente. – Eu me chamava Nnenia, e sim, lembro que você era meu irmão. Foi na África, fugimos de nossa aldeia, que foi atacada por uma tribo rival, e fomos para um lugar chamado... Cartago... Não é isso?

– Exatamente.

– Mas... Espere... Não fomos felizes lá. Não durante muito tempo. Havia um mercado, um soldado romano, alguém que... – calou-se, sentindo a dor da lembrança de algo que foi difícil.

– Sim, Alana, ele a estuprou.

– Mas não foi só isso. Ele me matou... cravou uma espada em meu coração, mas havia um outro soldado... ele tentou me ajudar, mas não teve tempo...

– Marcus Tito. Ele é o soldado que tentou tirá-la das mãos do estuprador.

– Marcus Tito... – repetiu ela, espantada. – Sim, só podia ser. Mas espere... Tem algo mais. Esse outro soldado, o que me estuprou e me matou... Pelos deuses! Era Marlon!

– Você se lembrou de tudo, Alana. Marlon ainda é um espírito embrutecido, como quase todos ainda o são, e não teve discernimento suficiente para delinear os rumos dessa encarnação, mas entendeu os planos traçados para ele e acreditou que poderia mudar alguma coisa entre vocês. No começo, parecia que ia dar certo, porque ele realmente conseguiu desenvolver algum tipo de afeto por você. Mas Marlon possui uma tendência ao mal que é difícil de contornar. Quando seu espírito soube que foi Cartimandua quem mandou matá-lo, intimamente, ele culpou você pelo ocorrido, e todo o ódio reacendeu. E, como havia mesmo se apaixonado por você, viu-se presa de sentimentos confusos e contraditórios.

– Se ele conseguiu sentir afeto, então, alguma coisa melhorou. Ou não?

– De uma certa forma, sim. Ele gosta de você, mas não consegue ainda se desvincular do orgulho e do que ele sempre buscou em suas vidas passadas, que foi o poder. E é por isso que, sempre que desencarna, ele logra conquistar um posto de poder na treva para onde vai. É uma forma de compensar o propósito que não alcançou em vida.

– Mas ele odiava os romanos. Como, se já foi um também?

– Primeiro, ele não tinha lembranças de que havia sido romano. E depois, não eram os romanos, propriamente, que ele odiava, mas o poder que possuíam e que ele invejava, porque não podia ter.

– É por isso que ele detestava tanto Marcus Tito?

– Exatamente. Marcus era um centurião na época, alguém hierarquicamente superior a ele, que o repreendeu, o humilhou e depois o matou. Para espíritos empedernidos, não é algo fácil de se esquecer.

– Tem razão.

– Veja você, por exemplo. Não guardou raiva e o perdoou. Você, Alana, está muitos anos à frente das pessoas comuns dessa época.

– Como assim?

– Atualmente, o homem praticamente ainda vive na barbárie. Age impulsionado pelos instintos e desconhece valores sagrados, como perdão, bondade e compaixão.

– Boudica e minha mãe diziam que são sinais de fraqueza.

– Sua mãe ainda está perdida nas ilusões do mundo. Pensa que o mais importante é aumentar suas riquezas e se manter no poder.

– E Boudica?

– Boudica foi uma guerreira extraordinária, e seus motivos eram justos. Seus métodos, contudo, foram implacáveis.

E, apesar de seus atos não serem vistos como crueldade pelo seu povo, são contrários à lei do amor. Mas isso agora vai mudar, com a chegada de Jesus.

– Jesus?

– O Nazareno. Já ouviu falar dele?

– Sim. Marcus me contou sobre ele.

– Jesus morreu para nos deixar um exemplo de amor e bondade, que muitos seguirão.

– Ouvindo você falar assim, fico até emocionada. Gostaria de tê-lo conhecido.

– Mesmo não o conhecendo, você pode se juntar a ele.

– Como?

– Aprendendo seus ensinamentos e desenvolvendo a lei do amor.

– Eu gostaria disso, Mazi. Você me ensina?

– Com o maior prazer. Eu mesmo não nasci cristão, mas acompanhei, do mundo espiritual, a trajetória desse grande líder.

Alana deixou o olhar vagar no horizonte, imaginando como teria sido bom conhecer Jesus, que devia ser um homem maravilhoso e muito diferente dos que ela conhecera. Mas seus pensamentos estavam mais ligados a sua própria realidade, de forma que ela afastou o fascínio que o Nazareno lhe causava e indagou, ansiosa:

– E Marcus Tito? Você sabe onde ele está?

– Seguiu seu próprio destino. Você, Alana, é uma guerreira com raro senso de lealdade, justiça, compaixão e bondade. Isso faz de você uma criatura especial, alguém que, como eu disse, está um passo à frente do comum de seu povo.

– Tudo isso é muito novo para mim, Mazi. Para começar, nem sei onde estou. Shayla falou algo sobre uma cidade espiritual, mas não entendi o que isso significa.

– Não gostaria de dar uma volta? Assim, você vai entender.

Era um mundo diferente. Alana saiu para um corredor limpo e branco como o quarto em que estivera. Acompanhando Mazi, atravessou uma porta mais larga e se viu em um jardim esplêndido, coberto de flores coloridas e perfumadas, dispostas lado a lado com graça e harmonia. Entre os gramados verdes, vários caminhos cobertos de pedrinhas miúdas e esbranquiçadas cintilavam ao sol e reluziam como uma estrada pavimentada de prata. Ao longe, o céu claro e límpido estendia sobre o horizonte um azul tão vivo, que ela esticou a mão para tocá-lo, a fim de se certificar de que não era tinta derramada. Como não o alcançou, recolheu a mão e olhou para Mazi, totalmente deslumbrada.

– Que lugar mais lindo...! – exclamou, os olhos úmidos de emoção. – Onde fica? Estamos na Britânia?

– Não exatamente. Estamos em algum lugar acima da Britânia.

– Acima como? Nas nuvens?

– Pode-se dizer que sim – avaliou ele, com um sorriso de generosidade. – No mundo espiritual superior, que é onde estamos, as cidades foram construídas no espaço invisível acima do solo.

Maravilhada como estava, Alana disparou na frente de Mazi, aspirando, com profundidade, os aromas refrescantes das flores e aquecendo-se ao sol morno. À medida que caminhava, ia encontrando outras pessoas, algumas vestidas de branco, outras trajando armaduras, outras ainda usando trajes próprios dos celtas. Como aquilo lhe chamasse a atenção, lembrou-se de verificar suas próprias vestimentas, surpreendendo-se ao constatar que usava uma espécie de túnica verde, bem clarinha, leve, macia e muito confortável. Ela alisou o tecido, admirada com a textura suave, e endereçou a Mazi um olhar interrogativo.

– Não compreendo – declarou. – Quando Marlon morreu, Kelvin me levou ao Mundo dos Mortos. Agora me lembro perfeitamente dele, mas era tão diferente! E Shayla estava lá.

– Marlon continua lá, agora liderando uma horda de assassinos e ludibriadores.

– Shayla disse que ele procura por mim. É verdade?

– Infelizmente, sim. Ele pensa que pode levá-la com ele, ainda que contra a sua vontade.

– Levar-me para onde? Para aquele mundo horrível de escuridão, aflição e medo?

– Sim. É o reino dele agora, o lugar que ele comanda com prepotência, impondo terror e uma obediência cega, com punições cruéis para os infratores das leis que ele mesmo criou.

– Que coisa horrível! Nunca pensei que ele pudesse se modificar a ponto de se tornar um ser maligno.

– Na verdade, ele não se modificou, apenas revelou sua verdadeira face. Veja bem, Alana, ninguém se modifica para pior. A mudança interior é fruto do desenvolvimento de virtudes sagradas que, uma vez adquiridas, nunca mais se perdem. Quando alguém muda para pior, significa que abriu mão das defesas da alma que resguardam sua integridade, deixando de exercer o controle e o domínio sobre seus vícios e suas ilusões, e desvendando o que sempre esteve oculto dentro de si.

– Ou seja, em um caso há modificação e, no outro, revelação?

– Exatamente. A transformação pessoal tem duas vias: para melhor, quando há um acréscimo de virtudes que levam a uma modificação sólida, autêntica e definitiva; ou para pior, quando as inclinações viciosas da alma encontram um meio de burlar a vigilância da mente e desvendam sua natureza perniciosa. No primeiro caso, a mudança é verdadeira. No segundo, apenas aparente.

– E Marlon encontra-se nesse segundo caso.

– A verdade, Alana, é que você nunca reparou na real essência de Marlon. Algumas vezes, estamos tão envolvidos pelo afeto e pela admiração, que não conseguimos enxergar o íntimo das pessoas e seguimos iludindo a nós mesmos. Mas os sinais estão lá. Ninguém consegue ocultar seus traços de caráter o tempo todo. Há sempre uma atitude aqui, uma ideia ali, uma palavra acolá; coisas que, se bem observadas, demonstram a inclinação nociva que se busca ocultar debaixo de uma capa polida de perfeição e integridade.

– Eu nunca percebi nada disso em Marlon, até me encontrar com ele naquele lugar horrível.

– Não pense que isso é exclusivo de Marlon. Todos nós, em maior ou menor escala, podemos adotar esse tipo de comportamento, seja para alimentar nossos vícios, seja para nos proteger. E não devemos julgar ninguém.

– Entendi, Mazi. Mas é que tudo é muito novo para mim. Ainda não estou acostumada a estar morta, e as ideias que você traz, nunca ouvi em toda a minha vida, nem de Kelvin, que eu sempre considerei um mago sábio e inteligente.

– São as boas novas trazidas por Jesus, que se espalharão pelo mundo através dos séculos. E agora, vamos voltar. Você precisa descansar.

Enquanto caminhavam de volta, Alana refletia em tudo o que Mazi lhe dissera. Estava maravilhada com o mundo espiritual, desejosa de conhecer mais sobre a vida além da matéria. Havia tantas coisas que ela desconhecia! E o Nazareno? Parecia-lhe uma pessoa verdadeiramente especial, um homem extraordinário, que ela, embora não tivesse conhecido, admirava imensamente. Mazi lhe prometera que ensinaria suas ideias, e só de pensar nisso, seu peito encheu-se de alegria. Ela não sabia o quanto era diferente da maioria das pessoas de sua época, e era essa diferença que a transformaria no ser grandioso que ela estava destinada a ser.

Capítulo 42

Alguns dias mais foram necessários para que Alana se recuperasse totalmente. No começo, foi difícil desvincular-se da sensação da ferida, e as marcas impressas em seu corpo fluídico vertiam sangue todas as vezes que ela se recordava do incidente com raiva ou agonia. Mas o espírito de Alana era livre e não costumava se apegar a derrotas passadas, de forma que, à medida que ela se envolvia com a vida espiritual, mais distantes ficavam as lembranças e, com elas, iam-se as sequelas da lesão.

Certa manhã, ao caminhar sozinha pelos jardins, teve uma estranha sensação. Seus pensamentos andavam ocupados com as reminiscências e os questionamentos, mas, naquela hora, o que lhe veio à cabeça foi a imagem desfigurada de Marlon. Recordações de um passado feliz excederam suas reflexões, levando Alana a pensar, quase a sentir, os beijos, as carícias e as palavras doces que ela e Marlon trocavam quando eram jovens e apaixonados. Aos poucos, sem que ela percebesse, as lembranças dominaram sua mente, transformando a memória em um amontoado de passagens desconexas, que acabaram se detendo na excitação do sexo.

Na mesma hora, seus sentidos se aguçaram, e um apetite sexual inesperado dominou seu corpo astral, fazendo-a desejar ardentemente estar nos braços de Marlon. A ideia foi tão persistente, que logo ela se viu em outro lugar. Em um piscar de olhos, transportou-se para o antigo submundo, que conhecera quando Kelvin a levara até lá. À sua frente, apenas escuridão, que se decompunha gradativamente até um tom de cinza escuro, onde sombras estranhas se moviam lentamente, à distância.

Ouvindo um ruído de ferro e correntes, Alana se virou assustada. Ao longe, um vulto desengonçado caminhava em sua direção, claudicando a cada passo, o que fazia ressoar aquele barulho esquisito. Ela o observava horrorizada, tentando imaginar o que ela estaria fazendo ali e quem seria a figura macabra. Foi com assombro que percebeu as pústulas sangrentas em seu tronco desnudo, os grilhões em seus punhos e tornozelos, as rachaduras em seus lábios secos. Reconheceu, com horror, a criatura grotesca que se aproximava e soltou um grito inesperado de repulsa, medo e dor.

– Não é possível – balbuciou ela, aterrorizada. – Você, não... não pode ser.

– Sou eu mesmo, Alana – respondeu uma voz cavernosa. – Veja bem no que me transformei.

– Mas o que aconteceu com você? Como foi que veio parar aqui?

– Assim como você, fui trazido para cá contra a minha vontade, com a diferença de que ele a ama, mas de mim, só o que quer é vingança.

O ser monstruoso se movimentou com dificuldade, voltando, para ela, as costas vergastadas. Não queria que ela o visse chorando.

– Marcus... – ela falou baixinho, como se pudesse magoar os ouvidos dele se pronunciasse seu nome em voz alta.

– Não! – protestou ele, tentando manter o pouco de dignidade que ainda lhe restava. – Não tenha piedade de mim, por favor. Não suportaria isso vindo de você.

Ela abaixou os olhos, chorando de mansinho para que ele, por sua vez, também não percebesse o desespero em suas lágrimas.

– Sinto muito – murmurou.

– Vamos, Alana – tornou ele, subitamente nervoso. – Ele está a sua espera e vai me castigar se eu me demorar.

– Você fala em *ele*. Ele quem?

– Você vai ver. Ele não quer que eu diga, para não estragar a surpresa.

Não era preciso dizer que se tratava de Marlon, mas ela não insistiu. Não queria que Marcus Tito fosse penalizado por sua causa. Limitou-se a segui-lo com tristeza e em silêncio, caminhando com cuidado por entre as sombras disformes, algumas vagueando ao acaso, outras, estiradas no chão como se estivessem mortas. Havia milhões de perguntas que ela queria fazer, contudo, achou que não era uma boa hora e duvidava que Marcus Tito tivesse condições de lhe responder.

Rapidamente, chegaram ao seu destino. O local havia sido plasmado, pela força de pensamento de Marlon, como uma aldeia celta, rodeada de choupanas rústicas, tendo ao centro uma imensa cabana circular, feita de madeira escura, com portas e janelas que se mantinham fechadas.

– Que lugar é este? – indagou ela, sentindo um calafrio.

Em vez de responder, o romano abriu a pesada porta de ferro, dando a impressão de que toda a construção ia se desmantelar, abalada pelo peso da peça metálica. A casa, porém, era sólida e se manteve intacta, descerrando a entrada sinistra por onde Alana foi convidada a passar.

– Não tenha medo– disse ele, para acalmá-la. – Ele jamais lhe faria mal. Pelo menos isso me tranquiliza.

Sem dizer nada, Alana entrou, demonstrando a coragem que sempre lhe fora característica. Caminhou alguns poucos metros em meio à escuridão, estreitando a vista para acostumá-la à falta de luz. Quando alcançou o que parecia ser o centro do salão, seus olhos foram ofuscados por uma luz rubra, excessivamente brilhante, que envolveu apenas o círculo onde eles se encontravam, deixando tudo ao redor envolvido em trevas. Ela protegeu a vista com a mão, tentando identificar, por entre os dedos, a figura fora do comum sentada em uma cadeira alta, fincada no meio do recinto.

– Marlon! – chamou ela, fazendo retinir, no tom de sua voz, uma segurança que ela mesma julgava impossível. – Sei que é você, Marlon. Por que está fazendo isso? Por que me trouxe aqui? E por que não se revela apropriadamente, como o homem confiante e corajoso que você sempre foi?

Subitamente, as luzes suavizaram, permitindo que ela enxergasse claramente, embora todo o ambiente se mantivesse tingido de vermelho.

– Lamento se a luz a incomodou – retrucou ele, fazendo-se visível diante de Alana. – Não estou mais acostumado a ela, mas quis clarear o ambiente para você. Acho que exagerei.

– Você não me respondeu, Marlon.

– O que você quer que eu diga? Que a trouxe aqui porque, finalmente, posso tê-la junto de mim? Que fiz isso porque a amo? Que criei toda essa farsa para que você não perceba a minha real aparência?

O aspecto dele estava mais terrível do que da última vez que ela o vira. As feições encovadas, a pele rachada e cinzenta, os olhos vermelhos e fundos, a barba emaranhada e espessa faziam lembrar os demônios das histórias míticas de Kelvin.

– Estou vendo você agora, Marlon. Por que se deixou seduzir por um poder ilusório, que não lhe trará nada além de desgraça e sofrimento?

– Você não sabe o que diz. Meu poder é real, imenso, incontrolável, e não pode ser sobrepujado.

– Não acredito nisso. Tenho estado em companhia de seres iluminados mais inteligentes, e com eles aprendi que o único poder verdadeiro vem de Deus.

– Não sei a que Deus você se refere, mas os seres iluminados que estão acima de nós não têm poder algum aqui. Logo, eu sou o Deus deste lugar. E, pelo visto, do outro também, já que retirei você de lá com uma certa facilidade, sem que ninguém percebesse.

De fato, parecia a Alana que Marlon não encontrara nenhuma dificuldade para retirá-la de onde estava. Não sabia que fora atraída para lá porque se permitira envolver pelas emanações de sexo que ele lhe enviava, certo de que, ao captá-las, Alana deixaria reacender o fogo ardente do desejo. E foi o que ela, inadvertida e inocentemente, fez. Criada a ponte energética, bastou a Marlon puxar o fio para arrastá-la até ele.

– Deixe-me ir, Marlon – pediu ela. – Não tenho utilidade para você aqui.

– Não posso permitir que você me abandone de novo. Eu a amo. E você ainda me ama... não ama? Tenho certeza de que ama...

– Por favor, Marlon, isso agora já não importa mais.

– Importa para mim!

Foi um grito retumbante, que a assustou. Ela deu um passo atrás e procurou Marcus Tito com o olhar, mas não o encontrou. Não sabia se ele havia partido ou se estava oculto pelas sombras ao redor.

– Ele não está mais aqui – anunciou Marlon, rilhando os dentes com fúria.

– Por quê, Marlon? Qual a razão de tanto rancor?

– Ele me deve. Somos inimigos.

– Será que tudo se resume a despeito e inveja? Está descontando, hoje, o mal que ele lhe fez em outra vida?

– O que você sabe disso? – retrucou ele, os olhos soltando chispas de um ódio havia muito alimentado.

– Eu sei de tudo, Marlon. Assim como você, lembrei-me de nossa vida passada. Sei que você me estuprou, que me matou e que Marcus acabou matando você também.

– Não quero falar sobre isso – contestou, irritado. – Acabou, é passado. O que vivemos hoje faz parte de uma outra história.

– Será? A mim me parece que a história está se repetindo.

– Você não sabe o que diz.

– Não, Marlon, sei muito bem do que estou falando, mas você... Você falseia a verdade para tentar justificar sua vingança, porque a verdade é que nunca perdoou Marcus Tito, não apenas por ter-lhe tirado a vida, mas por ter sido seu superior naquela vida, como, ao que parece, continuou sendo nesta. No fundo, o que você queria era estar no lugar dele.

Ela havia entrado no coração de Marlon tão profundamente que ele não teve como contestar. Todas as ações dele, no concernente ao general, deviam-se à inveja e ao despeito nascidos havia muito tempo e repetidos ao longo dos séculos. Naquele momento, Marlon se sentiu desnudo, vendo seu interior revelado de forma tão clara e inquestionável.

– Deixe-me em paz – murmurou ele, esforçando-se para não demonstrar fraqueza.

– Nada disso importa agora – prosseguiu ela, penalizada. – Você mesmo disse que acabou, que é passado. Pois entregue o passado ao passado. Não permita que o ódio e a inveja sejam donos de seu destino. Esta é uma nova história, e podemos construí-la do jeito que quisermos. Reestruture seus pensamentos, remodele suas atitudes. Perdoe Marcus, perdoe a si mesmo, assim como eu perdoei você. Juntos, poderemos ir embora daqui, nós três.

Ele deu um risinho irônico e a encarou, novamente assumindo o ar tenebroso de antes.

– Sair daqui com Marcus Tito? – questionou, sarcástico.– Nunca, Alana. Jamais deixarei o romano ir. E acho bom você se conformar, porque também não estou disposto a deixá-la partir.

– É isso que sou, Marlon? Sua prisioneira?

– Posso transformar você em rainha. Juntos, governaremos este lugar e teremos a riqueza e o poder que sempre merecemos, com escravos para nos servir e executar os trabalhos pelos quais os druidas nos pagarão.

– Então é isso que importa? Riquezas e poder, ainda que ilusórios? E onde foi parar todo aquele ideal de liberdade e justiça, o desejo de lutar pelo nosso povo e expulsar os romanos?

– Estamos mortos, Alana. Deixemos essa preocupação para os vivos. Aqui, não estamos sujeitos nem ao domínio, nem à tirania dos romanos. Romanos ou celtas, todos estão subordinados a mim.

– Isso não é verdade. Há outro lugar além deste em que os espíritos estão em segurança e são livres.

– Pelo visto, nesse outro lugar as pessoas não são tão livres nem estão tão seguras assim. Afinal, subtraí você de lá debaixo do nariz de seu irmãozinho Mazi, que nada percebeu.

– Você conhece Mazi? – surpreendeu-se.

– Por que o espanto? Muita gente se conhece por aqui.

– Se você realmente conhecesse Mazi, saberia que ele deve estar a par de tudo o que acontece neste lugar.

– Duvido muito. Minhas paredes são impenetráveis.

Ela ia protestar, contudo, uma sensação esquisita a fez silenciar. Não era algo ruim, pelo contrário. Foi um alívio súbito, uma esperança concreta, uma impressão quase palpável de que não estava mais só. De forma disfarçada, perscrutou o ambiente ao redor, tentando ver além da escuridão. No ambiente externo, nada se alterou, contudo, uma luz se acendeu em sua mente, e todo o corpo de Alana foi envolvido por uma aura serena e límpida. Assustada, ela olhou para Marlon, mas ele continuava a encará-la com o mesmo ar de fúria, aparentemente alheio ao que estava se desenrolando bem diante de seus olhos.

– Como é possível?– indagou ela mentalmente.

– Estou aqui, Alana – foi a resposta de Mazi, que se havia conectado com ela, tão logo ela pensou nele. – Não tenha medo. Tudo vai dar certo.

– Não estou com medo, apenas preocupada.

– Pois não fique. Você tem uma missão aí. Em breve, descobrirá qual é.

– Seja qual for essa missão, Marlon tentará me impedir.

– Marlon não é mais forte do que você.

– Ele comanda um exército inteiro de sombras.

– Não são as sombras que invadem a luz, mas é a luz que afasta as sombras.

A comunicação se desfez subitamente, deixando Alana em sobressalto, temendo a reação de Marlon. Incontestavelmente, contudo, ele nada havia percebido. Os poucos minutos em que ela conversou com Mazi pareciam não ter influenciado a percepção de Marlon. Era como se, para ele, o tempo houvesse parado.

– E Mazi não está aqui para ajudá-la – prosseguiu ele, ignorando a interrupção mental. – E agora, Alana, vou deixá-la um pouco sozinha, para pensar.

Ela não protestou. O desgosto fora substituído pela confiança, algo que Marlon não notou. De um canto escuro, Marcus Tito apareceu, arrastando as correntes em seu caminhar claudicante.

– Venha comigo – pediu ele, olhos baixos, refreando a mão que, instintivamente, ia estendendo na direção dela.

Alana obedeceu, caminhando devagar ao lado do romano. Já na saída, ouviu a voz tonitruante de Marlon, acentuando bem cada palavra:

– Não fale com ela nem se atreva a tocá-la, *general*! Se o fizer, eu saberei.

Os poucos minutos em que Marcus Tito se deteve foram suficientes para Alana perceber o terror que o invadia. Era uma coisa estranha. Ela nunca poderia imaginar que, um dia, veria o destemido e orgulhoso general naquela situação. Quis perguntar-lhe o que, exatamente, Marlon havia feito, mas não teve coragem.

Enquanto caminhava ao lado dele, em silêncio, seus pensamentos dispararam, dando forma à ideia que Mazi chamara de missão.

Capítulo 43

Foram vários dias em que Alana presenciara desespero e terror. Embora bem tratada, ela não tinha autorização para sair das redondezas da fortaleza macabra e via , mesmo sem querer, cenas de brutalidade e humilhação. O objetivo de Marlon era claro. Através de um comportamento implacável e cruel, queria mostrar a ela o tamanho de seu poder.

Não foi por outro motivo que designou Marcus Tito para cuidar dela. Forçado a servi-la, não podia levantar os olhos para ela nem lhe dirigir a palavra. Parecia outra pessoa, alquebrada, destruída, quase aniquilada. Era a forma de vingança de Marlon. Além de torturá-lo, obrigava-o a estar próximo dela, como um espectro sem importância e invisível. Alana o observava com espanto e compaixão. Queria falar com ele, contudo, temia as represálias de Marlon. Um dia, porém, não aguentou mais. Acercou-se dele e, de chofre, indagou, sem medo:

– O que foi que houve, Marcus? Como Marlon conseguiu colocar você nessa situação? – temendo o castigo, ele não respondeu. – Fale comigo, por favor.

– Não posso – sussurrou, o mais inaudivelmente que pôde.

– Não é possível, Marcus! Este não é você.

Ele sorriu amargamente e arriscou lançar-lhe uma olhadela rápida e tímida. O pavor havia dado lugar à vergonha.

– Você deve estar-se perguntando como um general arrogante feito eu se transformou neste ser covarde e desprezível, não é?

– Não é isso. Imagino os horrores a que Marlon deve tê-lo submetido.

– Não, Alana, você não imagina. Marlon possui um jeito todo especial de converter até os mais renitentes, como eu.

– Como foi que ele o trouxe para cá?

– Foi tudo muito súbito e inesperado – começou ele, segurando as lágrimas e a vontade de tocá-la. – Em um momento, eu estava em seus braços, sentindo a vida se esvair de mim. Em outro, me vi rodeado por seres sombrios, que me xingavam e me apontavam lanças. Preocupado com você, virei-me em sua direção, mas você já havia partido. Vi-a ao longe, praticamente arrastada pelos seus guerreiros. Naquele instante, senti a primeira pontada da lança, que me atingiu nas costas. Em seguida, vieram outras e mais outras, até que meu corpo inteiro foi perfurado e, ao mesmo tempo, acorrentado. Tentei me libertar, mas percebi que cada ferida funcionava como um gancho, do qual saíam elos poderosos, que eu não tive forças para partir.

– Pelos deuses, Marcus! – Alana horrorizou-se. – E pensar que eu estava ali, tão perto, e o abandonei.

– Você não poderia ter feito nada. Meu espírito, livre da matéria, encontrava-se entre os invisíveis, inacessível à sua influência, porém, inteiramente preso ao domínio da súcia de Marlon, como logo descobri.

– Marlon apareceu por lá?

– Ele acompanhou a batalha o tempo todo. Acho que não sabia o que iria acontecer. Penso que ele acreditava na vitória bretã, porque me forçou a ajoelhar-me diante do campo de batalha para assistir ao extermínio dos romanos, como ele mesmo disse. Pensei em lhe dizer que a derrota de seu povo era certa. Eu conhecia a estratégia de Suetônio e a indisciplina dos bretões, logo, não tínhamos como perder.

– E Marlon assistiu ao massacre dos celtas sem poder intervir.

– Exatamente. Foi uma carnificina, o que alterou ainda mais o humor de Marlon. Creio que, ao ver sua gente caída e os rios de sangue que banhavam seus corpos, Marlon enlouqueceu de vez. Dentre os mortos, vários espíritos se levantavam, a maioria, desorientada, perdida, sem compreender bem o que estava acontecendo. Alguns foram levados, outros permaneceram vagando por ali, outros se associaram a Marlon...

– Mas apenas você foi capturado.

– Do lado romano, sim. Marlon não parecia interessado em capturar inimigos. Queria aliados. E depois, a maioria dos romanos tinha sobrevivido. Os poucos mortos, além de mim, claro, não estavam ao seu alcance.

– Você viu Morrigan?– ela questionou, curiosa.

– Morrigan... – repetiu ele, pensativo. – Não sei se o que vi foi Morrigan, mas pude ver, de relance, uma espécie de aparição sobre você. Era como uma deusa de cobre, toda de vermelho, empunhando uma espada sobre sua cabeça, como se quisesse protegê-la. Foi muito rápido, porque, logo em seguida, veio a primeira estocada.

– Oyá – avaliou ela. – Devia ser Oyá. Não, com certeza, era Oyá. Já lhe falei sobre ela, lembra?

– Talvez fosse ela, eu não sei. Mas era, com toda certeza, uma visão espetacular. Pensei que ela a estivesse protegendo, mas vendo você aqui, creio que sua interferência não foi muito eficaz.

– Oyá me protegeu na batalha, mas não pôde me defender de Boudica. Foi ela quem me matou.

– Sim, foi o que ouvi dizer.

– Mas não quero falar de mim agora. Conte-me mais sobre você.

– Não há muito mais o que contar. Marlon ficou enfurecido com a derrota de seu povo e lançou sobre mim toda sua fúria, reforçada pelo ciúme. Não sei se você sabe, mas estivemos ligados em outra vida.

– Eu sei.

– Foi por isso que Marlon me perseguiu. Não propriamente por eu ser o invasor inimigo, mas por ser seu inimigo pessoal. Isso me valeu toda sorte de humilhações e torturas. Fui espancado, queimado, asfixiado, esfaqueado, mutilado, esfolado, sodomizado... – calou-se, afogado pela dor e a vergonha.

– Oh! Marcus, eu sinto tanto!

– Não sinta. São coisas da vida e da morte. Mas a tortura quebra um homem, sabe? Principalmente se ele só vive em espírito. Quando ainda se tem um corpo de carne, a morte é a esperança de fim dos tormentos. Mas quando já se está morto, o suplício não acaba. As lesões não se curam e, ao mesmo tempo, não conduzem à morte. Dia após dia, noite após noite, a dor prossegue, insaciável, aterradora, sem nunca chegar ao fim.

Ela fechou os olhos, horrorizada ao imaginar as desumanas torturas pelas quais ele devia ter passado.

– Marlon pode ser poderoso, mas não domina o mundo – forçou-se a dizer, afastando a imaginação das cenas grotescas. – Sei de um lugar melhor do que este, onde os espíritos são bons, calmos e generosos. Com certeza, têm muito mais poder do que ele.

– Mesmo assim, você foi trazida para cá.

– Marlon pensa que me trouxe aqui apenas pela força da sua vontade. O que ele não sabe é que tenho uma missão a cumprir.

– Que missão seria essa?

Ela não teve tempo de responder. Um estrondo levou medo aos dois espíritos, que olharam assustados na direção de onde partia o barulho. Na porta de entrada, surgiu um Marlon furioso e enlouquecido, as mãos pesadas, carregadas de ódio e violência, passando, de um lado a outro, uma chibata de fogo.

– Eu avisei– rugiu ele, estalando o chicote ígneo nas faces de Marcus Tito.– Disse para não falar com ela, e o que você fez? Na primeira oportunidade, foi chorando, feito um bebezinho, para o colinho da mamãe.

As chibatadas deixavam linhas incandescentes impressas no rosto do romano, impossibilitado de se defender pelas correntes que o prendiam. Aterrorizada com a brutalidade da cena, Alana perdeu a fala e os movimentos, assistindo a tudo com uma aparente incapacidade de reação.

Quanto mais Marlon açoitava Marcus, mais seu rosto se contorcia de satisfação. Não era punição que buscava, mas pura vingança. Na verdade, aguardava o momento de torturar o general na frente de Alana, para vingar-se dela também, obrigando-a a testemunhar seu poder e sua crueldade, sem que ela nada pudesse fazer para livrar da tortura o homem que pensava amar e com quem o traíra de forma vil e abjeta.

Nos primeiros minutos, a estratégia funcionou, até que a revolta afastou o medo. Sem pensar no que fazia, ou nas consequências que daí poderiam surgir, Alana se atirou na frente do romano, para tentar impedir que Marlon prosseguisse com a selvageria. Postada entre ele e Marcus, esperando receber as chibatadas, aguardou a chegada da dor.

Nada, porém, aconteceu. Não que Marlon houvesse cessado os golpes. Eles simplesmente não atravessavam o corpo fluídico de Alana, que, subitamente iluminado, absorvia o choque do fogo e o dissolvia num halo de luz. Boquiaberto, Marcus segurou os braços de Alana e, na mesma hora, os soltou, sentindo uma quentura não abrasiva percorrendo seu corpo como a descarga de um raio. Ele não compreendeu o significado daquela magia extraordinária, mas não se poderia dizer o mesmo de Marlon.

O olhar de Marlon delatava o medo que ele tentava camuflar com faíscas de raiva. Tinha pleno conhecimento do significado daquele singular incidente. A ameaça indizível se espalhou pelo ambiente, fazendo-o crer que seu reinado inteiro corria um risco impensável. Ele não sabia se Alana tinha conhecimento do poder que acabara de demonstrar, contudo, ele estava muito consciente disso.

Precisava agir com cautela, sem precipitação e, principalmente, sem erros. Tinha que ser prudente e usar de inteligência para contornar a situação e impedir o que havia vislumbrado em sua mente.

Capítulo 44

Daquele dia em diante, Alana foi privada da companhia de Marcus Tito, que desapareceu sem qualquer explicação. Mesmo assim, ela intuía o que se passava com ele. O romano, que já era alvo da vingança de Marlon, pagava agora, também, pelo atrevimento dela. Em seu lugar, foi designada uma mulher, cujo semblante lhe pareceu familiar.

– Eu conheço você – afirmou ela, estudando o rosto do espírito. – Onde foi que nos encontramos?

A mulher não respondeu. Olhou para Alana com uma certa raiva, depositou o prato de estanho com comida na mesa e indagou entre os dentes:

– Deseja mais alguma coisa?

Antes que ela tivesse tempo de responder, o espírito lhe virou as costas, caminhando, apressadamente, em direção à porta.

– Sim, desejo – falou Alana, imprimindo um pouco de altivez ao tom de voz. – Se Marlon nomeou você minha criada, então, você tem que me obedecer. Ou prefere que eu vá reclamar com ele?

A fisionomia da mulher mudou da raiva para o terror. Adotando uma postura mais humilde, ela se aproximou de Alana e declarou em tom subserviente, mas que não ocultava o pavor:

– Estou às suas ordens, princesa. Não é preciso queixar-se com Marlon.

Alana não o faria, contudo, utilizou-se daquele artifício para reter a mulher e extrair dela algumas informações.

– Então, diga-me o que quero saber – exigiu. – Qual o seu nome?

– Lorna, senhora.

– De onde eu a conheço?

– Nós nunca nos encontramos pessoalmente.

– Tem certeza? Seu rosto me é familiar.

Ela abaixou a cabeça, tentando ocultar as faces do olhar perscrutador de Alana, mas acabou confessando:

– Durante algum tempo, servi ao druida e cuidei do general.

Ela se calou, com medo de prosseguir, mas Alana reacendeu toda a trama. Lembrou-se da magia engendrada por Kelvin e dos espíritos que ele encarregara de influenciar o desejo de Marcus Tito.

– Sim, foi você – ela constatou. – Agora me lembro bem, tanto do que presenciei na matéria quanto do que vivi em sonhos.

– Estive presente em praticamente todos os momentos em que vocês se encontraram, dividindo, com você, o prazer que ele lhe dava na cama– contou, sentindo um certo deleite em provocar Alana.

– Kelvin me disse que vocês exigiram um pagamento de sangue. Queriam matar Marva, não é verdade?

– Foi o que ele prometeu – defendeu-se. – E não cumpriu a promessa.

– Por isso, vocês se afastaram.

– Sim, mas de nada adiantou. O maldito general já estava apaixonado por você. No final, Kelvin conseguiu o que queria e nem precisou pagar pelo serviço.

– Valeu a pena, Lorna?

– Como assim? – espantou-se. – Kelvin ficou nos devendo...

– Não é a isso que me refiro. Quero saber se valeu a pena você obscurecer ainda mais a sua alma, em troca do sangue que não lhe pertence, que jamais correrá nas suas veias e que lhe traria somente uma falsa sensação de vida.

– Eu... não compreendo. O que mais um pobre espírito como eu poderia desejar?

– Sair daqui, talvez.

– Isso é impossível!

Alana não respondeu. Imaginava o quanto de terror Marlon infligia nos espíritos ali, a tal ponto que eles acreditassem que jamais poderiam partir.

– Vocês eram dois, se não me engano– Alana desconversou.

– Éramos Brian e eu, mas Brian anda ocupado com o general.

– Você quer dizer, torturando-o? – Lorna assentiu, agora um pouco constrangida.– Onde ele está?

– Não sei.

– E Kelvin?

– Não quero saber do druida – tornou, acabrunhada. – São poucos os que gostam dele por aqui.

– Por quê?

– Ele é ainda pior do que Marlon. Sente prazer em nos maltratar sem motivo, ao contrário de Marlon, que só nos pune quando fazemos algo errado.

– Qual a relação dele com Marlon?

– Ele ocupa um cargo importante. É uma espécie de conselheiro e tem grande influência sobre Marlon, que não faz nada sem consultá-lo. Marlon pode mandar, mas é o druida quem toma as decisões.

– Se é assim, por que Marlon o trouxe para cá e por que o nomeou seu conselheiro?

– Marlon não o trouxe para cá. O druida é poderoso e vai aonde quer. Veio por vontade própria e foi logo se imiscuindo nos assuntos de Marlon, que aceita a presença dele por medo. Kelvin é o único a quem Marlon teme. Só imagino quanto tempo levará até que ele tome o poder.

– Não creio que Marlon vá permitir uma coisa dessas.

– Talvez ele não tenha escolha, não é mesmo?

– Mas que lugar horrível é este, onde as pessoas lutam por interesses egoístas e maltratam seus semelhantes? – desabafou Alana.

– Não somos semelhantes, somos escravos ensinados a obedecer. Faça o que eles querem e você sobrevive. Não faça e morra.

– Isso não faz o menor sentido, Lorna, você sabe, não? Estamos todos mortos.

– Se pensa que a morte do nosso corpo de carne é o fim da existência, então, você não sabe de nada.

– O que mais há para saber? – questionou, imaginando que Mazi não tivera tempo de lhe dar aquela lição.

– O espírito não morre, mas a consciência pode fugir. Já vi casos de espíritos que foram transformados em coisas sem forma e sem noção de si mesmos. Parecem bolas opacas, sem capacidade de decisão, facilmente manipuláveis, mas com enorme potencial para absorver energias. Depois de torturados, são levados a um patamar tão alto de medo, que o corpo acaba se desintegrando e se moldando como ovos gigantes. Sem pensamento nem vontade, eles são jogados de um lado a outro e, colocados junto aos vivos, sugam-lhes as energias para enfraquecê-los. O chefe anterior a Marlon costumava fazer isso com espíritos mais rebeldes e desobedientes.

– É disso que você tem medo? Acha que Kelvin faria o mesmo com você?

– Comigo e com qualquer outro que atravesse seu caminho. E Kelvin nunca perdoou a mim e a Brian por termos desistido do general.

– Entendo. Mas você disse que quem fazia isso era o chefe anterior a Marlon. O que aconteceu com ele?

– Foi embora. Marlon diz a todos que o matou, mas eu sei que é mentira. Ele só diz isso para impor medo e ser obedecido. Eu vi quando Karr foi levado. Eu costumava lhe fazer companhia e atender seus desejos, se é que me entende. – Alana assentiu. – Um dia, eu o encontrei chorando. Era a primeira vez que o via chorar, desde que cheguei aqui, sabe-se lá há quanto tempo. Perguntei o que havia acontecido, e ele disse que não aguentava mais essa vida, que não sentia mais prazer em torturar, maltratar e humilhar os espíritos. Não sei bem o que aconteceu para ele se sentir assim, mas o que sei é que pediu ajuda. Uma luzinha brilhou em cima da cabeça dele, um espírito todo iluminado apareceu, conversou com ele e o levou. Depois disso, nunca mais o vi.

– E Marlon sabe disso?

– Marlon também assistiu a tudo. Tinha chegado aqui havia pouco tempo e vivia atrás de Karr, oferecendo-lhe seus serviços, fazendo-se de importante. Quando isso aconteceu, ele se aproveitou para fingir que o havia matado e ocupou o lugar dele. A maioria acreditou e ficou com medo, achando que Marlon era muito mais poderoso do que Karr.

– Mas você conhecia a verdade e não disse nada.

– Se dissesse, atrairia a fúria de Marlon sobre mim. E que diferença faria? Não importa quem governe este lugar... são todos iguais.

– No entanto, você acredita que, com Kelvin, seria muito pior.

– Acredito.

– Quero que você me leve até ele.

– Levá-la até o druida?– horrorizou-se.

– Exatamente.

– Mas princesa, ele é perigoso!

– Eu o conheço há muito tempo. Ele não me fará mal.

– Por favor, não me peça isso.

– Não tenha medo, Lorna. Não permitirei que nada lhe aconteça. E você não precisa se encontrar com ele. Basta me mostrar o caminho.

– Está bem, se insiste – Lorna acabou concordando, apesar do pavor. – Mas não vou me aproximar daquele lugar, de jeito nenhum!

– É só o que lhe peço. E agora, deixe-me um pouco sozinha. Preciso pensar.

Ela parou na porta e olhou para Alana com respeito, sentindo uma pontada de arrependimento.

– Posso lhe fazer uma pergunta? – questionou humildemente.

– É claro. O que é?

– Você tem muita raiva de mim?

– Não, Lorna, não tenho nenhuma raiva de você.

– Por que não?

– Primeiro, porque não é da minha natureza. Segundo, porque nenhum de nós pode se vangloriar da perfeição.

– Fiz o que fiz porque precisava, sabe? – desculpou-se. – Não temos muitas opções por aqui. Mas, pessoalmente, não tenho nada contra você.

– Que bom, Lorna. Tampouco eu tenho algo contra você.

– Nenhum ressentimento, nem raiva, nem desejo de se vingar?

– Não.

– Você é realmente uma princesa – admirou-se. – Devia ser você a governar este lugar.

– Se fosse eu a governar este lugar, ele não seria, exatamente, este lugar.

– Tem razão. Que bobagem a minha. Você não pertence a nenhum submundo.

– Nem você.

– Eu?! Estou aqui há tanto tempo que já me misturei ao ambiente.

– Não gostaria de sair? – ela não se atreveu a responder, e Alana insistiu: – Não gostaria?

– Pode ser... – concordou, muito timidamente. – Mas Marlon jamais permitiria.

Alana olhou para ela com compaixão, naquele momento, mais do que nunca, certa da missão que a levara até ali e da qual Mazi a alertara. Sentiu-se forte, corajosa, capaz. E indagou, com muita tranquilidade:

– Sabe de uma coisa, Lorna?

– O quê?

– Descobri que nem Marlon, nem Kelvin têm força para me prender aqui.

– Você vai embora?– retrucou, um tanto incrédula.

– É o que pretendo. Contudo, há algo que preciso fazer para poder partir.

– O quê?

– Levar quantos eu puder comigo.

Foi um choque, porém, mais do que tudo, um sinal de esperança.

Capítulo 45

Shayla andava desassossegada, caminhando pelas veredas do jardim ensolarado, à procura de Alana. Ela, porém, não se encontrava em lugar algum. Fazia dias que sumira, sem deixar nenhum vestígio, deixando Shayla em inquieta agonia. Ela já havia completado quatro voltas no jardim inteiro, quando Mazi veio em sua direção.

– Sossegue, menina – aconselhou ele. – De nada adianta essa sua aflição.

– Ah, Mazi, não sei como você consegue ficar tão calmo, sabendo que Alana desapareceu. Em nome dos deuses, para onde ela pode ter ido?

– Quer mesmo saber?

Shayla levantou as sobrancelhas e respondeu com pressa:

– É claro que sim! Por que não disse logo que sabe onde ela está?

– Antes, eu não podia. Queria primeiro me comunicar mentalmente com ela, o que consegui há poucos instantes.

– Como assim, se comunicar mentalmente?

– Quando pensamos, liberamos ondas mentais que, magnetizadas por quem possua essa habilidade específica, podem ser percebidas e decifradas. Ou seja, podemos nos comunicar à distância, sem necessidade de contato físico, apenas lendo o que cada um está pensando ou sentindo.

– Verdade?– maravilhou-se.– E você fez isso com Alana?

– Sim. Ela está bem. Foi capturada por Marlon...

– Por Marlon? – Shayla interrompeu com um grito de susto e indignação. – Eu devia saber que aquele demônio estava por detrás disso tudo!

– Não fale assim. Marlon é só mais uma presa da ilusão.

– Que ilusão é essa, capaz de tirar Alana daqui, sem ninguém perceber? Pensei que este lugar fosse seguro.

– E é. Dentro da nossa barreira energética, nada pode nos atingir. Nenhum espírito, cujo padrão vibratório esteja aquém do aqui irradiado, é capaz de atravessá-la sozinho, por mais forte e poderoso que ele acredite que seja. A barreira, contudo, não impede ninguém de sair, porque cada um é livre para ir aonde desejar. Além do mais, uma vez estabelecida a relação mental, qualquer um pode ser atraído para a fonte de onde provém o pensamento que o chama.

– Foi isso que aconteceu com Alana? Marlon, simplesmente, a chamou e ela foi?

– Não exatamente. Marlon criou uma relação mental, e ela acabou atraída para o ambiente dele.

– Mas como Alana conseguiu se locomover tão rapidamente?

– Pela força do pensamento, que provoca uma espécie de volitação, ou esvoaçamento, instantânea ou não.

– E Marlon não possui essa mesma força? Ou eu, ou você?

– Depende. Cada um de nós pode desenvolver essa faculdade, cuja eficiência é o resultado da conjugação do intelecto com a elevação moral, que determina o grau de sutileza da matéria astral. Quanto mais depurado o espírito, mais tênue a sua composição substancial e, consequentemente, maior facilidade ele terá de usar o pensamento para movimentar-se, e pode fazer isso sem nenhum esforço, de forma natural, quase inconsciente. Espíritos mais empedernidos, mas com inteligência bem desenvolvida, são capazes de se deslocar, também com uma certa facilidade, embora não tão alto nem com tanta rapidez.

– Falando assim, parece fácil, mas eu mesma nunca fiz isso.

– Você vai aprender a volitar. Todo mundo aprende.

– Mas você falou que isso depende do intelecto e da elevação moral– ele assentiu.– Então, como os espíritos lá de baixo fazem para se locomover, já que não possuem nem um, nem a outra?

– Não se engane, pois muitos espíritos do submundo são bastante inteligentes. Do contrário, não conseguiriam fazer o que fazem. Outros, porém, não conseguem se transportar dessa forma, porque a falta das duas faculdades deixa o corpo fluídico muito denso, quase compacto e pesado. Alguns até conseguem, embora pairem com lentidão, quase rente ao solo. Outros, de tão espessos, precisam caminhar como o fazem os que estão vivos.

– Entendi. Mas se Alana foi capaz de sair daqui através da volitação, então, ela poderá voltar do mesmo jeito, não poderá?

– Sim. E era disso que eu estava falando quando você me trouxe suas dúvidas.

– Ai, Mazi, me perdoe. É que fiquei curiosa.

– Na dose certa, curiosidade é uma coisa boa, pois desvenda os mistérios e estimula o aprimoramento da inteligência. Ela só não pode levar à indiscrição, ao desejo de saber apenas para conhecer as particularidades e os segredos alheios.

– Não é o meu caso, acredite.

– Sei que não. Mas, voltando a Alana, agora sei que ela está com Marlon, assim como sei que ela pode sair de lá a hora em que quiser. E o melhor é que ela também sabe disso.

– Se ela sabe, por que não sai, então?

– Porque ela tem uma missão a cumprir.

– Que missão?

– Alana possui um poder mental extraordinário, além de um sentimento inato de querer ajudar o próximo. É uma guerreira habilidosa, justa e complacente, o que a fará lutar para auxiliar os que ali estão presos, inclusive, nosso muito bem conhecido general romano.

– O quê? Então é por isso que ela não vem? Não quer abandonar o amado?

– Não apenas ele, mas muitos. Alana quer salvá-lo, sim, mas se preocupa com os outros também. E ela vai fazer tudo o que puder para libertar o máximo possível de espíritos.

– Ela ficou louca? Marlon é perigoso, violento, cruel. E se ele a machucar?

– Ele não vai fazer isso. Primeiro, porque sente algo por ela. Segundo, porque não pode. Marlon vai fazer de tudo para manter o seu poder, e isso inclui não entrar em embate direto com Alana, para não correr o risco de ser derrotado por ela e, assim, perder o controle hierárquico do submundo que ele comanda.

– Não podemos ajudar?

– Devemos nos preparar para receber os espíritos que desejarem vir.

– É só isso que podemos fazer? Eu gostaria de ir até onde ela está.

Mazi sorriu e contestou:

– Não, Shayla, você não pode ir. Por mais que suas intenções sejam boas, você ainda não está preparada. Seu coração está repleto de culpas, de mágoas, de ressentimentos, de raivas... coisas que podem abrir uma fenda na sua aura e permitir que Marlon finque novos elos energéticos que a prendam ao submundo dele. Isso chocaria Alana, que permaneceria ainda mais tempo ligada a ele, pois nunca sairia daquele lugar sabendo que você havia voltado a ser prisioneira de Marlon.

– Tem razão, Mazi. É que estou tão preocupada com ela! Estamos aqui, protegidos, enquanto ela está lá, sozinha no meio daquelas criaturas maléficas e horrendas.

– Ela não está sozinha. Há um Deus que nos atende, a todos, ainda que não tenhamos a menor noção da existência dele, ou que o conheçamos por diversos outros nomes. E Alana tem a proteção especial de Oyá.

– Alana sempre falou de Oyá, mas eu mesma nunca a vi. Quem é ela? É um espírito iluminado e inteligente, assim como você?

– Não exatamente. Oyá é uma deusa guerreira do meu povo e tem o domínio dos ventos, das tempestades e dos mortos. Ela é protetora de Alana e a acompanha sempre. Onde Alana está agora, Oyá possui uma grande influência, pois é ela quem encaminha os mortos no mundo espiritual. Portanto, Oyá fará de tudo para ajudar Alana a conduzir os espíritos que desejarem partir.

– Oyá também é um espírito?

– Um espírito ancestral, que caminhou pelo mundo há muitas eras e aprendeu a manipular essas forças da natureza e da vida. Por suas conquistas morais no que se relaciona a esses aspectos, alcançou maior iluminação e desprendeu-se das garras da matéria, prescindindo de voltar à vida em um corpo de carne. Oyá guarda as características derivadas da energia que absorveu e sobre a qual exerce domínio, a fim de bem utilizá-las em favor dos que mais necessitem.

– E é esse ser que está ao lado de Alana – afirmou, maravilhada.

– Sim. Com Oyá a seu lado, Alana não tem o que temer.

Uma sensação de alívio e esperança percorreu o corpo de Shayla, cuja confiança em Mazi era absoluta. Mesmo assim, seus pensamentos voaram até Alana, que os acolheu de forma quase imperceptível. Embora não identificasse, exatamente, a fonte de seus próprios pensamentos, que provinham da mente de Shayla, ela sentiu saudade da amiga distante e da linda cidade no mundo invisível superior que ela habitava. Mais do que tudo, Alana precisava sair dali, levando com ela os espíritos que quisessem acompanhá-la.

Foi quando uma sombra se moveu perto da parede, assustando-a um pouco. A sombra, porém, nada tinha de assustadora. Nem era uma sombra de verdade, mas alguém que se manifestou através dela e que a dispersou pelo ambiente, convertendo-a em luz passageira, porém, acolhedora. Daquele halo brilhante, surgiu a magnífica, e já familiar, figura de Oyá, que lançou a Alana um olhar firme, porém, amoroso, estendeu na direção dela a espada flamejante e sumiu.

Capítulo 46

Por onde caminhavam, tudo era penumbra. Uma meia--luz opaca e cinzenta se alastrava até onde a vista alcançava, impedindo Alana de distinguir as coisas ao redor. Pareceu-lhe que se encontrava em uma vila fantasmagórica, em que formas indistintas se misturavam a sombras disformes, envolvidas por brumas espessas e sufocantes. A trilha, coberta de lama, era ladeada por pequeninas construções esculpidas em uma pedra negra e ameaçadora.

Mais um pouco, e a vila sombria ficou para trás. Alana e Lorna mantinham-se na trilha onde, aos poucos, a umidade cedia lugar a um chão poeirento e ressequido, que crepitava a cada passada das duas. Ao olhar para o chão, Alana sentiu um calafrio. Pisavam sobre pequeninos ossos, que, ela tinha certeza, eram humanos. Logo adiante, rodeada por uma espécie de cerca ígnea , erguia-se um casarão escuro e pontiagudo, de arquitetura desconhecida para ela.

– É aqui que ele vive?– indagou Alana, entre o assombro e a admiração.

Lorna assentiu e estacou, sentindo as pernas paralisarem ante a visão tenebrosa.

– Tenho que entrar?– perguntou, temendo a resposta.

– Não precisa. Pode voltar e não diga a ninguém que estou aqui.

– Está bem.

Imediatamente, Lorna tomou o caminho de volta, aliviada por ter sido dispensada de penetrar no covil do druida. Ao se aproximar, o olfato de Alana foi estimulado por uma mistura indefinível de cheiros. Kelvin continuava a misturar suas ervas e outros elementos estranhos. Ela chegou devagar, sem fazer barulho, e foi circundando a estranha cerca, à procura de uma passagem. Não havia nenhuma.

Ao concluir uma volta completa ao redor da construção, ela parou e olhou fixamente para o fogo que a rodeava. Ele não produzia nem calor, nem luz, nem sombra. Era apenas uma labareda uniforme e sem vida, como os estandartes que os romanos empunhavam em suas legiões de guerra. Confiante de que nada lhe aconteceria, Alana estendeu a mão e tocou a chama. Para sua surpresa, uma inesperada quentura infiltrou-se em suas veias e disparou estímulos energéticos por todo seu corpo fluídico, produzindo uma sensação de choque elétrico que, até então, ela não conhecia.

O medo que sentiu durou o tempo de um piscar de olhos, mas foi o suficiente para ela experimentar uma leve queimação na pele. Mesmo assim, não se deteve. Pensou em Mazi, pediu a Oyá que a resguardasse e, rapidamente, recuperou a coragem e a confiança. Sem hesitar, deu um passo à frente e atravessou a barreira ígnea.

Nesse exato momento, Kelvin apareceu na porta, taciturno, desconfiado, ameaçador. Olhou para Alana com espanto, temendo-a por ter cruzado sua muralha ardente e chegado indene ao outro lado. Sabia o que isso significava, entendia a superioridade moral de Alana, que dava a seu campo energético a sutileza de uma armadura natural contra energias densas e perigosas.

– Para que tudo isso, Kelvin? – ela perguntou de chofre, sem dar a ele a oportunidade de preparar suas escusas e mentiras. – Do que é que você tem medo? De mim? De Marlon?

– Não tenho medo de nada nem de ninguém – respondeu, com irritação.

– Pois a mim me parece que aqui todos temem todo mundo. Medo é o que domina este lugar e as pessoas que aqui vivem.

– E daí? É através do medo que se mantém o poder.

– Quanto mais se inflige medo para assegurar o poder, mais se teme perdê-lo. Um dia, as pessoas acordam, compreendem, reconhecem sua própria força e deixam o medo de lado. E aí, o que acontece?

– Não estou interessado.

– Por que está tão agressivo? Pensei que fôssemos amigos.

– Isso foi em outros tempos.

– Quando foi que esse tempo acabou e nos transformou em inimigos?

Ele relaxou o corpo e olhou fixamente nos olhos dela, à procura de intenções escusas. Como não encontrou nada além de honestidade e leveza, fez sinal para que ela o seguisse e entrou em sua fortaleza. Do lado de dentro, tudo fora arranjado para imitar a antiga caverna que Kelvin habitava nas cercanias da aldeia celta. Nem parecia uma casa.

Ele se sentou em uma cadeira esculpida em pedra e indicou outra a Alana.

– Marlon sabe que você está aqui? – questionou ele.

– Engraçado, não é, Kelvin? Parece que você teme Marlon, tanto quanto ele tem medo de você. É como eu disse: aqui, todo mundo tem medo de todo mundo.

– Não se pode confiar em ninguém.

– Você confiava em mim.

– O que você quer? – retrucou ele, de má vontade. – Não tenho tempo para perder com conversas pueris.

– Vou embora e levarei comigo todos os que quiserem partir – revelou prontamente.

– Por quê?

– Porque é o certo, é o que devo fazer. Muitos de meu povo se encontram aqui. Você pode vir comigo, se quiser.

Ele não entendia bem como Alana tinha certeza de que conseguiria sair dali, mas havia algo nela que o assustou. Naquele lugar sombrio, de repente, ela pareceu o único foco que irradiava luz.

– Não posso. Ainda que quisesse, não posso.

– Por quê? Porque, assim como Marlon, finalmente, você conquistou o poder que tanto desejava e pelo qual sempre lutou?

– Sem poder, nada se conquista – admitiu, em tom de desculpa.

– Poder é responsabilidade, Kelvin. Quem tem poder não o recebe para si, mas para investir no bem de todos.

– Vejo que você andou se influenciando pelas palavras bonitas dos seres lá de cima – ironizou ele, apontando para o alto. – Essas não são ideias de nosso povo, muito menos, de sua mãe.

– Sim, aprendi muitas coisas lá em cima, como você diz, e percebi que são verdades que não podemos contestar.

– Verdades? O que você entende sobre verdades?

– Entendo que a única verdade possível é o amor.

– Amor?! – gargalhou. – Isso é para os apaixonados... ou os muito tolos.

– Pode rir, se quiser, Kelvin, eu não me importo. A ironia é só uma defesa dos ignorantes.

– Você fala em amor como se soubesse o que é isso. O que sentiu pelo romano não foi amor, foi apenas paixão...

– Você não sabe o que sinto por Marcus Tito! – cortou ela, aborrecida. – E o amor de que falo vai muito além da paixão, do desejo ou do sexo. Falo do amor pela verdade, pela justiça e pela liberdade, que envolve todas as pessoas, tudo o que existe... Você não sabe o que é isso.

– Tem razão, eu não sei. E ouvindo você falar, penso que se deixou enganar pelos devaneios dos espíritos lá de cima. Essas coisas não existem, ninguém sente da forma como você está falando. Não se iluda Alana, você não ama essas pessoas.

– O fato de você não amar ninguém além de si mesmo não significa que todos sejam iguais a você. Você não aceita o que eu sinto porque não é capaz de sentir.

– O que você diz são jogos de palavras, nada mais do que isso. O que pretende, na verdade, é defender o que lhe interessa.

– Entenda como quiser. De qualquer forma, cada um age de acordo com seus próprios interesses, não é? Como você, que se se aliou a um monstro da obscuridade para assegurar seu poder.

– Eu nunca disse que me aliei a Marlon.

– Tem razão. Você rivaliza com ele e pensa em tomar o poder que ele conquistou. E para quê? Para governar esse mundo de sombras e construir um reinado de torturas e dor?

– Para tudo, há de haver um equilíbrio. Muitos espíritos não merecem estar em um lugar melhor. Soltos por aí, são capazes de provocar desordem entre os vivos, estimulando-os à prática do mal.

– E Marlon os contém para assegurar o equilíbrio do mundo. É nisso que você quer que eu acredite? Eu poderia até acreditar, se os espíritos não se tornassem escravos e não fossem obrigados a executar seus serviços sórdidos.

– Pelo menos, aqui, eles estão controlados. E não são todos que vêm para cá. Os que fixam ligações com o bem são levados para outro lugar, como antes aconteceu com você. Somente aqueles cujas vibrações se comunicam com o mal é que são arrastados para cá. E não se engane, Alana, eles podem parecer sofredores, mas apenas sofrem as consequências de seus próprios atos. Ou você acha que, em vida, foram benevolentes ou piedosos? Nada disso. Todos os que se encontram aqui carregam um fardo enorme de crueldades. Quando caminhavam entre os vivos, foram pessoas malignas, perversas, mentirosas, traidoras e tudo o mais de ruim que você possa pensar que exista na alma humana. Não são seres que derramam luz por onde passam.

Ela parou para pensar por alguns instantes, reconhecendo que não havia atentado para aquela possibilidade, que, ela concordava, fazia todo sentido. Em seguida, considerou:

– Está certo, Kelvin. Pensando dessa forma, acho que você tem razão. Reconheço a necessidade deste lugar e respeito a ordem imposta aqui. É, como você falou, a manutenção do equilíbrio.

– Que bom que você compreendeu.

– Mas isso não dá a Marlon, ou a você, o direito de manter prisioneiros os que querem partir.

– Mais uma vez, você está se iludindo. A maioria só quer partir porque está sofrendo, e ninguém gosta de sofrer. Mas o direito de partir deve ser conquistado e depende da modificação dos valores internos, que rompe os elos de medo, culpa, ódio ou vingança que os magnetizam e os prendem à escuridão que, no fundo, é extensão da escuridão de suas próprias almas.

– É por esses que estou aqui. Quero resgatar os que não se harmonizam mais com este lugar, mas cujo medo impede de sair.

– Esse talvez seja um direito seu – considerou, com serenidade. – Mas, como disse antes, não vou com você.

– Eu sei. Já sabia quando vim até aqui.

– Se sabia, por que foi que veio?

– Em consideração aos velhos tempos... E para lhe pedir que não interfira. Em vez disso, convença Marlon a libertar os espíritos que quiserem sair, para que uma luta seja evitada.

– Você não está pensando em declarar guerra a Marlon, está?

– De jeito nenhum pretendo medir forças com ele. Só o que quero é libertar as pessoas e prefiro fazer isso pacificamente, mas se Marlon enviar seus soldados para me deter, não hesitarei em revidar.

– E você acha que, sozinha, conseguirá vencer todos eles?

– Tenho certeza. Eles podem ser muitos, mas são fracos. Eu tenho comigo a força da deusa Oyá, que há de me conduzir rumo à vitória, porque só o que desejo é que o bem se sobreponha ao mal.

Kelvin reconhecia que ela era capaz de vencer Marlon, se quisesse. Sabia que a alma de Alana já havia passado por muitas experiências até chegar até àquele grau de maturidade espiritual. Naquele momento, o respeito que sentiu por ela foi mais do que suficiente para lhe mostrar que jamais ousaria levantar armas contra ela.

– Muito bem – começou a dizer. – Farei o que puder para que Marlon libere os que desejarem partir, mas lhe peço algo em troca.

– O quê?

– Que você também não interfira em minhas questões com Marlon.

– Em sua disputa, você quer dizer.

– Que seja.

– Não tenho a menor intenção de fazer isso. Não é problema meu. Não pertenço a este lugar e não tenho interesse em me envolver em seus problemas. Só o que quero é partir e levar comigo os que quiserem me acompanhar.

– Temos um trato, então?

– Penso que sim, embora eu não o compreenda. Se deseja o lugar de Marlon, minha decisão poderia favorecê-lo. Se Marlon cair, você estará livre para ocupar o seu lugar.

– Quem disse que quero o lugar de Marlon?

– Não quer? – espantou-se.

– Não. Você e muitos outros se equivocam ao pensar que sim. Desejo apenas ter liberdade para praticar minha magia. Não tenho a menor intenção de comandar espíritos aterrorizados e ignorantes.

– Agora mesmo é que não compreendo. Se não quer o lugar de Marlon, por que me pede para não intervir em suas questões com ele?

– Não quero que Marlon me expulse daqui. Enquanto ele me temer e me julgar necessário, me manterá a seu lado.

– Muito bem – concordou Alana, que não via muito sentido nos devaneios de Kelvin. – Este é o nosso pacto.

Alana se levantou, ainda um pouco triste porque Kelvin não tinha manifestado nenhum desejo de partir com ela. No entanto, precisava respeitar sua vontade. No momento adequado, ele também se sentiria atraído pela espiritualidade superior e talvez chamasse por ela. Quando isso acontecesse, ela estaria pronta para vir em seu auxílio e resgatá-lo, ainda que se houvessem passado vários anos.

Capítulo 47

Durante todo o tempo em que estivera com Kelvin, Alana sentira uma presença invisível a seu lado. Pensou que o druida talvez a tivesse visto, mas percebeu que ele nem se dava conta de que havia alguém mais ali. Alana tinha certeza de que Oyá a acompanhara e a protegera.

Enquanto caminhava de volta, pensava na deusa africana e na força de sua presença. Aos poucos, sentia que algo nela se modificava. A primeira modificação que notou foi em sua própria aparência. Suas roupas haviam adquirido um tom acobreado, como os objetos de terracota que ela costumava fazer quando vivera na África, quando ainda era Nnenia. Sem querer, ela moldava suas indumentárias à moda africana da época e, seguindo o que intuía da própria Oyá, plasmou dois objetos inestimáveis, que revelariam o poder verdadeiro de quem luta pelo bem e que representariam sua força e sua coragem: uma espada de lâmina curva e uma chibata com cabo de cobre. Sobre sua cabeça, surgiu uma coroa simples de estanho, símbolo da terra que fez despertar sua realeza pessoal e moral.

Quando chegou a seus aposentos, surpreendeu-se ao encontrar Marlon ali, com Lorna a seus pés, presa por uma coleira grotesca, de quatro, como se fosse um animal subjugado. Alana sentiu o perigo da situação, mas entrou confiante, caminhando sem vacilação.

– O que faz aqui? – questionou ela, evitando olhar para Lorna, que se encolheu à sua passagem.

A visão da Alana, transformada e magnífica, causou um choque de surpresa e pavor em Marlon, que logo sentiu a mudança no campo energético da princesa. Ela sempre tivera aquele ar de majestosa imponência, embora fosse possível notar pequenos pontos de medo e insegurança em sua aura. Agora, porém, tudo isso havia sumido, e só o que ele percebia era o poder que emanava de seus gestos. Mesmo assim, ele tentou manter a postura do líder ameaçador e rebateu irado, os olhos chispando a fúria e o fogo com os quais tentava dissimular o medo.

– Sou em quem faz as perguntas, Alana!

– Pois então, pergunte – retrucou ela serenamente, sentando-se defronte a ele.

– O que você foi fazer no reduto de Kelvin? Com ordem de quem saiu de seu quarto e foi até lá?

– Fui até lá porque quis, sem seguir a ordem de ninguém. É por essa razão que você deve soltar Lorna, que não teve nada a ver com isso.

Lorna se encolheu ainda mais, esperando algum tipo de reação violenta por parte de Marlon. Ele, contudo, nada fez. Não porque lhe faltasse vontade, mas porque o olhar penetrante de Alana o intimidou e o fez recuar.

– Quem você pensa que é, para aparecer aqui assim desse jeito, paramentada como uma princesa africana, ou sabe-se lá o quê?

– Por que, realmente, você tenta me manter aqui? Pensa que, como sua prisioneira, não poderei empreender contra você nenhum tipo de vingança?

– Esse é o seu objetivo? Vingar-se de mim?

– Não. Vingança não me interessa, mas talvez a você, sim.

– Não tenho por que me vingar de você – confessou ele, acabrunhado. – Eu a amei de verdade, teria feito qualquer coisa por você. Mas sua mãe mandou me matar, e você me traiu com o romano.

– A quem você pensa que engana, Marlon? Tudo o que você tem feito a Marcus Tito se resume à vingança pelo que ele lhe fez no passado. Por que não supera isso? Você mesmo disse que é passado.

– Ele me matou apenas para demonstrar que podia, para punir a minha desobediência! – explodiu, finalmente. – Se não, por que o teria feito? Para proteger uma africana inútil, sem nenhuma importância, uma mulherzinha desconhecida, cuja vida não tinha significado para ninguém?

Alana sentiu um calafrio. Afinal, era dela que ele estava falando.

– Não vejo em que ele difere de você – avaliou, tentando não se deixar abater por qualquer tipo de ressentimento. – Ainda hoje, você faz exatamente as mesmas coisas.

– Não sou nada parecido com ele! E o que importa agora é que sou eu que mando e posso fazer com ele o que bem entender. O centurião deixou de existir, e o general foi reduzido à condição de rato.

– E Lorna? O que foi que ela lhe fez?

– Ela me desobedeceu... – respondeu com vagar, associando sua própria atitude à de Marcus Tito.

– E você a está punindo por isso, não é mesmo? Será verdade, então, que você em nada se parece com Marcus?

– Isso não importa! – esbravejou. – Sou eu que mando, faço o que bem entender simplesmente porque posso!

– Você acabou de repetir o que disse a respeito de Marcus Tito. Assim como ele e como muitos outros em igual posição, o que você fez foi dar mostras de seu poder. Quem exerce o comando precisa tomar cuidado para não se deixar corromper pelo poder, porque essa é a maior desordem com que o ser humano pode contaminar o seu íntimo, e a causa das mais perversas desilusões.

– Basta, Alana! Você não está entendendo sua real posição aqui. Você é minha prisioneira, sou eu quem dá as ordens. A um gesto meu, você pode deixar de existir...

Ele parou de falar, admirado com o sorriso enigmático de Alana. Não era ironia nem provocação, apenas um sorriso sincero, verdadeiro, leve, que o fez sentir-se mal.

– Quando cheguei aqui – disse ela –, senti medo, realmente. Pensei que você havia me capturado porque era mais forte, e que eu não conseguiria sair. Mas aprendi muito neste lugar. Vendo e vivenciando os horrores que aqui são cometidos, pude testar minha coragem, avaliar minhas escolhas, experimentar minha determinação e firmar minha vontade. Hoje, Marlon, não tenho medo nem de você, nem de ninguém, e sabe por quê?

– Por quê?– repetiu ele, num sussurro fascinado.

– Porque descobri que todo esse poder que você pensa que tem não passa de uma ilusão criada para aprisionar os tolos, os incautos e todos aqueles que enfraqueceram sua vontade por medo ou culpa. E afirmo-lhe, com toda segurança, que estou aqui por vontade própria, mas, na hora em que eu quiser, vou deixar este lugar sem nenhuma dificuldade. E sabe o que mais? – ele não respondeu, subjugado pelo vigor das palavras dela. – Posso conduzir os que temem deixar você, porque acham que não podem. Posso fazê-los compreender e acreditar que basta uma pequena manifestação da verdadeira vontade para que eles estejam fora daqui. Eu vou sair, não sem antes estender um rastro de luz que servirá de guia para todos aqueles que quiserem me acompanhar. E isso serve para você também.

– Jamais – balbuciou ele, a voz trêmula oscilando entre a indignação, o temor e a admiração. – E, se quer saber, acho melhor mesmo você ir embora. De que me serve alguém que não me ama e que paga o meu amor com ingratidão? Na verdade, não preciso de você e não a quero mais. Posso ter a mulher que desejar, sem precisar me humilhar nem rastejar a seus pés.

Ao dizer isso, puxou Lorna pelo pescoço e beijou-a com selvageria, para depois atirá-la no chão novamente. É claro que o que ele queria era manter a aparência de poder e comando, temendo que seus súditos percebessem sua fraqueza diante de Alana. Se dissesse que ela podia ir, os outros acreditariam que fora uma escolha dele, e não uma decisão que ela tomara e que executaria com uma certa facilidade.

– Você muda de ideia muito rapidamente – observou Alana. – Até há bem pouco tempo, estava seguro de que nunca me deixaria sair daqui, mas agora, sem qualquer explicação razoável, muda de opinião e me oferece a liberdade. Por quê?

– Porque é o que quero, já disse. Aproveite a oportunidade e desapareça, antes que eu mude de ideia e mande prendê-la em uma enxovia fétida e escura qualquer.

– Agora você me ameaça. Essa não é uma conduta condizente com quem diz que sempre me amou.

– Não abuse da minha boa vontade, Alana. Em nome de tudo o que sentimos e vivemos, quero ser bom para você, mas minha paciência já está se esgotando. Minha decisão agora é definitiva. Quero você fora daqui. Ou você sai por vontade própria, ou mandarei expulsá-la, e não será com gentileza.

– Chega de ameaças, Marlon. Vamos nos poupar tanto desgaste. Eu vou partir, e pouco me importa que você pense que é pela sua ou pela minha vontade. Só não se esqueça do que eu lhe disse antes. Vou levar comigo aqueles que quiserem ir, e vou começar agora mesmo. – E, virando-se para o aterrorizado espírito aos pés de Marlon, indagou com amorosidade:

– O que me diz, Lorna?

Lorna se apavorou ainda mais. Olhou para Marlon em busca de um sinal, mas ele se manteve quieto. Apenas puxou a corrente que a prendia, apertando a coleira em seu pescoço. Ela olhou dele para Alana, imaginando se teria coragem de externar o que tentava guardar no mais fundo de seu coração. Aproveitando-se da hesitação dela, Marlon endereçou-lhe um olhar ameaçador e terrível, levando-a a abaixar a cabeça e retrair-se ainda mais.

Mas o olhar de Alana também se encontrava sobre ela, e Lorna arriscou erguer a vista um pouquinho, apenas o suficiente para fixar o brilho dos olhos dela. O que encontrou não foi um olhar de disputa nem de provocação. Em vez disso, deparou-se com o semblante sereno da princesa, transmitindo-lhe confiança, dizendo-lhe, sem mover os lábios, que ela era livre para fazer suas próprias escolhas. Foi tamanha a segurança que aquele olhar lhe transmitiu, que ela ergueu a cabeça e, embora sem encarar Marlon, conseguiu falar com relativa firmeza, mas total convicção:

– Quero partir com você, Alana. Não aguento mais viver aqui.

Na mesma hora, as correntes se partiram, e Lorna se viu livre da subjugação de seu opressor. Alana se mantinha no mesmo lugar, sem expressar qualquer emoção, mas Marlon não se encontrava mais ali. Havia sumido no exato instante em que Lorna pronunciara as palavras libertadoras, deixando claro que o poder que se atribuía havia cedido diante da superioridade moral daquela que ele julgara, equivocadamente, poder dominar.

Capítulo 48

Marlon espreitava pela janela de seu castelo improvisado, à procura de qualquer movimentação suspeita do lado de fora que indicasse a chegada de Alana e seu exército. De vez em quando, virava-se para o interior do aposento, para se certificar de que ela simplesmente não apareceria ali, utilizando-se dos mesmos métodos que ele usava para ir e vir quando bem entendesse, sem que ninguém notasse.

– Quantos, Kelvin? – indagou ele subitamente, só então se dando conta de que havia chamado o druida à sua presença. – Quantos você acha que ela vai conseguir levar?

– Não sei, Marlon – foi a resposta seca. – Talvez, todos aqueles que desejarem.

– Você acha que são muitos?

– Não sei, não estou dentro de cada um para saber o que pensam e sentem.

– Maldita! – rosnou, entre os dentes. – E pensar que, um dia, cheguei a amá-la.

– Não ama mais?

– Como posso amar alguém que me trai e me enfrenta?

– Você nunca a amou, Marlon. Foi o seu orgulho que tentou apossar-se dela.

– Por que diz isso?

– Porque, se a amasse, a libertaria.

– Não posso fazer isso! A questão agora vai muito além do amor.

– Eu sei. É exatamente do que estou falando.

– Fico me perguntando por que tive a infeliz ideia de trazê-la aqui.

– Porque pensou que poderia subjugá-la. Mas eu avisei.

– Você disse que ela não sabia usar o poder!

– Disse que ela desconhecia o poder que tinha, mas que, a qualquer momento, poderia se dar conta dele e rapidamente aprenderia a utilizá-lo.

– Como ela consegue isso? É apenas uma menina!

– Pelo que pude observar, a força provém da bondade da alma. Quanto mais voltada para o bem, mais sucessos a pessoa obtém.

– Não sei se acredito nisso. Parece-me simples demais. E bondade não empunha armas!

– Pelo visto, a bondade é a própria arma. Não sei se você reparou que este mundo não é igual ao outro. O mundo dos vivos sofre a limitação das coisas da matéria, onde os contatos e as percepções são fornecidos pelos sentidos humanos. Aqui, basta uma pequena geração de energia para que as coisas aconteçam, seguindo a vontade de quem sabe manipular as forças energéticas. Não que essas energias não sejam sentidas entre os vivos. Elas são, mas não com a mesma intensidade que aqui. E lá, um ser vivente não consegue manejá-las a seu bel prazer. Ninguém sabe forjar uma espada sem o concurso do aço. Aqui, para que uma espada seja feita, basta que o espírito tenha um pensamento forte o suficiente para apanhar, mesmo sem saber, uma pequenina porção que seja do fluido que se espalha por todo o universo e moldá-lo segundo seus próprios padrões.

Kelvin falava mais para si mesmo do que para Marlon, que não conseguira entender praticamente nada de suas explicações. Apesar do endurecimento do espírito, Kelvin possuía uma mente aguçada e uma percepção muito clara das leis do universo, mesmo que todo esse conhecimento ainda não se houvesse difundido entre a humanidade.

– Você está delirando – comentou Marlon, com um certo desprezo. – Fala de coisas inacessíveis à razão de qualquer ser humano mentalmente lúcido. De onde tira essas ideias estapafúrdias?

– De lugar nenhum – devolveu o outro, que não sentia a menor vontade de discutir sobre aqueles assuntos com um espírito ignorante feito Marlon. – Estou apenas divagando.

– Pois acho melhor você se concentrar em resolver nosso problema. Alana pode destruir este lugar.

– Não creio que seja essa sua intenção.

– Ela foi procurá-lo. O que ela queria?

– Convencer-me a partir com ela – revelou, ocultando o trato que haviam feito.

– E?

– E nada. Não estou disposto a ir.

Uma leve frustração anuviou o semblante de Marlon, para quem a ideia de livrar-se de Kelvin não seria assim tão ruim. O druida o auxiliava, mas ele tinha certeza de que, cedo ou tarde, tentaria tomar seu lugar.

– Você ambiciona minha posição, não é mesmo? – especulou. – Por isso se recusa a partir.

– E você teme que eu a tome de você?

– Você jamais conseguiria! – afirmou, tentando demonstrar convicção. – Mas me causaria um desgaste, é verdade, e creio que podemos evitar isso.

– No momento, sua maior preocupação não deveria ser eu, mas Alana. Ela é a ameaça iminente.

– Tem razão. Mas o que posso fazer? Mandei que ela partisse, para dar a impressão de que sou eu que decido, mas ela não quer. Não sem meus prisioneiros.

– Liberte-os.

– Enlouqueceu de vez, Kelvin? Se os libertar, quem irá fazer nosso serviço sujo? Ou você pensa que vou, pessoalmente, atormentar os vivos, sugá-los, perturbá-los, atrapalhá-los, aliciá-los e tantas outras coisas que os próprios vivos nos pedem e nos pagam muito bem para fazer? Você, inclusive, foi um deles e sabe perfeitamente do que estou falando. Sem escravos para trabalhar, nós é que teremos que fazer essas coisas, e isso não é trabalho para um comandante da minha envergadura.

– Duvido muito que todos queiram partir.

– Lorna foi a primeira – prosseguiu Marlon, pensativo. – Perdi uma de minhas escravas mais competentes. E se Lorna, que era tão maliciosa, interesseira e desprezível se dispôs a partir, que dirá os que tremem de medo só de me ver passar.

– Esses são mais fáceis de permanecer. Se têm tanto medo de você, não se atreverão a traí-lo.

– Quem me garante isso?

– Não há garantia alguma. Mas ouça o que estou dizendo. Conceda liberdade geral e aguarde. Você vai ver que muitos acompanharão Alana, mas muitos permanecerão. Nem todo mundo está disposto a enfrentar o tribunal da consciência, que é o que acontece do lado de lá, onde todos são obrigados a olhar de frente para seus próprios erros, assumi-los e traçar planos de modificação. Alguns têm medo e não acreditam que podem sair, outros se prendem às próprias culpas e creem que merecem todo tipo de punição. E aqueles que não conseguem alcançar maturidade suficiente são jogados em um novo corpo, para seguir os rumos traçados à sua revelia que, normalmente, são de puro sofrimento.

– Mesmo assim, corremos o risco de esvaziar este lugar.

– Que logo estará cheio novamente. Não sei se você já percebeu que a maioria dos que morrem vem ou é trazida para cá. Muito poucos, como Alana, alcançam a intensidade da luz e seguem diretamente para regiões mais amenas e sutis. A maior parte se identifica mesmo é com a truculência, a opressão e o castigo. E isso só se encontra aqui.

– Você acha?

– Tenho certeza. Agora mesmo, quantas batalhas você pensa que estão acontecendo lá em cima? As tribos lutam entre si, os romanos e os celtas vivem se digladiando, há muitas disputas, assassínios, traições, suicídios e toda espécie de morte violenta e pérfida. Os que morrem, como sempre, não sabem para onde ir, não é? – ele assentiu. – E nós continuaremos trazendo-os para cá, como sempre foi feito.

Marlon refletiu por alguns instantes, ainda sem desviar a atenção da janela, até que considerou:

– Talvez isso satisfaça Alana e ajude a manter minha dignidade, talvez não. Pode ser que os outros pensem que fiz isso porque estou com medo e enfraquecendo, o que não deixa de ser verdade.

– De qualquer forma, o risco de você perder é muito grande. Alana tem a proteção de uma deusa estrangeira antiga, que tem poder e domínio sobre o mundo dos mortos, com a diferença de que ela ostenta as armas do bem. E se tem uma coisa que aprendi durante todos esses anos de idas e vindas do mundo da matéria, é que o bem, em última instância, sempre vence o mal.

– Sinto que, no fundo, você tem razão. Talvez o melhor mesmo seja me livrar de quem não me é leal, mas como fazer isso sem parecer que estou com medo e fui vencido?

– Por que não chama Alana para um acordo? Tenho certeza de que ela o ouvirá, pois não é de seu interesse medir forças com você. Alana não está preocupada em sair vitoriosa. Só o que quer é ajudar as pessoas que querem ser ajudadas.

– Muito bem, estou convencido. Dê um jeito de Alana vir até aqui sem ser percebida. Quero evitar especulações.

Depois que se foi, Kelvin saiu em busca de Alana, que o recebeu nos aposentos que ela agora dividia com Lorna, que não saía mais do seu lado. Conversaram durante longo tempo, acertando detalhes, traçando métodos, montando estratégias. Ao final, ambos pareciam satisfeitos. E se Marlon aceitasse seu plano e suas condições, tudo seria resolvido sem necessidade de uma guerra nem a desmoralização de Marlon, que manteria intactos seu orgulho e seu poder.

Capítulo 49

Quando, alguns dias depois, Marlon viu montado o espetáculo que haviam ensaiado às pressas, sentiu mais medo do que nunca. Kelvin o colocara a par do plano, com o qual ele concordara, apesar da dúvida e do temor de que algo saísse errado. Seguindo os conselhos do druida, Marlon mandou reunir toda sua horda em uma clareira ressequida e abafada, onde o ar cheirava a enxofre e as brumas envolviam e paralisavam as pernas dos participantes assustados. Eram milhares de espíritos amontoados e aterrorizados, muitos dos quais ele nem conhecia. Enfileirados a perder de vista, tinham os semblantes marcados pelas torturas e pelo terror.

Em uma das extremidades, foi montado um estrado de madeira bem alto, de onde era possível encarar os presentes. Ali, Marlon posicionou três cadeiras. Na do meio, majestosa e imponente, ele se sentou como um rei. À sua direita, Kelvin tomou assento, como seu conselheiro. À esquerda, a cadeira vazia estava reservada a Alana.

Todos mantinham silêncio, aguardando não sabiam o quê. À exceção de Marlon e Kelvin, ninguém conhecia o motivo da reunião. A maioria achava que se tratava de uma imolação coletiva qualquer, porque tudo era motivo para que fossem castigados. Outros adotavam postura submissa, enquanto se retorciam de ódio e aguardavam uma oportunidade de criar desordem, de agredir e chamar a atenção do mestre, para que lhes fosse concedido um posto na hierarquia do submundo, fosse como sentinela, fosse como carrasco. As reações e os sentimentos eram muitos e os mais variados, misturando-se para gerar uma massa única e sombria de vibração nociva.

Subitamente, uma senda se abriu no meio da multidão maltrapilha, que se amontoou ainda mais para dar passagem à magnífica figura de Alana. Os efeitos provocados pela sua presença foram os mais diversos, indo desde a admiração até a revolta, pois muitos reconheciam sua superioridade moral, ao passo que outros a invejavam e só pensavam em destruir tamanha realeza. Ela andava com a altivez própria dos justos, uma das mãos apoiada no punho da espada presa à cintura e a outra segurando o chicote de tiras ígneas, com o qual ia afastando os que, para impressionar Marlon, se atreviam a investir contra ela.

Entre gestos de bondade para com os humildes e vigorosas chibatadas desferidas contra os atrevidos, Alana passou impunemente e, uma vez no estrado, postou-se à esquerda de Marlon. De lá, fitou os rostos confusos que os olhavam, à espera de uma explicação para aquela inesperada assembleia. Depois de uns poucos minutos de agonia, em que Marlon experimentava a reação de seus súditos, ele se adiantou e começou a falar:

– Mandei reuni-los aqui, hoje, porque tenho algo importante a lhes dizer. A meu lado encontra-se a única mulher que amei em vida e que muitos de vocês já conhecem: a princesa Alana, que liderou os celtas em vários ataques bem sucedidos contra os romanos. – Um som de vivas quase interrompeu o discurso, mas Marlon fez um gesto que o silenciou. – Na verdade, vou deixar que ela mesma explique a vocês o porquê desta nossa audiência.

Ele fez um sinal para que ela se adiantasse, e Alana postou-se ao lado dele. Esperou alguns instantes, até que as pessoas se acalmassem, e declarou:

– Após muitas negociações, Marlon e eu conseguimos chegar a um entendimento. Vim para cá trazida por ele, para que governasse ao seu lado, mas hoje, confesso-me movida por outros interesses. Respeito sua posição, contudo, é de meu desejo partir e levar comigo aqueles que desejarem me acompanhar.

– E Marlon vai permitir uma coisa dessas? – questionou um dos súditos, um espírito de cara amarrada e olhar ameaçador. – Assim, de forma gratuita e fácil?

– Nada é gratuito, muito menos, fácil – interrompeu Marlon, exagerando na imponência de sua atitude. – Minha concordância tem um propósito firme e objetivo. Quero me livrar dos fracos e incompetentes, a fim de abrir espaço para espíritos de coragem e robustez suficientes para enfrentar qualquer perigo ou desafio. Não estou mais interessado em escravos amedrontados, que choram só de ver a ponta de uma chibata e que demandam um contingente enorme de vigilantes. Não. O que quero agora são soldados audaciosos, fortes e implacáveis, que estejam sempre dispostos a agir para assegurar a sobrevivência do nosso mundo e a realização, cada vez mais eficiente, dos trabalhos de magia para os quais somos regiamente recompensados.

– E você decidiu tudo isso de repente, de uma hora para outra, ou foi convencido por alguém? – interrompeu o mesmo espírito. – Talvez, por essa menina atrevida e pretensiosa? Quem ela pensa que é para dizer ao nosso líder o que é melhor para o nosso mundo? Ou melhor, que líder é esse que se deixa convencer pelas palavras doces de uma princesinha mimada?

– Você está me desafiando? – rugiu Marlon, adquirindo um aspecto horrendo e intimidador. – Acha que é capaz de decidir o que é melhor para o reinado que eu conquistei?

– Vejo aqui aliados, soldados e escravos – rebateu o espírito, tão furioso e aterrorizante quanto Marlon. – Nossa sociedade é bem estruturada, hierarquizada de forma a manter a continuidade dos trabalhos pelos quais somos regiamente recompensados, como você mesmo disse. Mas aqui, nada se obtém por bondade, que é o primeiro e maior indício de fraqueza. Tudo é feito pela força, geradora do medo que preserva a obediência. E se o que você pretende fazer não é um ato de bondade, então, confesso que não sei como denominar essa sua atitude. Livrar-se dos fracos, francamente, não convence ninguém. Você é que está enfraquecendo, Marlon, e tenho dúvidas se é, realmente, a pessoa mais indicada para nos comandar.

– Basta! – urrou Marlon, a ponto de explodir de fúria, mandando seus guardas se encarregarem do atrevido. – Não vou tolerar nenhum tipo de insubordinação. Minhas ordens não são para ser questionadas, e se alguém mais pensa que pode me desafiar, que crie coragem e se apresente!

Ninguém se moveu. Os soldados haviam dado uma surra no insolente, deixando-o estirado no chão, cheio de hematomas colorindo de roxo seu corpo fluídico. Foi o suficiente para aterrorizar os presentes e fazer com que todos se calassem, inclusive, os mais audaciosos e insubordinados.

– É preciso que vocês compreendam que essa partida está sendo autorizada por mim, não imposta por ela – esclareceu

Marlon, com arrogância e altivez. – Faço isso porque quero, porque posso e porque é do meu interesse.

– Sim – acrescentou Alana humildemente. – Essa foi a decisão de Marlon, a quem serei eternamente grata. Por isso, dirijo-me a vocês, para conclamá-los a me acompanhar. Não tenham medo, pois estarão comigo, e eu os guiarei em segurança para fora daqui.

Todo mundo permanecia estático, apavorado demais para dar um passo em qualquer direção. Depois de ouvir as lúcidas ponderações do espírito insolente, ninguém se atrevia a se voluntariar para a partida. Não acreditavam que fosse verdade, mas sim uma artimanha de Marlon para identificar e punir traidores.

Notando a hesitação dos espíritos, que nem sequer se atreviam a olhar para cima, Marlon olhou disfarçadamente para Kelvin, que se levantou, ergueu os braços e contaminou o silêncio com sua voz traiçoeira:

– Conheço Alana desde menina e não posso negar um certo apreço por ela. Contudo, não foi o afeto que me levou a aconselhar Marlon a deixá-la partir. Foram as próprias ponderações de nosso líder, que viu, na súplica de nossa prisioneira, uma oportunidade de promover uma limpeza em nosso mundo – as palavras dele foram interrompidas por um burburinho de surpresa, que o druida logo silenciou. – Sim, não se esqueçam de que Alana é prisioneira de Marlon e, como tal, suplicou, implorou para que ele a deixasse ir, mas, a princípio, somente a ela. Na verdade, foi ideia de Marlon mandar os covardes junto com ela, para que nosso mundo seja rapidamente desobstruído e renovado, abrindo espaço para espíritos realmente audazes e inteligentes, capazes de executar suas ordens com destreza, astúcia e eficiência. Portanto, não tenham medo. Aqueles que quiserem, aproveitem essa oportunidade, pois será a primeira e a última.

Poucos foram os que perceberam a mentira engendrada pelo druida e pelo líder. Espíritos audazes e inteligentes não se renderiam tão facilmente à submissão e poderiam organizar uma rebelião dentro de um mundo naturalmente rebelde. E a última coisa de que Marlon precisava era de espíritos para desafiá-lo e ameaçar tirá-lo do poder. Ainda mais porque Kelvin, que ele pensava ambicionar sua posição, bem poderia aliciar tais espíritos com promessas de recompensas muito mais interessantes do que aquelas que Marlon conseguia obter. Esses, porém, nada disseram, temendo o mesmo destino que tivera o único que se atrevera a expor a verdade por detrás daquela farsa.

Muitos, querendo acreditar na perspectiva de liberdade, deixaram-se enganar facilmente e preferiram acreditar na versão de Kelvin. Para esses, pouco importava de onde partira a decisão, se de Marlon ou de Alana. Só o que conseguiam era pensar que tinham uma oportunidade de, finalmente, ir embora dali.

– Esta é sua última chance – bradou Marlon, com impaciência. – Aqueles que estiverem dispostos a seguir com Alana, que deem um passo à frente.

A princípio, ninguém se moveu, até que uma mulher, passando por entre os soldados, resolveu apresentar-se.

– Eu quero – falou, e logo se percebeu tratar-se de Lorna. – Quero seguir com Alana, seja lá para onde for.

A atitude de Lorna, um espírito acostumado a seguir as ordens de Marlon e de seus antecessores cegamente, encorajou os demais. Primeiramente, ela foi seguida por Brian, seu companheiro de muitas vidas. Aos poucos, outros se aventuraram, e mais outros, e alguns mais, até que um número considerável de espíritos resolveu arriscar a sorte. Depois de algum tempo, metade dos presentes se voluntariou para partir. Os que não quiseram se arriscar foram isolados por um cordão de segurança formado pelos soldados, alguns dos quais, inclusive, escolheram ir. Encerrada a separação, Marlon se aproximou da ponta do estrado e encarou a todos com olhos rubros de cólera.

– Tolos, estúpidos! – disparou ele, as feições cada vez mais distorcidas pela fúria.– Sua escolha é a revelação da perfídia! Não sabem que a pena por traição é, outra vez, a morte?

Todo mundo se agitou, inclusive Alana, logo agarrada por vários soldados. Sem entender o que Marlon dizia, apenas sentindo um medo atroz, muitos tentaram voltar atrás, o que se demonstrou impossível.

– Foi você que nos deu essa escolha! – justificou Lorna, começando a identificar as tramas da armadilha. – Não pode acusar-nos de traição por havermos aproveitado a chance que você mesmo nos ofereceu!

– Idiotas! Não percebem que eu estava apenas testando sua lealdade? Que eu jamais me deixaria levar por essa fraqueza chamada bondade e libertaria os escravos que são meus por direito? Como foi fácil enganá-los! São todos traidores, indignos de continuarem sendo meus súditos. E a pena por traição é a morte!

– Você disse que não era bondade! – protestou alguém, súplice. – Que era sua vontade, sua forma de fazer uma limpeza...

– Conheço bem a mentira que inventei para testar sua lealdade – interrompeu ele, agora com ar de ironia. – Quero fazer uma limpeza, sim, mas livrando-me dos traidores! Eu jamais permitiria a meus escravos seguirem, pacificamente, uma traidora! Quem assim o fizer é tão traidor quanto ela.

– Por que está fazendo isso, Marlon? – questionou Lorna, incrédula. – O que você vai ganhar nos matando? De uma maneira ou de outra, ficará sem os seus escravos.

– Minha intenção não é manter escravos, mas fazer de vocês um exemplo para aqueles que pensam que estou enfraquecendo, como sei que muitos pensaram, embora não tivessem coragem suficiente para o dizer. É bom que isso fique claro agora. Que ninguém mais pense em me trair, pois a única coisa que conseguirão é a morte!

– Como assim, a morte? – questionou Brian, sem entender. – Pois se já estamos todos mortos!

– Prestem atenção, espíritos pérfidos e ignorantes! – estrondeou Kelvin, de repente, assumindo um aspecto tão ou mais aterrador do que Marlon. – Então não sabem que o espírito pode ser aniquilado e, de uma hora para outra, deixar de existir? Ele cai no limbo, no esquecimento, de onde nunca mais poderá sair, porque será como se nunca houvesse existido. Aqui, ao menos, vocês eram alguém. Agora, não serão nada e nem poeira restará de vocês!

Foi um desespero geral. Muitos tentaram retroceder, mas foram impedidos pelos soldados, que os aprisionaram e fizeram ajoelhar-se diante do estrado. Os espíritos, aterrorizados, choravam e imploravam perdão, jurando lealdade dali para a frente. Tudo em vão. Bem presos pelos soldados, permaneciam enfileirados, à espera da execução de sua sentença.

– Marlon, o que está fazendo?– inquiriu Alana, livrando-se dos que a prendiam e avançando para ele.

Na mesma hora, ela foi novamente contida pelos soldados e atirada na cadeira, onde correntes invisíveis se trançaram ao redor de seus braços e suas pernas, impedindo-a de se mover.

Alana olhou para Marlon com uma expressão indefinível e cerrou os punhos, tentando se libertar. Lágrimas chegaram a subir-lhe aos olhos, fossem de surpresa, fossem de decepção, mas era impossível dizer. Ela aquietou os impulsos de se soltar e permaneceu encarando Marlon, até que seus lábios se abriram, e ela disparou, coberta de ira:

– Traidor!

– Traidor, eu? – objetou ele, mostrando a multidão aterrorizada. – Creio haver algum engano. Não fui eu que escolhi me aliar ao inimigo.

– Maldito! Acreditei em você! Disse que ia nos deixar partir.

– Você acreditou mesmo que eu ia deixar você sair calmamente, levando todos os meus escravos? Se pensou, é mais tola do que eu imaginei. Isso só demonstra a sua ingenuidade, e pessoas ingênuas não estão preparadas para comandar ou liderar. O verdadeiro líder não se deixa enganar nem se entrega, de boa vontade, nas mãos do inimigo.

Ela agitou as mãos, sem sucesso, pois estavam firmemente atadas aos braços da cadeira. Ia dizer alguma coisa, porém, foi imediatamente amordaçada, ao mesmo tempo que, dentre a multidão, um homem se adiantou. Grilhões atavam seus punhos e seus tornozelos, mas ele conseguiu caminhar até a frente, ainda que com muita dificuldade. O corpo todo sangrava, coberto de cortes e lesões produzidas a espada.

– Marlon, seu demônio, deixe-a em paz! – bradou, furioso, logo contido por soldados robustos. – Será que sua covardia não tem limites? Por que não desce aqui e me enfrenta sozinho, de igual para igual?

– Impulsivo como sempre, não é, general? – retrucou Marlon, fitando Marcus Tito com desdém. – Pelo que vejo, quer ser o primeiro a juntar-se a ela. Tragam-no!

Alana chorava, comovida com as palavras sinceras de Marcus Tito. O romano foi postado de joelhos diante de Marlon, que cuspiu no rosto dele, revelando todo seu desprezo. Depois, voltou a aproximar-se da ponta do estrado, onde a multidão permanecia comprimida, apavorada demais para falar. Durante alguns enervantes minutos, deixou-se ficar ali, servindo de elemento intimidador para os espíritos, até que se decidiu a falar:

– Esta mulher entrou aqui, hoje, certa de que havia me convencido, com palavras doces e vazias, a libertá-la e a vocês, mas vejam só o que aconteceu! Fingi concordar com sua artimanha e inventei a desculpa de que libertaria os fracos, para renovar minha fiel horda, e assim o fiz para imprimir maior veracidade ao plano. Afinal, ninguém acreditaria na minha benevolência, não é mesmo? Ela se tornou, mais uma vez, minha prisioneira, e os traidores serão aniquilados para servir de exemplo aos rebeldes e insolentes.

O rosto de Marlon exibia um ar de terrível satisfação. Aproximando-se de Alana, que o fitava com ar de desprezo e decepção, retirou a espada de sua cintura. A lâmina reluziu tão intensamente, que chegou a machucar seus olhos, mas ele resistiu às pontadas de dor e acercou-se de Marcus Tito.

– Agora diga-me, general. Quer ser o primeiro a juntar-se a ela?

O olhar de Marcus era de puro ódio. Não tinha medo da não-existência, mas sofria pelo fato de que nunca mais tornaria a ver Alana. Ele olhou para ela, que o encarava com angústia, e respondeu sem hesitar:

– Sim.

Sem pensar duas vezes, Marlon desceu a espada sobre o romano, desferindo-lhe um golpe certeiro e fatal. Na mesma hora, ele desapareceu. Em seu lugar, nenhum resquício ficou, nada que indicasse que, poucos segundos antes, o espírito de um homem estivera ali. Os que acompanhavam o ritual estacaram atônitos, desesperando-se ainda mais. Impedidos de se mover por amarras invisíveis, entregaram-se à lamúria e ao pranto agonizante. Um soldado ergueu Lorna pelo braço, conduzindo-a para o lugar que se havia convertido em patíbulo.

– Não tenham medo – ela procurou confortar. – Não há mal que dure para sempre...

Uma bofetada desferida em sua boca fê-la calar-se. O soldado a colocou de joelhos diante de Marlon, que fez com ela o que havia feito com Marcus Tito. Imediatamente, ela também desapareceu e, assim, um a um dos que se ofereceram para seguir Alana. Os espíritos, aterrorizados e incrédulos, seguiam chorando, lutando para se libertar, implorando perdão, mas de nada adiantou. O destino foi igual para todos.

Quando tudo terminou, a planície estava quase vazia. Mais da metade havia sido levada ao extermínio. Os que permaneceram sentiam alívio por não terem caído na armadilha de Marlon, esperançosos de que, dali para a frente, fossem recompensados por sua inabalável lealdade.

– Alguém mais? – Marlon gritou, mas todos se retraíram, em silêncio. – Muito bem. Agora só resta a responsável por tudo isso. Está pronta para deixar de existir, Alana?

Alana tinha uma expressão indefinível. Era impossível ler o que lhe ia no pensamento. Contudo, parecia serena, tranquila, como se estivesse em paz consigo mesma, talvez conformada com seu destino. Apesar de lhe haverem retirado a mordaça, ela não disse nada. Olhou de Kelvin para Marlon calmamente e assentiu. E a última coisa que ela registrou do olhar dele foi uma profunda tristeza.

Capítulo 50

Havia um sem-número de espíritos aglomerados no jardim. Muitos agitavam as mãos, outros a chamavam pelo nome, outros mais choravam e riam ao mesmo tempo. Todo mundo estava ansioso, mas a verdade é que ninguém sabia bem o que havia acontecido. Mazi lhes prometera notícias de Alana, contudo, até aquele momento, nada lhes fora dito.

A algazarra foi tanta, que ela abriu os olhos. A princípio, não divisou muita coisa, apenas uma gigantesca mancha branca se derramando em todas as direções. Aos poucos, percebeu que eram as paredes de um quarto, que ela reconheceu imediatamente. Já estivera ali antes, não fazia muito tempo.

– Mazi – ela chamou baixinho, sentindo a garganta arder, de tão seca. – Mazi...

Na mesma hora, a porta se abriu, e Mazi entrou, seguido por Shayla. Alana tentou se levantar, mas a cabeça doía imensamente, como se houvesse bebido vinho demais.

– O que aconteceu? – indagou ela, esforçando-se para ajustar os pensamentos ao presente. – Estou de volta...

– Sim, Alana, você está de volta – confirmou Mazi. – Você conseguiu.

– Consegui? Estão todos aqui?

– Todos os que quiseram vir.

– Marcus Tito? – ele assentiu. – Lorna, Brian?

– Sim, todos.

Ela deitou a cabeça no travesseiro e chorou. Não eram lágrimas de angústia ou desespero, mas de alívio e gratidão.

– O que são esses gritos? – tornou ela, apurando os ouvidos ao ouvir seu nome surgindo em meio ao alarido.

– Os que você salvou – esclareceu Shayla. – Estão todos preocupados, ansiosos para vê-la e agradecer-lhe por sua libertação.

– Preciso vê-los! Quero falar com eles.

– Sente-se bem para isso? – quis saber Mazi.

– Sinto-me ótima! Um pouco tonta, mas feliz.

– Acha que consegue caminhar até lá fora?

– Sim.

No momento em que se decidiu a sair, Alana plasmou a indumentária com a qual passaria a se apresentar dali em diante. Vestiu-se com um vestido avermelhado, em tom de argila queimada, cingiu a cintura com a espada e o chicote, e colocou na cabeça a singela coroa de estanho. Ladeada por Shayla e Mazi, chegou à porta do edifício que servia de hospital. Assim que a viram, os espíritos começaram a gritar, aclamando-a com entusiasmo e emoção. Alana também emocionou-se. Alguns rostos eram familiares, espíritos que ela vira aprisionados nos subterrâneos de Marlon, muitos torturados e, para sua surpresa, até alguns soldados, antes cruéis e implacáveis.

– Nem todo mundo saiu para fugir dos maus tratos – esclareceu Mazi, notando a confusão no olhar dela. – Muitos saíram porque queriam mudar de vida, não estavam mais satisfeitos com sua vida de crueldades. Arrependidos, dispuseram-se a se modificar.

– Onde está Marcus Tito?

– Ele está bem, mas ainda sem condições de se movimentar com facilidade. Marlon impôs severos danos a seu corpo fluídico. Mas não se preocupe, ele está se recuperando. Você poderá vê-lo mais tarde. Lorna, porém, está ali.

Alana seguiu a direção em que Mazi apontava e viu Lorna entre os espíritos, vestida em uma túnica clara, com uma expressão de indizível felicidade no rosto.

– O que acontecerá com eles?

– Cada um seguirá o próprio destino, uma nova encarnação. Mas isso é outra história. Por que não fala com eles agora?

Alana sorriu e se virou para a multidão. Todos a encaravam com expectativa, expressando, pelo olhar, a imensa gratidão que sentiam pelo que ela havia feito por eles. Aguardou até que todos se acalmassem e tomou a palavra:

– Meus amigos, muito me alegra saber que todos conseguiram sair e que estão bem agora. Sinto pelos momentos de angústia antes da partida, mas foram necessários. Foi preciso criar e manter uma farsa para que todos fossem libertados sem ofender os brios de Marlon, pois nunca foi minha intenção desmoralizá-lo nem medir forças com ele, nem provocar uma luta em seus domínios. Lamento que vocês tenham sentido medo e que tenham acreditado que seriam levados ao aniquilamento. Creio que Mazi já deve ter-lhes explicado que isso não é possível. A morte, verdadeiramente, não existe, e agora vocês sabem disso. Tudo foi articulado para que vocês pensassem que iam deixar de existir e pudessem desaparecer sem levantar suspeitas nem provocar questionamentos. A espada com que a deusa Oyá me agraciou foi especialmente preparada para amortecer os golpes e levá-los à inconsciência, a fim de que pudessem ser puxados por Mazi sem maiores danos, seguindo a linha invisível traçada pelas tiras do meu chicote. Fazendo isso, mantive o orgulho de Marlon, e saímos de forma pacífica, embora envolvida por uma encenação dramática de exibição do seu poder. Mas isso não importa para nós, importa? Porque o verdadeiro poder vem das pessoas que acreditam no bem, e todos nós acreditamos no bem quando escolhemos que era hora de partir. – Seguiu-se uma explosão de aplausos e vivas, que ela aguardou pacientemente terminar para então prosseguir:

– Hoje, mais do que nunca, acredito que só o bem é capaz de nos salvar e que a liberdade é o resultado do somatório das virtudes que vamos conquistando ao longo de nossas muitas vidas. Disso resulta a eterna justiça, cujo significado maior é o sentimento de plenitude que preenche o coração de quem sabe que agiu em conformidade com o bem e fez o que é certo. Agindo sempre com essa certeza, alcançaremos a verdadeira paz, que não decorre da quietude do mundo, mas é conquistada pelo interior da alma fortalecida pela verdade e que não se deixa abalar pelas vicissitudes da vida. Este é o caminho que devemos trilhar, se desejarmos atingir o verdadeiro objetivo da nossa existência, desenvolvendo o sentimento maior de todo o universo, que é o amor. Por isso é que lhes digo: agradeçamos ao único Deus que nos governa e assiste, e sigamos juntos como pessoas de bem, dispostas a lutar pela consolidação da paz, da liberdade, da justiça e do amor!

Os presentes deliravam, envolvidos pelo arrebatamento causado pelas palavras de Alana. Encorajados pela aura de empatia que dela emanava , os espíritos se aproximaram para abraçá-la. Ela correspondeu aos abraços com alegria e boa vontade, sentindo um amor inexplicável por aquelas pessoas, a maioria, desconhecida. Eles a envolveram, conduzindo-a para o meio do jardim, e ela se deixou levar, satisfeita com o halo de pura felicidade que irradiava em todas as direções. Ali, sentaram-se com ela ao centro e entoaram canções que ela não conhecia, mas que tocaram profundamente seu coração. Falavam de tudo em que ela acreditava, de amor, de felicidade, de liberdade, de justiça. Exaltavam a amizade, a confiança, a esperança e a coragem. Por fim, ao final, louvaram sua abnegação e encerraram com a palavra que eles julgavam mais adequada naquele momento e que resumia tudo o que sentiam pelo que ela lhes havia feito: gratidão.

Quando ela retornou a sua habitação, sentia-se consumida por um bem-estar que não conseguia descrever. Talvez aquela fosse a verdadeira felicidade, um sentimento de realização absoluta e inabalável.

– Sente-se bem? – perguntou Mazi.

– Emocionada. Nunca pensei que fosse capaz de sentir tanto amor pelas pessoas.

– Você está pronta, Alana. Seu coração não encontra mais ressonância nas agruras do mundo.

– O que quer dizer com isso?

– Quero dizer que você não precisa mais reencarnar, se não quiser.

– Será mesmo, Mazi? Sinto que ainda preciso ajustar alguns vícios.

– Que vícios?

– Orgulho, por exemplo. Você não sabe como foi difícil permitir-me ser humilhada por Marlon, sem reagir. Deixei que ele me aviltasse, escarnecesse e desdenhasse de mim. Confesso que, em muitos momentos, tive vontade de revidar, de saltar daquela cadeira e desafiá-lo para um duelo.

– Mas conseguiu se conter e não fez nada disso.

– É verdade.

– Em nome de um bem muito maior, você conseguiu dominar o próprio orgulho, e é aí que está o mérito. Quando não possuímos determinado vício, fica fácil não nos deixarmos levar pelo estímulo à reação. O mais difícil é resistir quando aquilo está dentro de nós, porque isso exige muito esforço, determinação e uma grande vontade de vencer a nós mesmos. Por isso, não se culpe por ter-se sentido humilhada. Ao contrário, felicite-se por ter conseguido vencer o impulso de devolver a humilhação.

– E o medo? Fiquei apavorada, pensando que talvez Marlon houvesse mudado de ideia e me traído realmente.

– Natural. No que se refere a nossas próprias atitudes, podemos confiar que faremos exatamente aquilo que pretendemos, de acordo com os bons princípios que já se encontram plenamente estabelecidos em nós. Mas quando se trata do outro, não temos como saber. Não podemos ler o que vai no coração do próximo, e se ele já nos deu motivos para desconfiança, é natural que fiquemos inseguros. Nesse caso, porém, mais importante do que não confiar em Marlon foi a confiança que você depositou em si mesma e no Deus que nos ama e nos guia. Foi por isso que você não falhou. Oyá esteve o tempo todo ao seu lado, transmitindo a você a coragem necessária para enfrentar e vencer aquela disputa. E você venceu, porque a força de Oyá, que agora também é sua, foi retirada da força maior que se chama Deus.

– Tem razão, Mazi. Mas isso é algo que ainda preciso resolver dentro de mim.

– Há tempo para isso. Seja qual for a sua decisão, tenho certeza de que será a melhor para o seu crescimento. E agora, que tal visitar seus companheiros de jornada?

– Ótima ideia. Mal vejo a hora de falar com Marcus Tito.

– Não é bem a esse companheiro específico que me refiro – gracejou ele, que conhecia os sentimentos dela –, mas àqueles que se encontram ainda encarnados no plano terrestre. Mais especificamente, sua mãe.

– Eu posso?

– É claro que pode.

– Então, eu quero. Mas só depois de visitar meu general favorito.

Capítulo 51

Por mais que tentasse, foi difícil para Alana conter a emoção e a tristeza ao se deparar com Marcus Tito. Como Mazi dissera, seu corpo fluídico havia sofrido severos danos, que os médicos do espaço tentavam curar. Ela o encontrou sentado em um banco do jardim, o corpo coberto de ataduras, os olhos cerrados, com o rosto voltado para o sol. Parecia sereno, usufruindo, com prazer, daquele momento de troca energética com a natureza.

Ela estava sozinha. Aproximou-se dele com cuidado e parou à sua frente, tapando os raios de sol. Sentindo a súbita frieza da sombra em seu rosto, Marcus abriu os olhos, reconhecendo Alana imediatamente.

– Você veio – constatou ele emocionado, oferecendo a ela o lugar a seu lado.

– Não podia deixar de vir. Queria muito saber como você estava.

– Não tão bem, como pode ver. Mas vou me recuperar logo.

– Creio que sim.

Fez-se um silêncio momentâneo, no qual os dois permaneceram fitando as flores do jardim, que brilhavam, banhadas pelo sol. Gentilmente, ele segurou a mão dela e encarou-a com tristeza.

– Estive conversando com alguns espíritos – disse pausadamente. – Eles me aconselharam a reencarnar tão logo possível.

– E você, o que acha?

– Não sei. Confesso que tenho um pouco de receio, mas não vejo outra solução. Acho que tenho muito que corrigir dentro de mim mesmo.

– Por que diz isso?

Em vez de responder, ele fez outra pergunta:

– Diga-me, Alana, o que você sente neste momento?

– Paz – foi a resposta imediata.

– Pois eu sinto raiva, muita raiva. Raiva de mim, dos bretões, de Marlon, da minha terra. É uma emoção poderosa, que tento dominar, mas não consigo. Sinto que minha vida é direcionada pela raiva.

– Você passou por muita coisa – ela tentou justificar.

– E você também. Todavia, conseguiu encontrar a paz.

– Não se cobre tanto, Marcus. Todos nós temos imperfeições.

– Eu sei. Mas sinto que as minhas imperfeições são maiores do que minhas virtudes, se é que possuo alguma.

– Você está sendo severo demais consigo mesmo.

– Estou sendo realista. Estou aqui, sendo tratado por pessoas que nunca me viram, mas que se dedicam a me curar como se eu fosse um ente querido. Não sei se faria o mesmo por elas.

– E isso importa?

– Sim. Elas são desinteressadas, e eu, egoísta. Elas são amorosas, ao passo que eu só sinto raiva. Elas são boas e sinceras, o que me causa uma certa inveja, porque não consigo ser assim. Ajo conforme meus próprios interesses, ainda que tenha que fazer mal a alguém. Resumindo, sou desprezível.

– Você é humano. Ou pensa que a maioria das pessoas é diferente de você?

– Você é.

– Talvez. Mas isso não significa que você também não possa vir a ser, um dia.

– Um dia... Quando será isso?

– Vai depender de você, da sua vontade de se modificar e da força interior que empregar nesse propósito.

– Pelo visto, vou levar alguns séculos.

– Não se torture. Em vez de se culpar pelos seus erros e defeitos, por que não se concentra em traçar os rumos de uma nova encarnação e dar a si mesmo a oportunidade de fazer algo melhor? Só assim conseguimos aprender e crescer.

– Você tem razão, como sempre. Mas eu sei como as coisas funcionam. Lembro-me de algumas vidas passadas e andei conversando com as pessoas por aqui. Reencarnação é sinônimo de sofrimento, porque os ajustes tendem a ser doloridos.

– Mas não precisam ser. Você pode escolher uma forma mais útil e menos sofrida de reequilibrar sua própria vida.

– Como, se o mundo não comporta boas atitudes?

– Não culpe o mundo pelas suas próprias dificuldades. O mundo pode ainda ser um lugar cruel, onde o sofrimento brota em cada ser, mas não precisará ser sempre assim. À medida que a humanidade avançar, o mundo avançará com ela. Todavia, se nos recusarmos a nos enfrentar a nós mesmos, permaneceremos na estagnação, e o mundo caminhará a passos muito lentos. Não quer tentar ajudar a melhorar as coisas?

– Quem sou eu para conseguir algo assim?

– Uma pessoa como eu, como todas as outras. Talvez eu tenha amadurecido mais depressa, mas isso não veio de forma gratuita. Tive que me esforçar muito no decorrer das minhas existências, até que compreendi. Isso vai acontecer com você também.

– Você está livre das encarnações, não está?

– Mazi diz que sim, mas eu ainda não me decidi.

– Por que não?

– Como você, tenho minhas próprias dificuldades a vencer.

– Mas você não sente mais vontade de voltar ao planeta, sente?

– Na verdade, não. A vida na matéria se tornou atrofiada para os meus anseios.

– Estranho, não é, Alana? Sempre gostei da vida e admito que tenho vontade de retornar ao mundo. Acho que ainda estou contaminado pelas ilusões do prazer e quero sentir tudo novamente. Por outro lado, tenho medo. E se eu renascer aleijado ou coisa parecida?

– Vá com calma, Marcus. Escolha algo que você sabe que poderá vencer. Há espíritos aqui encarregados de nos orientar nessas escolhas. Procure-os, converse com eles. Tenho certeza de que, juntos, encontrarão algo que seja adequado às suas necessidades e compatível com sua capacidade de suportar a dor.

– E se eu não conseguir chegar a nenhuma conclusão? Na certa, serei obrigado a enfrentar o que outros escolherem para mim.

– Se quer evitar a reencarnação compulsória, prove que é capaz de uma escolha sensata.

– Você vai me ajudar?

– No que eu puder...

– Fico mais tranquilo assim, porque algo me diz que você está a um passo de se tornar uma deusa ou algo parecido.

Alana riu com vontade e protestou de bom humor:

– Nossos muitos deuses são criações humanas, que tentam dividir aspectos únicos de uma divindade só. Há um único e verdadeiro Deus, e os demais são apenas emanações de seus vários atributos.

– Mas você é diferente, Alana. Suas atitudes não são ditadas por interesses próprios, mas pela total ausência deles.

– Deixe isso para lá, Marcus. Quero que você pense em si mesmo. Mais tarde, se você quiser, posso ajudá-lo a elaborar as circunstâncias básicas de sua próxima encarnação. O que acha?

– Acho maravilhoso! Vou me sentir muito mais seguro se você me ajudar.

– Combinado, então. Voltarei aqui depois, e traçaremos um plano juntos.

– Você já vai?

– Tenho que ir. Mazi está me esperando para uma missão.

– Está bem. Não quero atrasá-la.

Despediram-se com entusiasmo, e Alana sabia que faria o possível para ajudar Marcus Tito a planejar sua próxima encarnação. Mas ela não se iludia. Vislumbrava um caminho tortuoso para o general, que não diferia muito das outras pessoas daquela época. Havia muitos conflitos internos que precisavam ser resolvidos, muitas culpas, muitos medos e, acima de tudo, como ele mesmo dissera, muita raiva infundida em seu coração.

Epílogo

Em companhia de Mazi, Alana voltou ao orbe terrestre, apenas para ver como prosseguia o desenvolvimento da Terra. Em seu país, os romanos continuavam dominando os celtas, e pequenas rebeliões surgiam esporadicamente, todas contidas pelas legiões invasoras. Em Brigância, não foi Cartimandua que Alana encontrou reinando sobre os brigantes, mas um homem que ela não conhecia, embora intuísse de quem se tratava.

– É seu pai, Venúcio – esclareceu Mazi. – Ele declarou guerra a sua mãe e reconquistou Brigância, embora saibamos que seu reinado não perdurará por muito tempo.

– Por que não? – Alana quis saber.

– Porque os romanos, em breve, reconquistarão essas terras e expulsarão seu pai definitivamente.

– Mas o que aconteceu, Mazi? Como meu pai conseguiu vencer os romanos e invadir Brigância?

– Contando com o apoio de outras tribos. Sua mãe pediu ajuda aos romanos, mas eles, envolvidos com outras prioridades, só puderam enviar tropas auxiliares.

– Meu Deus! E onde está minha mãe?

– Ela fugiu para uma fortaleza romana. Quer ir até lá?

– É claro que quero!

Na mesma hora, viram-se em um aposento todo feito de pedra, onde Cartimandua se encontrava, deitada em uma cama perto da janela. Tinha o semblante abatido, olheiras profundas e alguns fios brancos misturados ao rubor de seus cabelos. Quando eles entraram, ela sentiu-lhes a presença e, mesmo sem saber que se tratava de sua filha, a lembrança de Alana brotou espontaneamente em seus pensamentos.

A um gesto de Mazi, Cartimandua sentiu uma inexplicável sonolência e, poucos instantes depois, adormeceu. Seu corpo fluídico se desprendeu do físico, e ela se encontrou lado a lado com a filha, de cuja morte soubera pelas informações dos romanos.

– Alana! – exclamou ela, atirando-se nos braços da princesa. – Disseram-me que você havia morrido, mas você está aqui!

– Eu morri, mãe, mas não como você pensa. Vivo apenas em espírito agora.

– Ah, Alana, você não sabe o quanto eu sinto por tudo o que lhe fiz. Jamais deveria tê-la deixado partir.

– Parti porque quis me aliar a Boudica, e não havia nada que você pudesse fazer para me impedir.

– E de que adiantou? Boudica morreu, e você também perdeu a vida. Pior, perderam a guerra.

– Aconteceu como tinha que ser. Mas não vim aqui para isso. É passado, e as coisas já estão estabelecidas. Vim para saber como você está.

– Como você vê, acabada, aniquilada por seu pai, vivendo de favores dos romanos.

– E Velocatus?

– Não sobreviveu ao ataque.

– Lamento.

– Eu também. Tenho certeza de que, se ele estivesse vivo, estaria aqui, me ajudando a traçar um plano para reconquistar Brigância.

– Muito em breve, Brigância estará nas mãos dos romanos, e não creio que eles pensem em deixar que você reine novamente.

– Tem razão. Estou acabada.

– Tenha paciência. Tudo acontece no momento oportuno.

Por mais que Alana quisesse, não podia falar abertamente com Cartimandua. Sua mente ainda primitiva não alcançava os ideais que moviam sua filha, de forma que Alana só pôde amparar a mãe e tentar levar-lhe algum conforto.

– Tenho que ir, mãe – disse Alana, depois que ela se acalmou. – Mas não se preocupe. Existe um Deus acima de nós que nunca nos desampara.

Cartimandua não ouviu mais. Mazi havia feito uma transfusão de energias calmantes, que a conduziram de volta ao corpo e a mantiveram presa ao sono.

– Vamos. Não podemos fazer nada por ela.

– Para onde, Mazi? Gostaria de ver Boudica.

– Sabia que ia pedir isso, mas, infelizmente, não será possível.

– Por quê?

– Boudica está em um lugar inacessível no momento. Devido a seus atos de implacável violência, além de ter assassinado as filhas e tirado a própria vida, está em um lugar obscuro, nos subterrâneos do planeta.

– Marlon a pegou?– apavorou-se.

– Não. Ela e todo seu exército estão reunidos em uma cidade no astral inferior, mas há espíritos de luz tomando conta deles, embora à distância.

– O que isso significa, exatamente?

– Significa que eles não estão sozinhos. Boudica pode ter sido cruel, mas, à sua maneira, só o que queria era libertar seu povo. Há muitos elementos favoráveis e desfavoráveis pesando na balança de sua consciência, embora ela precise ainda de um bom tempo para que o equilíbrio aconteça.

– Entendo.

– Sente alguma raiva dela? Ressentimento, ódio, desejo de vingança?

– Nada disso. Gostaria de ajudá-la, se puder.

– Um dia, isso será possível. Ela também não lhe guarda rancor. Ao contrário, arrepende-se do ato impulsivo que lhe tirou a vida e, intimamente, lhe pede perdão.

Alana não disse nada. Sentiu uma tristeza em seu coração, por ver as pessoas que amara um dia vivendo momentos de amargo sofrimento. No entanto, compreendia os mecanismos de evolução do espírito e confiava na justiça de Deus.

– Vamos para casa, Mazi. Não temos mais o que fazer aqui.

Mazi sorriu e segurou a mão dela. A tarde chegava ao fim, e nuvens cor-de-rosa pontilhavam o céu, onde o sol rubro iniciava seu ritual de recolhimento. O vento soprava entre as árvores, jogando ao chão as folhas de outono amarelecidas. Ela fitou o horizonte, sentindo a energia do momento. Naquela hora rubra, pareceu-lhe que Oyá deslizava na ventania, movimentando as energias do mundo.

E quando Alana se lançou no tempo, foi como se seu corpo inteiro fizesse parte daquela vibração, como se ela, de uma hora para outra, não fosse mais a pequena princesa celta, mas a própria representação da deusa Oyá.